Y Dŵr

Cyflwynedig i bawb a fu'n byw erioed ym
Mryn Clochydd, Gwytherin,
ac i bawb ym Mro Hiraethog

Y Dŵr

Lloyd Jones

Diolch yn arbennig i Alun Jones a Lefi Gruffudd yn y Lolfa
am symbylu'r nofel hon ac am eu cefnogaeth a'u cymorth
wrth ei hysgrifennu

Dwi'n hapus i gydnabod dylanwad
Baotown gan Anyi Wang ar y llyfr hwn

Argraffiad cyntaf: 2009

Dymuna'r cyhoeddwyr gydnabod cymorth ariannol
Cyngor Llyfrau Cymru

Llun y clawr: Cyn Codiad y Lleuad / Before Moonrise
gan Ray Wilkinson

Rhif Llyfr Rhyngwladol: 978-1-84771-133-5

Cyhoeddwyd ac argraffwyd yng Nghymru
gan Y Lolfa Cyf., Talybont, Ceredigion SY24 5HE
gwefan www.ylolfa.com
e-bost ylolfa@ylolfa.com
ffôn 01970 832 304
ffacs 832 782

1

Deg iâr. Saith buwch. Dwy gath. Un buarth. Pedwar bedd.

Dyma galon yr hen fferm – y buarth, yn agor fel llaw o flaen ein llygaid; roedd ôl llafur yno: swigod, a chaledrwydd, a chreithiau. Hwn oedd llwyfan y fferm, ac yma dechreuodd yr act gyntaf ganrifoedd maith yn ôl. Faint ohonon ni, Gymry, a safodd ar fuarth ym more oes, yn ein clytiau?

Roedd yr hen actorion yn eu beddau erstalwm, ond roedd ôl eu perfformiad ym mhobman. Nid y meini sigledig yn y fynwent oedd cofebau'r hen bobl hyn, ond y cloddiau, y waliau, y ffosydd a'r ffyrdd a gafodd eu naddu â'u dwylo, y clytwaith o fân gaeau a grëwyd dros gyfnod maith – pob un â'i enw a'i gymeriad ei hun: Cae Gwlyb, Waun Goch, Ffridd Las Isa, Cae Harri Dafis.

Câi campau'r hen bobl eu mesur nid mewn gradd neu dystysgrif, ond drwy eu chwys a'r crydcymalau, drwy blygiad bys a pheswch.

Ac ar ôl llawenydd, tawelwch fu. Blodau mân y llawr ydi eu cofiant heddiw.

Daeth yr amser i ddymchwel ac i ddifa gorchestion yr hen fyd. Wedi iddyn nhw adeiladu cestyll o dywod ar y traeth bydd plant bach yn eu sathru. Dyna yw greddf plentyn, a dyna reddf dyn hefyd yn ei ddyddiau tywyll. Wrth i'r hen gaeau, y waliau a'r ffosydd heneiddio mi aethon nhw'n dila. Heb neb i'w gwarchod, dirywio fu eu hanes a'u hunig swydd heddiw yw corlannu ysbrydion y deyrnas. Bwytawyd y mochyn heb forol am y gaeaf – a daeth yr hirlwm.

Ond eto i gyd roedd bywyd yno o hyd. Yn llofft gefn Dolfrwynog roedd dau ben bach i'w gweld yn edrych i lawr o'r ffenest ar lwyn o hen goed bedw wrth y llyn.

'Welais i rywbeth fan'cw neithiwr,' meddai Huw y mab wrth ei chwaer, Mari – bachgen deuddeg oed, crwt tenau, anhapus ac esgyrn ei ysgwyddau fel dau gryman. Brifai bawb â'i gariad. Âi o'r naill berson i'r llall fel oen llywaeth, yn pigo pawb â'i angen a'i esgyrn.

Amneidiodd i gyfeiriad y llwyn.

'Dyn, Mari, dwi'n siŵr.'

Hithau'n tynnu ei hanadl yn uchel. 'Paid â phonsio,' meddai'n swta. Ymadawodd yn swnllyd gan godi gwisg briodas rithiol o'i hôl a'r llwch yn tagu'r heulwen. Wrth iddi adael roedd arogl sur, fel petai rhywun wedi curo'r hen garped o dan ei thraed. Doedd dim trefn ar y stafell: roedd y papur wal hynafol yn pilio, ac olion plentyn wedi bod yn sgriblo drosto. Edrychodd Huw i mewn i'r coed gan syllu ar gwmwl bach o wlân – gweddillion oen a fu farw llynedd. Doedd neb yn symud yn y goedwig fechan heddiw. Efallai fod y diffyg bwyd yn effeithio ar ei feddwl.

Dyma Ddolfrwynog. Hen ffermdy cysglyd o dan yr haul gaeafol. Roedd rhai o'r cerrig yn ei furiau mor fawr â llo blwydd a distawrwydd llethol yn ymdaenu dros yr adeilad heddiw. Safai'r tŷ ar lwyfan bychan, gyda'r caeau'n disgyn oddi wrtho'n sydyn ac i lawr tuag at y llyn. Ar un cyfnod gallai trigolion Dolfrwynog weld cwm mawr braf o'u blaenau – Cwm y Blodau fel y câi ei adnabod mewn llenyddiaeth Gymraeg – ond roedd hwnnw wedi diflannu erstalwm.

Bellach roedd pedwar bedd yn y gadlas, yn y gornel isaf o dan y coed eirin, a glaswellt tenau'n cropian drostyn nhw yn swil, ac olion hen flodau mewn jar ar osgo yn y pridd. Yno hefyd roedd pader plentyn wedi'i falurio mewn hen dun baco rhydlyd, a'r geiriau Golden Virginia yn pylu ar ei glawr.

Ar silff y ffenest yn stafell wely Huw roedd pentwr o lyfrau mawr, clawr caled. Eu harogl oedd eu gorffennol. Yn eu mysg roedd llyfr hanes a hen gopïau o'r *National Geographic*, yn dangos pob math o lefydd anghysbell. Esgimo'n sefyll wrth ei iglw; rhes o enethod duon efo breichledau ym mhobman a thatŵs mawr – roedd yn hoff o syllu ar eu bronnau bach pert gan wrando'n astud ar yr un pryd am wich troed ar y grisiau.

Ond i Huw, y buarth oedd y byd.

Pan ddarllenai am Armada Sbaen yn cael ei gyrru o amgylch Prydain yn nhymestl fawr 1588, y llun a ddeuai i'w lygad oedd gwyddau'n crwydro o amgylch y buarth fel llongau, gan glwyfo ei ddwylo bach â'u cleddyfau pigog. Roedd y beudy yn y Byd Newydd, ar draws yr Atlantig, lle hwyliai'r teulu â'u bwcedi – howldiau llong – i nôl yr hylif gwyn, gwerthfawr. Doedd Huw ddim yn gorfod mynd ar y fordaith honno'n aml oherwydd iddo golli cargo cyfan mewn storm fis ynghynt. Gwasgodd yn rhy dynn ar un o dethi'r heffar ifanc a rhoddodd honno gymaint o gic nes bowlio'r bwced ac yntau i ganol y tail yn y gwter.

Gwaeddodd pawb yn groch arno, cyn gwneud hwyl am ei ben. Aeth Mari ag ef i'r afon i'w ymolchi. Trodd ei chefn wrth iddo dynnu ei drowsus a glanhau ei ddyn bach. *Dim byd llawer i'w weld beth bynnag*, meddai hi'n bigog.

'Lwcus ar y diawl na wnest ti ddim malu'r bwced, hwnna yw'r diwetha naethon ni 'i brynu,' meddai wrth sychu Huw â hen dywel budr.

Yn ystod y prynhawn aeth Mari a'i mam, Elin, i'r llofft ac yno pwyntiodd y ferch drwy'r ffenest tuag at y clwstwr o goed wrth y llyn.

'Fan'na.'

Sylwodd Mari ar wyneb ei mam. Gormod o lipstig coch

ar ei gwefusau unwaith eto – roedd hi'n rhy hen i hyn. Lle roedd hi'n dod o hyd i'r stwff 'na, beth bynnag? Max Factor, mae'n siŵr. Neu L'Oréal. *Because you're worth it.*

Copi o'r naill oedd y llall, heblaw bod y fam yn nesáu at ei hanner cant oed a'r ferch ond yn un ar bymtheg ac yn ddel, ddel, ddel – a siâp ei chorff yn atgoffa'r fam yn foreol o'r blynyddoedd a fu.

'Be welodd o'n union?' holodd ei mam.

'Dyn, medda fo.'

Safodd y ddwy yno am hydoedd a'u breichiau wedi'u plethu, yn edrych am symudiad i lawr wrth y llyn.

'Wel, gwell i ti ddweud wrth dy Yncl Wil,' meddai Elin, a rhoi ochenaid flinderus. 'Rhag ofn.'

Syllodd Mari ar y ddwy linell ddofn yn crychu talcen ei mam, crychau a ymddangosodd yn ystod y blynyddoedd diwethaf. 'Dydan ni ddim isio i'r un peth ddigwydd eto, nag oes,' meddai cyn troi am y drws.

Roedd y byd a'r betws yn y buarth hwn. Gwledydd pell ar draws y tonnau brwnt. Yng ngwaelod y buarth, y domen – Mynydd Everest. Oedd, roedd tomen yn Nolfrwynog. Safodd Huw wrth y tŷ yn cosi'i ben, gan syllu ar y domen, ac yn ei ddychymyg ar Fynydd Everest. Gwelodd y ceiliog yn gosod ei faner ar y copa, ar ben y gwrtaith. Cofiodd un ffaith arbennig yn ei lyfr hanes – mai Cymro o ryw fath oedd Mr Everest.

Syllodd wedyn i gyfeiriad y llofft stabal, lle trigai'r gweision yn yr oesoedd a fu. Heddiw roedd yn gartref i hen deledu a phob math o geriach nad oedd iddyn nhw fawr o ddefnydd i neb bellach.

Dychmygodd long yn llafurio dros y moroedd, yn berwi efo llond howld o gaethweision a'r rheiny'n griddfan ac yn marw'n araf, cyn cael eu taflu dros yr ochr. Teimlad reit debyg yn ei farn o fuodd cael uffarn o gic gan yr heffar ifanc yn y beudy.

Doedd 'na ddim gwas bach yn y llofft stabal erbyn hyn. Ond doedd hi ddim yn wag yno chwaith, am fod olion bywyd yno'n fynych. Rhyw gip o gân, llinell neu ddwy yn dod drwy'r drws agored: 'Pwy fydd yma 'mhen can mlynedd...' mewn llais tenor simsan, ond yn ddigon annwyl o'r herwydd. Weithiau deuai bloedd ar draws yr iard.

'Damia!'

Yn y nos byddai clwt bach o olau melyn i'w weld yn y ffenest fach − awr o gannwyll cyn cysgu.

Oedd, roedd Yncl Wil wedi symud i fyw i'r llofft stabal, ar ei ben ei hun. Newidiodd gogwydd ei fywyd. Un diwrnod daeth ar draws hen gwmpawd pres yn y llofft a bu wrthi am oriau'n bytheirio yng nghanol y buarth; yna aeth i bedwar ban ei fyd bach ar yr hen fuarth hwn. Y gogledd oedd y cwt ieir ym mhen ucha'r buarth; y dwyrain oedd y llofft stabal; y de oedd y cwt tacla yng ngwaelod yr iard, ger y domen, a'r gorllewin oedd yr hen ffermdy ei hun.

Dwi'n symud i fyw i'r Dwyrain Pell, meddai Yncl Wil wrtho'i hun. Yna lledodd gwên fawr dros ei wyneb. Dychmygai ei hun yn sefyll yn nrws y llofft stabal gyda'r wawr, yn canu fel mwesin, yn galw ar bawb i weddïo. Lluniodd ei lygad finarét dychmygol uwchben to'r sgubor.

Chwarddodd yn uchel. Wedi'r cyfan, yr unig beth a'i cynhaliai erbyn hyn oedd hiwmor.

'Dyna ni,' meddai Yncl Wil wrth Huw wedi iddo gynnal cynhadledd rhyngddyn nhw yng nghanol y buarth, a'r gwyddau'n edrych yn syn arnyn nhw − yr hen glagwydd yn newid osgo'i ben o'r naill ochr i'r llall fel si-so araf.

'Hwn yw'r byd newydd. Dwi'n mynd i fyw i'r dwyrain,'

meddai Yncl Wil cyn stompio'n ôl i'w gartref newydd.

Wedi iddo adael, daeth newidiadau yn araf i Ddolfrwynog. Daeth dyn arall, llawer iau, i gymryd ei le yn y stafell gefn. Ond doedd neb yn gwybod hynny eto. Byddai llawer tro ar fyd. Cyn hynny, byddai llawer siwrne dros y buarth, i ymweld ag Yncl Wil yng ngwlad y tywod a'r minarét.

2

Safai Yncl Wil yn yr eira, yn y gogledd pell. Mis Ionawr oedd hi – y mis du. Daeth stormydd geirwon yn nyddiau cynnar y flwyddyn newydd. Am ddyddiau bwygilydd ni ellid gwneud dim mwy na bwydo'r stoc yn y beudy a'r cytiau, godro'r fuwch ddu a'r heffar, a cheisio cadw'r aelwyd yn gynnes. Bu'n rhaid i Yncl Wil gadw'r ieir i mewn yn y cwt am dridiau a'u bwydo efo llond llaw o hen geirch wedi llwydo. Tamaid bach yn ddyddiol. Bu farw un o'r ieir ac mi bluodd hi mewn distawrwydd yn un o'r cytiau, heb na phwt o gân na sgwrs efo un o'r cŵn, fel yr arferai ei wneud.

Bob dydd byddai Yncl Wil yn canu un o hen alawon Cymru mewn llais ysgafn, sigledig, ac mi gâi ymgom efo Jess neu Pero, fel petaen nhw'n blant iddo. Holai'r cŵn, *Be ti'n feddwl Jess?* neu *Pam lai, Pero?* bob yn ail frawddeg. Roedd yn frawd ac yn ffrind i'r cŵn, ond roedd ganddo berthynas arbennig efo'r ieir, perthynas oedd bron â bod yn gapelaidd ei naws. Os mai ef oedd y gweinidog, hwy oedd y blaenoriaid. Roedd yn meddwl y byd ohonynt a chanddo enw i bob un: Becsan, Non, a Bwgan yr un ddu…

Heddiw, cafodd fore trist wrth bluo'r hen iâr, Non, a'r eira'n chwyrlïo o amgylch ei wyneb ac yn toddi ar ei drwyn. Doedd ond hanner to ar y cwt bellach, a bob hyn a hyn disgynnai darnau bach o eira o gantal ei het ac i lawr ei war. *Damia!* meddai bob tro, dan ei wynt. Bu'n gwisgo'r het ers pan oedd o'n ddyn ifanc. Gwyrdd oedd ei lliw gwreiddiol, efo rhuban ddu o'i hamgylch a hen bluen ar ei phen; roedd y bluen wedi diflannu erstalwm, ond roedd ei chysgod yno o hyd a rhyw liw ysgafn yn atgof o'r man lle bu.

'Damia!' meddai Yncl Wil. Roedd y plu mân yn glynu

wrth ei fysedd a'r rheiny bron â fferru. Erbyn iddo orffen roedd pentwr bach o blu yn y cwt a phatrwm igam-ogam ei sgidiau mawr trwm yn addurno'r llawr gwyn. Non, yr iâr fwyaf beiddgar ar y buarth. Âi ymhellach nag unrhyw iâr arall – i'r dwyrain pellaf un, i ben draw'r gadlas, lle bu'n dodwy wyau am sbelan. Hi oedd Marco Polo'r ieir. Anaml y byddai Yncl Wil yn cyfeirio at 'yr ieir'. *Y Cymry ar wasgar* oedd ei ddull o o'u cyfarch. Gyda'r nos, pan aent i'r cwt, bydden nhw'n ymgasglu gogyfer â'r gymanfa fawr. Wedi'r cyfan, roedden nhw oll ac un yn canu gyda'i gilydd ar y clwydi. Y ceiliog oedd yr unawdydd gwadd. Cofnodai Yncl Wil fywyd yr ieir ar siart mawr wedi'i hoelio ar wal y llofft stabal, siart a wnaed o hen bapur wal wedi'i ddifetha – anaglypta, a'r siapiau ynddo'n peri i bensal Yncl Wil lithro a gwneud sgwigls diystyr.

'Damia!'

Gwnaeth fap o galon y fferm gan roi croesau bach du lle'r âi'r ieir i ddodwy eu hwyau. Roedd un groes ddu reit ar ymyl y map – yn dynodi nyth Non. Heddiw, wrth ymgodymu â'i chorff, mi wyddai Yncl Wil na fyddai Non byth eto'n mentro i ben draw'r gadlas. Clywai glwcian rhithiol yn ei ben. Non yn dodwy wy ar fore clir, heulog, yn yr haf. Non yn ifanc ac yn hardd. Daeth deigryn i'w lygad. Non anturus, feiddgar, yn ffarwelio â'i thylwyth ac yn mentro ymhellach nag unrhyw un o'r da pluog. Teimlai fel Scott yng nghanol yr iâ ym Mhegwn y De, yn sgwennu ei ffarwél dwys i'r byd yn ei ddyddiadur. Cadwai Yncl Wil ddyddiadur hefyd. Byddai'n cofnodi heddiw, 10 Ionawr, â'r frawddeg foel: *Non wedi marw.*

Wyddai neb pa mor emosiynol fyddai Yncl Wil wrth nodi'r ymadawiad yn ei lyfr, â gwaed Non a darnau bach o'i pherfedd ar flaen ei fysedd. Nododd y dyddiad 10/1/10 wrth y groes ddu ar ymyl ei fap, i ddynodi bod Non – a gyrhaeddodd ben pella'r byd – wedi dodwy ei hwy olaf.

Aeth i'r tŷ gan gario Non yn un llaw a dau wy yn y llall – roedd un o'r cywennod ifanc yn dal i ddodwy. Rhoddodd ei offrwm ar y *draining board* ac yna aeth yn syth yn ôl i'w gartref newydd yn y llofft stabal. Yn yr hanner golau oer a ddeuai drwy'r ffenest fach, gorweddodd yn ddistaw ar ei wely o dan ddwy gôt fawr ddu. Crynai ychydig rŵan ac yn y man cyn cysgu am hanner awr. Breuddwydiodd fod Non yn sefyll yn dalog ar flaen llong euraid ac yn edrych yn andros o nobl; roedd pagoda yn y cefndir a phalas mawr crand. Gwelai resi o ferched del mewn gwisgoedd sidan lliwgar, pob un yn cysgodi ei hwyneb efo gwyntyll. Roedd pont fach gron yn y llun, yn union fel y bont fach a gofiai ar y llestri *willow pattern* ar hen ddresal Nain Wern. Glas oedd yr unig liw arnyn nhw. Glas oedd Non yn ei freuddwyd hefyd, yn clwcian fel petai hi wedi dodwy wy. Rhedodd y merched i bob cyfeiriad, i chwilio am yr wy. Daeth un ohonynt yn ôl efo wy aur yn ei llaw. 'Yn y gadlas,' meddai hi mewn Cymraeg perffaith. Chwarddodd pawb. Estynnodd y ferch ei llaw a rhoi'r wy ym mhoced Yncl Wil. Cusanodd o. A chwarddodd pawb unwaith eto. Tincian yn ysgafn wnaeth y merched.

Yn y nos dywyll y tu allan i'r llofft stabal, tra oedd Yncl Wil yn cysgu, chwythai'r gwynt main y plu mân gwyn ar lawr y cwt pluo gan wneud cawdal o'r eira mân a'r plu. Cymysgwyd y gwyn oer â'r gwyn a fu gynt yn gynnes. Chwibanai'r gwynt yn yr hanner to. Udai'r cŵn fel pe na bai ganddynt obaith. Wrth y cwt ieir ymddangosodd dau lygad oren uwchben pedair pawen oren. Llwynog. Gadawyd patrwm pedwar carn ar y papur gwyn, fel petai plentyn wedi'i wneud efo'i ddwylo bach yn yr ysgol feithrin. Aeth y cŵn yn lloerig.

Pan ddeffrodd Yncl Wil roedd hen sbring y gwely'n ei bwnio, ac nid wy aur oedd yn chwyddo yn ei boced ond hoelen haearn rydlyd yn procio'i goes esgyrnog, denau.

3

Safai Huw yn nrws agored y llofft stabal. Silwét bach gwyn ar bapur du. Eira yn ei wallt ac ar ei ddillad. Tyllau yn ei sgidiau. Rhimyn o hen waed sych, dugoch, ar ei law, yn dyst bod hoelen rydlyd wedi crafu ei groen. Disgynnai edau hir o lysnafedd o'i drwyn, yn brawf bod annwyd arno unwaith eto; byddai rhyw glefyd neu'i gilydd fel efaill iddo drwy'r gaeaf bron. Roedd ei ddannedd yn clecian yn yr oerni. Daliai ei freichiau ar draws ei gorff fel petai'n ei gofleidio ei hun – ymgais oedd hyn i gadw'n gynnes. Edrychai fel ci bach a hwnnw wedi cael cweir.

'Tyrd i mewn, brysia,' meddai Yncl Wil. Ceisiodd swnio'n gynnes ond roedd tinc blinedig yn ei lais. Un trybeilig o anodd i'w hoffi oedd yr hogyn bach 'ma. Os na fedrai ei fam ei hun ei garu, pwy arall fedrai? Anaml y byddai Elin yn siarad efo'r crwt, heblaw i'w geryddu, a hynny fel arfer o ganlyniad i rywbeth dibwys. Clywai'r geiriau *dos o'ma* yn dod fel cyfarthiad ci o gyfeiriad y tŷ yn rheolaidd. Y creadur bach.

Amneidiodd Yncl Wil arno â'i law, ac mor sydyn â gwiwer yn gwibio ar draws cangen, gorweddodd Huw ar y gwely gyda'i ewyrth. Gwichiodd a phlygodd yr holl gontrapsiwn o dan eu pwysau.

Ennyd o ddistawrwydd.

'Dos i gau'r drws, wnei di Huw,' meddai Yncl Wil mewn llais gwastad, amyneddgar.

Gwibiodd Huw yn ôl ac ymlaen fel gwiwer unwaith eto.

Wedyn, arhosodd y bachgen mor llonydd ag y medrai o dan y ddwy gôt fawr ddu, nes iddo gynhesu tipyn. Mi fuon nhw'n gorwedd heb symud, fel dau fymi, ochr yn ochr heb ddweud gair am ychydig cyn i'r bachgen dorri ar y tawelwch.

'Dwi isio dod i fyw efo chi yma yn y llofft stabal,' meddai Huw mewn llais bach gwan.

Gadawodd Yncl Wil i'r distawrwydd siarad drosto.

'Dwi isio dod yma i fyw efo chi,' meddai Huw yr eilwaith, a'i lais wedi cryfhau tipyn.

Unwaith eto, ddywedodd Yncl Wil ddim gair. Roedd yn gobeithio na fyddai'n gorfod ymateb. Ond doedd Huw ddim am gymryd y distawrwydd fel arwydd.

'Fyddai Mam ddim yn poeni,' meddai.

Gorweddai Yncl Wil mor ddistaw â cherflun marmor ar y gwely. Caeodd ei lygaid. Byddai'n rhaid iddo ddweud rhywbeth. Fedrai o ddim anwybyddu'r bachgen, ac yntau mor anhapus ac yn llawn anobaith.

'Gwranda,' meddai Yncl Wil o'r diwedd. Clywodd ei feddwl yn straffaglu am esgusion. Ond doedd dim un esgus ar gael...

'Gwranda, Huw,' meddai unwaith eto. 'Gei di ddod yma am ddiwrnod neu ddau, i weld sut bydd... '

Doedd o ddim wedi gorffen y frawddeg cyn i Huw rasio o'r gwely. Aeth allan drwy'r drws fel wiwer yn sboncian i lawr coeden. Ar ras drwy'r buarth, clywai lais Yncl Wil yn dod o'r llofft stabal: 'Caea'r drws 'na wnei di, Huw.'

Ac yna *Damia*! Cododd Yncl Wil i gau'r drws ei hun.

Symudodd Huw y diwrnod hwnnw ar draws môr mawr y buarth i'r dwyrain pell, i aros efo Yncl Wil yn y llofft stabal. Petai rhywun wedi bod yn ei wylio drwy ysbienddrych (ac yn wir, roedd rhywun yn sbio o bell) mi fyddai wedi gweld cwch bach simsan yn croesi'r gwastadoedd gwlyb o dan hwyl fechan ddu – pac Huw bach, ei ddillad gwely, a ddaliai uwch ei ben fel hwylbren wrth symud o un porthladd i'r llall. Glaniodd yn y llofft stabal cyn iddi nosi a godre'i flancedi'n fudr ac yn wlyb. Bu'n rhaid i Yncl Wil eu gosod ar draws y corau yn y stabal, drws nesaf, i sychu.

Doedd y bachgen ddim yn medru gwneud dim byd heb wneud smonach o bethau.

'Ta waeth, fachgen,' meddai Yncl Wil yn ei lais mwynaf. Ar ôl awr neu ddwy gwelson nhw olau cannwyll yn nesáu a sŵn sgidiau yn crensian ar y grisiau ar eu ffordd i fyny i'r llofft stabal. Yr ymwelydd oedd Jac, yn dod â matres Huw a llond bag o'i bethau. Ar ôl bytheirio a chodi llwch dros bob man aeth yn ôl ar draws y buarth heb ddweud fawr ddim wrthyn nhw.

Swper distaw iawn a gafwyd yn y llofft stabal y noson honno. Gwnaethon nhw wely Huw gyda'i gilydd mewn distawrwydd, lathen i ffwrdd o wely Yncl Wil yn y gornel bellaf. Roedd Yncl Wil wedi marcio'i gannwyll efo cyllell a dywedodd wrth Huw y byddai'n rhaid iddyn nhw fynd i'w gwelyau pan gyrhaeddai'r fflam y goler wen o amgylch gwddw'r gannwyll.

Bu Huw'n ddistaw drwy gydol y swpera. Gwyddai mai dyna oedd y dacteg orau. Dyna'r wers fwyaf a ddysgodd o erioed. Mai bod yn ddistaw oedd y ffordd orau i osgoi bonclust i'w deimladau.

Bwytodd ei fara caws heb ddweud gair. Yn awr ac yn y man chwaraeai efo fflam y gannwyll â'i fys, gan hel y gwêr poeth ar ei ewin. Roedd o'n hoffi dawns y fflam, a'i lliwiau – a hefyd arogl poeth y gwêr yn diferu i lawr y piler gwyn mewn peli bach crasboeth. Ddywedodd Yncl Wil ddim gair. Yn wir, bu o wrthi hefyd am ychydig yn cyffroi'r gwêr efo hen fatsien. Roedd silwét eu dwylo'n dawnsio ar y wal wyngalchog wrth ochr y bwrdd, fel dau byped pren yn waltsio'n herciog mewn theatr i blant.

Cyrhaeddodd y fflam y man lle roedd angen diffodd y gannwyll.

'Ia, wel,' meddai Yncl Wil.

Gwnaeth ymdrech i dacluso tipyn ar y bwrdd, gan hel ychydig o friwsion i'w law. Yn hytrach na'u rhoi allan i'r adar bach, lluchiodd hwy i lawr ei gorn gwddw ag un llwnc pesychlyd. Gwnaeth Huw yr un fath, heb besychu. Yna tynnodd Huw ei sgidiau ac aeth yn syth i'w wely newydd ar y llawr, heb dynnu'i ddillad. Roedd rhannau o'i flancedi'n dal yn damp, ac aroglau anifeiliaid a llwch arnyn nhw.

Crynodd am ychydig, ond ar ôl tipyn peidiodd y clecian yn ei geg a dechreuodd deimlo'n gysglyd. Clywodd Yncl Wil yn mynd allan i biso. Daeth synau newydd i'w glustiau: sblash dŵr Yncl Wil ar y danal poethion o dan y drws, gwich cangen hen goeden eirin yn cyffwrdd â'r gwydr yn y ffenest fach uwch ei ben, a sgrialu pell y llygod yn y wal wrth ei glust. Clywai hwy'n symud o gwmpas. Roedd ganddynt eu bywydau bach eu hunain. Hwyrach fod ganddynt stafell wely a chegin a pharlwr a *gym* bach yn y wal efo beics a ballu. Byddai ei fam yn sôn byth a beunydd am ei gym hi yn y ddinas, lle'r arferen nhw fyw. Bob yn ail frawddeg byddai'n dweud rhywbeth fel, *pan oeddwn i yn y gym* neu *un diwrnod pan oeddwn i'n siopa yn New Look...*

Roedd ei fam yn byw yn y gorffennol.

Daeth Yncl Wil i mewn a chau'r drws, yna rhoddodd hen sach ar hyd ei waelod i atal y drafft. Tynnodd ei sgidiau. Aeth at y gannwyll a chwythu'r fflam. Methodd â'i diffodd. *Damia!* Chwythodd unwaith eto, a llwyddodd yr ail waith. Yna aeth tua'i wely yn araf bach, fel dyn meddw, gan roi ei ddwylo allan o'i flaen. Gan fod ei lygaid gymaint gwell na llygaid ei yncl, sylwai Huw ar bob symudiad. Edrychai Yncl

Wil fel Ledi Macbeth yn un o lyfrau Huw yn y tŷ. Geiriau'r pennawd oedd, *Out, damned spot! Out, I say…*

Pan welodd Huw y geiriau hynny am y tro cyntaf, meddyliodd mai rhoi'r ci allan roedd hi'n trio gwneud. Enw'r ci oedd Spot, yntê? Roedd o'n methu deall pam nad oedd ci yn y llun, a drws agored efallai.

Nefar mind, meddai Yncl Wil wrtho'i hun. Ar ôl symffoni o wichian a ratlo a phesychu tawelodd y llofft stabal. Gorweddai'r ddau fel un mymi mawr ac un mymi bach mewn hen byramid llychlyd, na chawsai ei agor erioed. Clywai Huw y llygod yn chwarae yn eu pyramid hwy. Dychmygai ddefod yn cael ei chynnal yn y wal wrth ei glust, efo llygod bach wedi'u gwisgo fel duwiau o'r Aifft. Gwelai orymdaith drwy'r tyllau yn y cerrig. Daeth gwich uchel o'r byd bach yn y wal a dychmygai fod un o'r llygod wedi'i lladd fel offrwm i'r duwiau.

Dechreuodd Yncl Wil chwyrnu'n ddistaw. *Damia!* meddai yn ei gwsg. Yna deffrodd gydag ebychiad.

Gorweddodd y ddau fel yna am ychydig yn y tywyllwch, yn gwrando ar y llygod yn gorymdeithio drwy'r waliau.

'Yncl Wil?'

Cogiai'r hen ddyn ei fod yn cysgu.

'Yncl Wil?'

Doedd hi ddim yn bosibl ffugio cwsg rŵan.

'Ia, Huw?'

'Yncl Wil, mae 'na ddyn yn byw i lawr yn y coed wrth y llyn.'

'Paid â phonsio, Huw bach.'

'Oes wir, dwi 'di'i weld o'n symud o gwmpas.'

Gwyddai Yncl Wil yn iawn am y dyn. Roedd o wedi'i weld o wythnos ynghynt. Doedd o ddim yno erbyn hyn; roedd o wedi symud i hen gwt uwchben y fferm, lle câi'r

rwdins eu cadw, yng nghornel cae o'r enw Y Parc. Roedd
Yncl Wil wedi bod yn trio penderfynu be 'i wneud ag o ers
dyddiau.

'Dwi'n gwybod, Huw. Dwi wedi'i weld o fy hun.'

Arhosodd Huw yn hollol lonydd yn ei wely wrth geisio
amgyffred ei eiriau. Teimlai'n gynnes am y tro cyntaf ers
hydoedd. Roedd rhywun yn ei goelio. O'r diwedd roedd
o'n iawn.

Aeth ychydig funudau heibio, cyn iddo holi: 'Be dach
chi am wneud, Yncl Wil?'

Distawrwydd eto. Yna: 'Awn ni i'w nôl o fory,' meddai
Yncl Wil.

'Ni?' meddai Huw, wrth i wefr drydanol symud drwy'i
gorff.

'Ia, ni,' meddai Yncl Wil. 'Gei di ddod hefyd os gwnei di
gadw'n ddistaw. Yn ddistaw bach.'

Gadawodd Huw i'r trydan symud i lawr drwy ei draed,
ac allan i'r tywyllwch.

'OK, Yncl Wil.'

Teimlai fel petai oriau wedi mynd heibio cyn iddo fedru
cysgu. Pan ddeffrodd roedd y llofft stabal yn wag, ac yntau
ar ei ben ei hun yn y Dwyrain Pell.

4

Erbyn i Huw fwyta ychydig o fara sych i frecwast roedd
Yncl Wil yn barod.

Deffroesai Wil ymhell cyn y wawr ac roedd wedi paratoi
cynllun manwl ar gyfer y siwrne i'r gogledd pell. Yn wir,
roedd o wedi rhag-weld pob cam o'r daith cyn cychwyn. Y
penderfyniad cyntaf i'w wneud oedd a ddylai o fynd â Huw
efo fo ai peidio.

Yn erbyn: doedd y crwt yn dda i ddim, mewn gwirionedd.
Efallai y byddai'n gwneud sŵn mawr ac yn dychryn y wlad,
neu mi fyddai'n dechrau crio, yn cwyno, neu'n strancio.

O blaid: byddai'n gwmni iddo. Ac roedd yr amser wedi
dod i wneud dyn ohono, i'w galedu ychydig. Buasai'n medru
rhedeg adre i rybuddio'r teulu pe bai rhywbeth annisgwyl
yn digwydd. Yn y diwedd penderfynodd fynd ag o efo fo.

Bu Yncl Wil yn gorwedd fel corff ar ei wely am awr
gyfan yn gwneud ei gynlluniau. Yna cododd ac aeth allan
i ganol y danal poethion i biso. Clywai sblish-sblash y dŵr
yn taro'r dail yn y tywyllwch. Safodd yno am rai munudau
gan fod ei gorff canol oed mor araf a thrwsgl â hen dractor
y dyddiau hyn. Roedd pethau'n torri a doedd dim partiau
newydd ar gael bellach. Âi corff Yncl Wil ar wib heb frêcs i
gyfeiriad y dibyn, ac yntau heb allu gwneud dim i'w arafu.

Aeth Yncl Wil yn ôl i'r llofft stabal i baratoi, gan nôl ei
wn o dan y gwely. Gwisgodd un o'r cotiau mawr a orweddai
ar y gwely a'i chlymu hi efo hen felt ledar fawr oedd yn
hongian oddi ar hoelen rydlyd yn y wal. Rhoddodd hanner
dwsin o getris yn ei boced dde.

Yna lapiodd hen sachau o gylch godre'i drowsus – gwnâi
hynny mor aml nes bod y sachau bellach yn cyrlio o amgylch

ei goesau. Gwisgodd sach arall dros ei ysgwyddau ac edrychai fel petai'n filwr *chain mail* o'r Oesoedd Canol. I orffen, rhoddodd falaclafa du ar ei ben ac erbyn hyn edrychai yn union fel un o ddynion Scott ym Mhegwn y De, yn barod i wynebu'r oerfel gwaethaf yn y byd. Eisteddodd wrth y bwrdd am dipyn, â'i ben i lawr yn synfyfyrio, fel y gwnâi'n aml. Onid oedd Evans, a fu farw gyda Scott, yn hanu o Rosili? Daeth rhes o eiriau dryslyd i'w ben. Bu'n astudio hanes Cymru unwaith, pan oedd pethau fel 'na'n bwysig iddo. *To seek, to strive, to find and not to yield.* Dyna oedd y geiriau ar gofeb Evans. Cawr o ddyn oedd o, yn licio'i beint.

Ond doedd Yncl Wil ddim yn teimlo fel cawr y bore hwnnw, a doedd o ddim wedi blasu peint ers oesoedd. Brifai ei fol oherwydd na chawsai ddigon o fwyd, gan iddo adael y darn olaf o'r dorth i Huw. Doedd o ddim yn teimlo'n ddewr iawn chwaith. Roedd unrhyw siwrne y tu hwnt i'r buarth yn ei boeni'n fawr y dyddiau hyn, yn arbennig gan fod peryglon enbyd yn y caeau. Roedd pedwar bedd eisoes yn y gadlas, a doedd o ddim eisiau gweld bedd arall yno. Edrychodd i fyny ar ei siart, a bu bron i ddeigryn ddisgyn o'i lygad pan welodd y groes ddu yn y gadlas ac arni ddyddiad tranc yr hen Non.

Erbyn hyn roedd silwét bach du yn y drws unwaith eto, a hwnnw'n edrych allan ar y buarth gwyn.

'Ca'r drws 'na wnei di, Huw bach,' meddai Yncl Wil. Roedd ei fol yn cnoi a'i ymennydd yn dechrau tynhau. '*Well done*, boi,' meddai wedi i'r bychan ufuddhau.

'Sgen ti gôt?'

Nodiodd Huw.

'Lle mae hi?'

'Yn y tŷ, Yncl Wil.'

'Lle mae dy falaclafa di?'

Plygodd y bachgen ei ben.

'Dydw i ddim yn gwybod, Yncl Wil.'

Ond mi wyddai'n iawn – roedd o wedi'i gladdu o yn y gadlas. Roedd o wedi casáu'r peth o'r cychwyn cyntaf, am ei fod yn cosi ei glustiau ac yn gwneud i'w ben deimlo'n rhy boeth.

'Tria hwn,' meddai Yncl Wil, ar ôl chwilmantan mewn drôr.

Er bod yr hen gap yn rhy fawr o lawer i'r hogyn, cadwodd ef ar ei ben. O leiaf doedd o ddim yn cosi, ac mi oedd hi'n bosib tynnu'r ochrau i lawr dros ei glustiau.

'Dos i nôl dy gôt a ballu,' meddai Yncl Wil. 'Sgen ti fenig?'

'Oes, Yncl Wil.'

'Tyrd â nhw 'ta.'

'Lle 'dan ni'n mynd, Yncl Wil?'

Chwarddodd ei ewyrth a thapio'i drwyn. 'Nefar iw mind, Huw bach.'

Aeth Huw ar garlam ar draws y buarth i nôl ei bethau. Y tro hwn ochneidiodd Yncl Wil yn drwm wrth iddo adael y drws ar agor unwaith yn rhagor, ond ddywedodd o ddim gair. Wedi'r cyfan, roedd y tu mewn i'r llofft stabal cyn oered â'r buarth y tu allan. Rhoddodd ddwy getrisen yn y gwn cyn mynd allan i'r buarth. Safodd ar ei ganol, ac edrych i gyfeiriad pob pegwn. Roedd y teulu yn y gorllewin yn dal ynghwsg, doedd dim golau yno, beth bynnag. Edrychodd o'i gwmpas. Roedd haen ysgafn o genllysg ac eira mân wedi setlo ar rychau'r baw a'r tail. Crensiai'r cenllysg o dan ei sgidiau ac roedd wyneb y ffos, oedd yn mynd â'r dŵr o'r tŷ tuag at waelod y buarth, wedi rhewi. Torrodd yr haenen o iâ ar y dŵr â'i droed. Gwyliodd chwysigod o aer yn symud

o gwmpas yn yr iâ, yna aeth i'r granar i nôl dwy lond llaw o
ŷd i'r ieir, mewn hen fwced rhydlyd. Aeth i dop y buarth ac
agor drws y cwt ieir, gan roi hen styllen ar ei draws i'w ddal
ar agor.

'Helô, blantos,' meddai Yncl Wil yn gariadus.

Gogwyddodd yr ieir eu pennau fel petaent yn blant ysgol
yn croesawu'r ysgolfeistr.

'Sut dach chi i gyd heddiw?'

Swniai Megan a symud tuag at ei meistr. Clwciodd yr
iâr mewn cylch bach o gwmpas ei draed. Doedd ganddi
ddim cynffon gwerth sôn amdani. Hi gâi'r tamaid cynta bob
bore.

'Peidiwch chi â mynd ymhell heddiw,' meddai Yncl Wil
wrthynt mewn llais tadol yn annerch ei blant. 'Peidiwch
â chrwydro o'r buarth a dewch adre os neith hi ddechra
lluwchio.'

Canodd yr ieir gân fach iddo fel côr plant.

Yna aeth Yncl Wil i dop y buarth i aros am Huw. Daeth
hwnnw allan o'r tŷ a safodd y ddau yno fel dau fwgan
brain dryslyd. Aethon nhw i gyfeiriad Pegwn y Gogledd.
Cyfarthai'r cŵn o'u hôl, a daeth llun i feddwl Huw, llun o
un o'i lyfrau yn y llofft, yn dangos Scott a'i ddynion gyda'u
cŵn ym Mhegwn y De. Oni fu'n rhaid iddyn nhw ladd
rhai o'r cŵn hynny a'u bwyta? Aeth cryndod drwy gorff
Huw. Doedd arno fo ddim awydd bwyta cnawd ci. Ych a
fi. Dilynodd ei ewyrth i fyny'r allt, gan gamu yn y rhigolau
a adawyd gan sgidiau Yncl Wil yn yr eira. Gwyrai'r bachgen
o ochr i ochr, a neidio o'r naill rigol i'r llall. Erbyn iddyn
nhw gyrraedd pen yr allt roedd y crwt yn fyr ei wynt ac yn
chwysu. Roedd neidio o naill ôl troed ei ewyrth i'r llall yn
yr eira wedi'i flino'n llwyr. Safodd ar y ffordd gan ddal ei
ochr a thuchan. Roedd y byd wedi distewi'n llwyr, y defaid

a'r gwartheg wedi diflannu i rywle, a doedd 'na ddim adar i'w clywed yn yr awyr, fel petai'r eira wedi cipio pawb a phopeth oddi yno. *Abracadabra*, meddai Huw wrtho'i hun yn yr eira, fel dewin bach du yn ymarfer hud a lledrith. *Abracadabra...*

Roedd Yncl Wil wedi symud ymhell o'i flaen erbyn hyn, fel petai'n cerdded mewn breuddwyd, ac wedi gadael Huw ganllath o'i ôl. Roedd yn amlwg mewn myfyrdod dwys, ac yn poeni dros ddyfodol y fferm. Y buarth oedd canolbwynt ei fywyd erbyn hyn. Cyhydedd ei fyd. Craidd a chrud gwareiddiad. Fyddai Yncl Wil ddim yn gadael y buarth yn aml. Jac âi i weithio yn y caeau. Fo oedd y ffermwr rŵan, er bod yn rhaid iddo ofyn byth a beunydd iddo am gyfarwyddyd.

'What should I do today?' oedd ei gwestiwn cyntaf bob dydd. Erbyn hyn roedd Yncl Wil wedi dechrau blino cadw llygad ar bopeth a gwneud yn siŵr fod Jac yn gwneud ei waith yn iawn. Be ddigwyddai petai o'n marw? Be wnaent wedyn? Llwgu? Symud i ffwrdd?

Cerddai Yncl Wil yn araf drwy'r eira, â'i sgidiau hoelion mawr yn crensian drwy'r powdr gwyn. Doedd o ddim yn licio mynd i gyfeiriad y mynydd. Y gwastadedd mawr gwyn, peryglus ac oer. Dychmygai eirth gwyn anferthol yn neidio ar ei ben yn yr eira ac yn ei rwygo'n ddarnau. Gwaed yn yr eira. Coch ar wyn. Tipyn bach o felyn efallai... byddai'n sicr o biso yn ei drowsus.

Clywai lais bach yng nghefn ei ben yn galw arno. Rhywun yn trio'i rybuddio efallai. Esgimo'n gweiddi'r gair *arth* yn ei iaith ei hun ac yn chwifio'i freichiau. Ond na, roedd y llais yn dweud rhywbeth yn Gymraeg. Esgimo Cymraeg? Roedd hynny'n amhosib. Stopiodd Yncl Wil a gadawodd i'r distawrwydd ddisgyn arno fel mantell. Oedd, mi roedd llais bach yn galw o bell.

'Yncl Wil...'

Ac eilwaith: 'Yncl Wil...'

Syllodd Yncl Wil i gyfeiriad y llais. Myn diawl i, wrth gwrs, Huw bach. Druan ohono. Roedd Wil wedi llwyr anghofio amdano. Aeth yn ei ôl tuag ato'n araf gan ystumio arno i ddal i fyny ag o.

'Tyrd o 'na, fachgen,' meddai mewn llais mwyn, calon-dyner.

Ymhen ychydig roedd Huw yn ôl gydag o. Mwmiodd Yncl Wil ychydig eiriau o gefnogaeth. *Ta waeth... dewr iawn... da iawn chdi...*

Yna gafaelodd yn ei law a dechrau ei dywys drwy'r eira, mor amyneddgar ag y medrai. Cerddodd Yncl Wil i fyny'r ffriddoedd â llaw fach Huw yn ei law fawr chwith, a'i wn yn gadarn o dan ei fraich dde. Ymhen hanner awr cyrhaeddon nhw'r chwarel fechan lle bu'r teulu'n cloddio cerrig a gro dros y blynyddoedd i drwsio'r ffordd i'r mynydd.

'Reit 'ta,' meddai Yncl Wil. 'Dwi isio i chdi aros fan'ma. Ti'n deall?'

Nodiodd Huw. Roedd o'n falch o gael hoe gan fod cerdded yn yr eira wedi'i flino'n llwyr. Chwiliodd Yncl Wil am guddfan, i'r bachgen gael rhywle i gysgodi. Ymhen tipyn daeth ar draws gwâl yn y graig a lle iddo eistedd. 'Fan'na,' meddai Yncl Wil. 'Os na ddo i nôl mewn tua awr, neu os clywi di ergyd, rhed am adra, wnei di?'

'Iawn, Yncl Wil. Ga i gerdded o gwmpas os bydda i'n oer?'

'Cei, wrth gwrs,' meddai hwnnw mewn llais meddal, clên, 'ond paid â mynd allan o'r chwarel 'ma.'

'Iawn, Yncl Wil,' meddai Huw yn ddistaw, gan ddal i eistedd yn ei gwrcwd. Gwelai eira mân yn chwyrlïo yn yr awyr y tu allan i'w loches. Roedd llun yn un o'i lyfrau yn dangos merch ifanc fronnoeth yn ymdrochi yng ngheg ogof, o dan raeadr ewynnog rywle yn Ne America. Roedd hi'n boeth yn fan 'no a dechreuodd grynu wrth feddwl am y gwres.

'Myn uffarn i, ma hi'n oer, Yncl Wil,' meddai Huw yn ei lais mwyaf gwrywaidd.

'Ia, wel,' meddai Yncl Wil. 'Fydda i ddim yn hir. Awn ni i weld y magla ar y ffordd adra, os leici di.'

'Iawn, Yncl Wil,' meddai Huw. Roedd o'n trio cadw'i lais mor ddyfn â phosib. Yna tynnodd Yncl Wil ddau hen gyrtan o'r pocedi potsiar y tu mewn i'w gôt a'u lapio nhw o amgylch ei draed. Clymodd hen gortyn o'u cwmpas i'w dal, yna agorodd ei wn i wneud yn siŵr fod cetrisen ym mhob baril. Aeth oddi yno fel heliwr, gan gerdded fel petai'n dilyn trywydd rhyw arth yn yr eira. Ni chlywodd Huw na siw na miw am hydoedd wedyn, nes i Yncl Wil ymddangos yn sydyn wrth geg y chwarel. Ddywedodd o ddim gair, dim ond sefyll yno'n hollol lonydd, fel y dyn 'na sydd wedi bod yn dilyn rhyw gowboi drwg drwy'r dydd ac yna'n ymddangos y tu ôl iddo'n ddistaw bach. Ond doedd Yncl Wil ddim wedi tanio'i wn nac wedi poeri drwy ochr ei geg fel y gwnâi cowboi, chwaith.

'Iawn, Yncl Wil?'

'Iawn.'

'Ddaru chi ffindio rhywbeth?'

'Do.'

'Be ddaru chi weld, Yncl Wil?'

'Nefar iw mind. Tyrd i edrych am y maglau, wnei di? Bydd hi'n andros o job eu gweld nhw yn yr eira 'ma. Diolch i Dduw nad ydi hi'n lluwchio neu mi fyddai'n rhaid i ni chwilio am y defaid.'

Cododd Huw o'i wâl ac aethon nhw yn ôl i lawr yn araf

deg. Aeth Huw o fwlch i fwlch yn y clawdd yn chwilio am y maglau. Doedd dim byd yn y pedair magl gyntaf, ond yn y bumed roedd y weiar fain wedi'i chlymu'n dynn am wddw cwningen ifanc a honno bellach wedi marw ac yn stiff, bron iawn wedi rhewi yn y ddaear. Rhyddhaodd Huw hi o'r weiran a'i dal hi wrth ei thraed ôl, wyneb i waered. Roedd y ffwr ar ei choesau'n galed ac yn oer drwy'i faneg.

Pan gyrhaeddon nhw'r bryn uwchben y fferm eisteddodd y ddau ar fonyn coeden, oedd wedi syrthio mewn storom. Syllodd Yncl Wil i lawr tua'r buarth, a'r gadlas, gan drio dod o hyd i'r ieir. Yna aeth i nôl ei gyllell o'i boced a thynnu perfedd y gwningen mewn tri neu bedwar symudiad sydyn. Edrychodd Huw yn syn ar y swp bychan o berfedd wrth draed Yncl Wil.

'Drycha, Huw,' meddai'n sydyn, gan godi'i fys.

'Fan'na, i lawr wrth y coed eirin yn y gadlas.'

Dilynodd Huw fys ei ewyrth a gweld smotyn bach du yn troelli'n araf o amgylch y beddau.

'Megan,' meddai Huw.

'Ia, myn diawl i,' meddai Yncl Wil. Byddai'n rhaid iddo wneud marc arall ar ei fap yn y llofft stabal. X fawr ar y papur melyn. X efo M wrth ei hochr. Ond ni fyddai'n gwneud llun wy bach, gan nad oedd Megan yn dodwy ar hyn o bryd, ac ni fuasai'n dodwy yn yr eira, beth bynnag.

Gwnaeth Huw ymdrech i amseru ei gwestiwn, mewn ffordd aeddfed. Fel y buasai cowboi yn ei wneud yn un o'r ffilmiau – gofyn cwestiwn bach diniwed drwy ochr ei geg.

'Be welsoch chi i fyny yn y ffriddoedd, Yncl Wil?' gofynnodd mewn llais diniwed, agos-atoch-chi. 'Welsoch chi rywun?'

Distawrwydd.

Yna poerodd Yncl Wil drwy gornel ei geg yn union fel cowboi.

'Do,' meddai. 'Mi weles i rywun. Ond does dim rhaid iti ofni.'

'Dyn, Yncl Wil?'

'Ia.'

Distawrwydd eto, tra bu Huw yn cnoi ar y newyddion hwn.

'Dyn fel chi, Yncl Wil?'

Doedd Yncl Wil ddim yn hollol siŵr sut gwestiwn oedd hwn.

'Be ti'n feddwl?'

'Wel, dyn ifanc oedd o 'ta dyn…'

Chwarddodd Yncl Wil.

'Dyn ifanc.'

'Lle roedd o?'

'Yn y cwt rwdins yn y Parc.'

'Y cwt rwdins?'

'Ia.'

'Oedd o wedi bwyta'n rwdins ni, Yncl Wil?'

'Oedd, un neu ddwy.'

'Ddaru chi ddeud y drefn wrtho fo?'

'Do, Huw, dywedes i'r drefn wrtho fo.'

Eisteddodd y ddau yno am gryn dipyn gan ddilyn Megan ar ei thaith o amgylch y beddau. Mae'n siŵr ei bod hi'n gwneud sŵn clwc-clwc-clwc ac yn pigo ar unrhyw ddarn o fwyd y medrai ddod o hyd iddo.

'Tyrd, Huw, awn ni adra rŵan.'

Ond doedd Huw ddim yn barod eto. Arhosodd ar ei eistedd, â'i benelinoedd ar ei goesau a'i ben yn ei ddwylo.

'Be ddywedsoch chi wrth y dyn 'na, Yncl Wil?'

Aileisteddodd Wil ar y bonyn, ac ar ôl ystyried am ychydig, dywedodd y gwir wrth Huw. Wedi'r cyfan, onid oedd o'n trio gwneud dyn ohono? Edrychodd ar y dafnau o lysnafedd yn dod o drwyn y crwt, ac ar ei wyneb budur, oer a choch. Pa obaith gwneud dyn o hwn? Blew ifanc fel barrug ar ei wefus, a'i lais heb dorri'n iawn. Druan ohono...

Daeth darlun i'w feddwl. Wedi iddo agor drws y cwt ag un symudiad sydyn roedd o wedi anelu ei wn i'r tywyllwch ac wedi sefyll yn yr agoriad, tra oedd ei lygaid yn dod yn gyfarwydd â'r düwch. Ymhen ychydig gwelai ffurf yn eistedd yn y gornel, ar fwdwl bach o wellt. Dyn ifanc pryd tywyll, dros ei ugain oed oedd o, yn denau iawn, ac yn ofnus. Digon hawdd gweld ar unwaith nad oedd o ddim yn mynd i achosi trwbwl. Ond nid Cymro oedd o, na Sais chwaith. Ymhen tipyn roedd Yncl Wil wedi darganfod mai dyn ifanc o wlad Pwyl oedd o ac y gwnâi unrhyw beth i ymuno â'r teulu i lawr ar y fferm yn Nolfrwynog. Roedd o bron â starfio.

5

Daeth gwynt mawr brwnt i lawr y cwm y noson honno. Ar ôl i Wil fwynhau ei sgwrs nosweithiol efo'r ieir yn y cwt, a'u cau i mewn dros nos, safodd wrth y drws yn ei gôt fawr ddu a'i falaclafa tyllog. Roedd y poen yn ei stumog wedi newid ers y bore. Roedd o wedi teimlo'i ddolur yn newid cywair, fel darn o fiwsig, yn ystod y dydd. Diffyg bwyd oedd y poen cyntaf hwnnw pan ddeffrodd. Yna, yn y cwt rwdins, daeth poen arall. Arswyd oedd hwnnw – pili-pala ofnus yn hedfan o gwmpas ei fol. Heno, teimlai boen arall. Rhywbeth arall i godi ofn arno. Dylai fynd i weld doctor, ond doedd 'na 'run yn y cwm erbyn hyn. Byddai'n rhaid iddo ddygymod â'r poen, a'i deimlo'n mynd ac yn dod fel lleidr y tu mewn iddo, heb roi cnoc na gweiddi *oes 'ma bobl* cyn cerdded i mewn i ddwyn ei iechyd.

Daeth rhu'r gwynt i lawr y cwm fel anifail rheibus yn chwyrnu ac yn dangos ei ddannedd. Rhwygai drwy'r coed yn nhop y buarth, a gwrandawodd Wil ar y dail yn sisial yn y gwyllt. Cofiodd amdano'i hun yn hogyn bach yn clywed y môr am y tro cynta: y tonnau'n torri ar y traeth, a'r gro'n cael ei daflu a'i sugno ar hyd y llain. Ond, y gwir oedd, doedd o ddim wedi gadael y fferm ers dros ugain mlynedd. Teimlai'n sicr na welai unrhyw beth y tu hwnt i'r cwm bellach. Roedd ei fyd wedi crebachu: y buarth hwn o'i flaen oedd ei fywyd erbyn hyn; y baw a'r oerni, a rhu'r gwynt, poen rhyfedd yn ei fol, ac ofn yn cyniwair drwy'r wlad. Doedd o ddim wedi clywed unrhyw newyddion am y byd mawr y tu allan ers tro byd. Caeodd ei glustiau i'r cyfan. Gangiau efo cyllyll a gynnau'n lladd ei gilydd yn y dinasoedd. Dim trefn o gwbwl. Gwell oedd peidio â chlywed, gwell peidio â gwrando.

Meddyliodd Wil am ei fap bach ei hun, efo X fawr newydd wedi'i gosod yng nghornel y gadlas ac M wrth ei hochr. Heddiw, roedd Megan wedi anturio bron iawn mor bell â Chlwc, y ceiliog. Ond Clwc oedd pencampwr y gadlas hyd yn hyn. Nymbar Wan. Madog y mieri.

Chwalwyd yr eira o gwmpas traed Wil gan y gwynt mawr swnllyd. Gwynt gwyn, oer, fel llafn cyllell. Ffrwydrad mewn ffatri hufen iâ. Chwipiwyd wyneb Wil a bu'n ddall am ychydig. Yna dechreuodd gerdded i lawr y buarth, tua'r llofft stabal. Mi fyddai'n goblyn o oer yn ei gwt heno. Roedd yn gobeithio y byddai 'na fwyd yn barod iddo yn y tŷ. Ni wyddai beth i'w ddisgwyl o'r naill ddiwrnod i'r llall; câi wledd ambell ddiwrnod ond dim ond llond ceg y diwrnod wedyn. Cyn noswylio mi fyddai'n rhaid iddo flingo'r gwningen.

Ac eto – onid oedd hwn yn gyfle perffaith i ddysgu rhywbeth gwrywaidd i Huw? Ia, dyna wnâi, mi ddysgai Huw sut i flingo'r anifail.

Roedd y crwt yn aros amdano yn y llofft stabal, wedi cynnau'r gannwyll yn barod, wedi tynnu'i sgidiau ac wedi mynd i'w wely heb dynnu amdano. Roedd o bron â chrio yn yr oerni. Ond roedd yn well ganddo fo aros efo Yncl Wil – o leiaf câi ychydig o sylw gan ei ewyrth, ychydig o gynhesrwydd ganddo. Doedd 'na fawr ddim cynhesrwydd i'w deimlo tuag ato fo yn y tŷ. Efallai ei fod o'n colli'r hen lyfrau yn ei stafell wely, ychydig; y nhw oedd yr unig gysylltiad rhyngddo fo a'r byd mawr, ers i'r letrig ddarfod. Roedd ei hen gyfrifiadur yn hel llwch mewn cwpwrdd heb unrhyw debygolrwydd y byddai'n gallu'i ddefnyddio eto am sbelan hir. Yn ystod yr oes aur fer a gawsai, roedd wedi mwynhau'r wybodaeth a'r adloniant a dderbyniai ar beiriant mor fychan a di-nod. Y bydysawd ar flaenau'i fysedd a'i ffrindiau ysgol fel petaent wrth ei ochr. Ffrindiau? Wel, ffrind efallai. Ni wyddai ble roedd Gareth erbyn hyn. Roedd o wedi diflannu i'r gofod fel pawb arall. Doedd dim ond Dolfrwynog ar ôl iddo yn yr holl fyd. Y buarth, y caeau, yr afon, y mynydd, a'r llyn mawr newydd. Unwaith, ar ddiwrnod llonydd yr haf diwetha, roedden nhw wedi clywed gynnau'n cael eu tanio ymhell i ffwrdd. Parti hela, efallai. Ni welson nhw neb, a daeth llonyddwch yn ôl i'r cwm yn ddisymwth.

'Hei, Huw, ga i help fan'ma.'

Roedd Huw bron â chysgu.

'Be, Yncl Wil?'

'Ga i help, boi.'

Cododd Huw ei ben ac edrych ar Yncl Wil. Roedd ei ewyrth yn sefyll yn y drws, a'r gwningen yn ei law.

'Wnewch chi gau'r drws, plîs, Yncl Wil? Mae hi'n gythreulig o oer,' gofynnodd Huw yn ddiniwed.

Chwarddodd Wil. Y diawl bach digywilydd. Ond caeodd y drws.

Cerddodd i'r cwpwrdd yng nghornel y stafell a nôl y gyllell fawr finiog oddi yno – ei gyllell flingo.

'Tyrd.'

Rhoddodd y gwningen ar ddarn o sach blastig ar y llawr pren, a'r gyllell wrth ei hochr.

'Wyt ti'n gwybod beth i'w wneud?'

Erbyn hyn roedd Huw wrth ei ochr, yn taflu cysgod hir dros y gwningen.

'Nadw.'

'Wel, mae'n amser i ti ddysgu.'

Gafaelodd Yncl Wil yn ei ysgwyddau a'u symud, fel nad oedd ei gysgod dros y gwningen. Cododd y gyllell a'i rhoi yn ei law.

'Dechra efo'r coesa. Torra nhw i ffwrdd hanner ffordd i fyny, yn y cymal.'

Eisteddodd i lawr yn drwm yn ei gadair ond cadwodd olwg ar Huw. Digon trwsgwl oedd y bychan i ddechrau, ond cyn bo hir roedd o wedi llifio un o'r coesau blaen i ffwrdd.

'*Well done*, boi,' meddai Wil. 'Bydd yn ofalus efo dy fysedd. Torra i ffwrdd oddi wrthyn nhw bob amser.'

Gwnaeth Huw yr un fath efo'r coesau eraill – roedd o'n dod yn fwy medrus bob tro. Yna, aeth Wil ato a dangos iddo sut i dynnu'r croen oddi ar y cnawd. Gwnaeth ffys mawr ohono wedi iddo orffen.

'Dos i olchi dy ddwylo,' meddai pan welodd Huw yn sefyll yng ngolau'r gannwyll, yn ogleuo'i fysedd fel canibal.

'Hei, Yncl Wil, dwi 'di cofio rhywbeth.'

'Ia, fachgen?'

'Maen nhw isio pow-wow yn y tŷ heno.'

'Damia nhw,' meddai Yncl Wil. Roedd o'n casáu'r clebran gwirion yn y cyfarfodydd hyn. Roedd y Jac 'na'n llawn o syniadau hurt. Roedd o wedi dod o hyd i ddarn o bren ar siâp rhyfedd ac wedi mynd â fo i mewn i'r tŷ.

'This is our 'talking stick',' medda fo'r tro cyntaf iddyn nhw ei ddefnyddio. Roedd o wedi clymu plu ffesant wrtho.

'You can only talk when you're holding the stick. Got it?'

Y mwnci hurt. Fo â'i 'talking stick' gwirion.

Rhyw ddiwrnod dwi am gynnau tân efo dy blydi 'talking stick' *di, boi*, oedd ymateb mud Wil.

Doedd Wil ddim eisiau clebran a siarad gwag. Doedd arno ddim awydd hynny o gwbwl.

'Pow-wow... pam heno?' Doedd Wil ddim yn coelio'r peth. Bwyd yn ei fol a gwely – dyna'r cyfan roedd arno'i eisiau, dim mwy.

Rhoddodd ochenaid isel. 'O blydi hel...'

Beth oedd wedi digwydd, tybed? A pham roedd yn rhaid siarad am y peth? Roedd yr ateb i bob problem yn ddigon amlwg fel arfer.

'Tyrd o 'na 'ta – gwnawn ni olchi'n dwylo a mynd draw am dipyn o fwyd. Tyrd â'r gwningen 'na efo chdi.'

'Does 'na ddim pwynt i mi olchi 'nwylo os dwi'n mynd i gario'r hen gwningen 'ma,' meddai Huw'n reit gall.

Ochneidiodd Wil unwaith eto, yn drymach y tro hwn, a chydio yn y gwningen ei hun. Aethon nhw i lawr y grisiau, a golchodd Huw ei ddwylo mewn hen fath a gâi ei ddefnyddio i hel dŵr glaw wrth dalcen y tŷ. Roedd y dŵr yn iasoer.

Wedi i Wil gyrraedd y tŷ gwelodd Elin, ei chwaer, yn y gegin, wedi'i gwisgo mewn hen gôt dyffl a sgarff wedi'i lapio rownd a rownd ei phen, fel petai'r ddannodd arni. Roedd ei gwefusau'n goch fel arfer. Lle roedd hi'n ffindio'r stwff 'na? Doedd hi ddim wedi bod ar gyfyl siop ers hydoedd. Fedrai hi ddim wynebu diwrnod heb gôt o *war paint* ar ei hwyneb. Dyna oedd Wil yn galw'r stwff ers pan oedd hi'n hogan fach, pan fyddai'n dod i lawr y grisiau efo llond tun o baent ar ei bochau. Merched. Doedd dim deall arnyn nhw. Roedd Elin wedi dianc i'r ddinas cyn gynted ag y medrai, wedi ymuno'n ffrwd â'r byd mawr: gwaith, gŵr, a gwaddol eBay wedi dod i'w rhan mor naturiol â chymryd ei gwynt.

Deuai adre weithiau yn doreth o wallt a *high heels*, i chwerthin drwy'r priodasau ac i wylo drwy'r angladdau. Ei chwaer ei hun. Yn chwerthin neu'n wylo'n ddi-baid, heb gymedroldeb, a heb Gymreictod. A dyma hi yng nghegin ei phlentyndod unwaith eto'n gwgu arno fo a'i gwningen, yn llafurio dros ryw hen lobsgows diderfyn, efo mwy o faip ynddo fo na dim byd arall.

'Paid â dod â honna'n agos ata i,' meddai Elin yn wenwynllyd. Symudodd mor bell ag y medrai oddi wrth y gwningen.

'Ych a fi.'

Roedd Elin yn dyheu am fwyd Marks & Spencer wedi'i goginio ac yn barod i'r popty ping. Roedd cig amrwd yn codi cyfog arni. Mi gâi Jac baratoi'r gwningen, neu beth bynnag oedd y corff, yfory.

'Dewch, Wil, dyma i chi dipyn o lobsgows i swper,' meddai Elin, gan grafu cynnwys y sosban ar un o hen blatiau *willow pattern* y teulu, un o'r rhai a arferai fod ar y ddresal. Dros y tair blynedd diwethaf gwelid bylchau'n ymddangos lle bu platiau unwaith yn rhesi milwrol ar y prif ddodrefnyn.

Edrychodd Wil ar y bwyd heb fod yn rhy obeithiol. Mi wyddai y byddai'r bwyd yn llonyddu'r poen yn ei fol am awr neu ddwy, cyn iddo waethygu unwaith yn rhagor.

Eisteddodd ym mhen y bwrdd mawr hir yn y gegin, ar ei ben ei hun, yn cnoi ar y bwyd. Roedd pawb arall yn eistedd o amgylch y tân agored, yn ei brocio neu'n ei fwydo efo coed. Roedd o wedi trio'u dysgu sut i drin tân, sut i'w gadw 'nghynn am gyn hired â phosib efo cyn lleied o danwydd â phosib, ond doedd neb yn gwrando. Dyna oedd eu hadloniant rŵan – edrych am batrymau yn y fflamau, neu wrando ar y pren yn hisian pan ddeuai lleithder i'r wyneb fel darn o boer gwyn yn dawnsio ar batrymau'r graen. Roedd un gannwyll, ar ganol y bwrdd, yn goleuo'r holl stafell. Bwytodd Wil heb lawer o awch, gan fyfyrio ar y cysgodion a ddawnsiai ar hyd y waliau. Nid cysgodion ei chwaer a'r plant a welai, ond cysgodion ei rieni ac yntau o flaen y tân ryw hanner canrif ynghynt, pan aeth Cymru drwy gyfnod arall o newid aruthrol...

Syllodd ar y ford o'i flaen, a honno'n hel ceriach a baw. Ond beth a welai â'i lygad mewnol oedd diwrnod cneifio flynyddoedd maith yn ôl: ei fam yn sgrwbio'r pren nes ei fod yn sgleinio'n wyn; toreth o fwyd yn llenwi'r ford – bara ffres, menyn melyn, caws, cigoedd, cacennau... Ac eto, yr un cysgodion oedd i'r rhain hefyd; roedd tebygrwydd yn y siapiau. Ie, yr un siâp oedd i gysgod Elin ei chwaer ag oedd i gysgod ei fam. Chwarddodd yn ddistaw a dihangodd ebychiadau o'i geg blinedig (roedd yr ychydig gig oedd wedi'i gynnwys yn y pryd yn anodd i'w gnoi.)

'Esgob annwyl,' meddai Wil, a disgynnodd cafod fach o fwyd ar y bwrdd.

Chymerodd neb fawr o sylw ohono.

'Be sy, Yncl Wil?' holodd Huw, gan droi tuag ato.

'Y cysgodion,' meddai Wil. 'Maen nhw 'run fath â...'

Daeth pwl o iselder drosto, a thawelodd.

'Oes 'na rywfaint o fara ar ôl?' gofynnodd ymhen ychydig, ond i neb yn benodol.

'Nag oes,' meddai Elin mewn llais distaw bach o'r gornel wrth y simdde. Roedd hi'n chwarae efo darn o bren poeth, yn chwyrlïo'r mwg o gwmpas ac yn trio gwneud llythrennau myglyd yn yr awyr. Roedd hi'n trio ffurfio'r llythrennau DIM BWYD efo'r mwg. Ond doedd hi ddim yn cael llawer o hwyl arni. Erbyn iddi gyrraedd yr ail lythyren roedd y gynta wedi colli'i siâp.

Sythodd Jac a chodi'n araf. Aeth at y bwrdd ac eisteddodd yn y pen pellaf oddi wrth Wil. Fel hyn, roedd y ddau ohonyn nhw'n benaethiaid o ryw fath, er mai Wil oedd y pennaeth answyddogol gan mai fo a wyddai'n well na neb sut i ffermio a sut i gynhyrchu bwyd. Ei rieni a wyddai bob dim un adeg, ond erbyn hyn fo oedd Nymbar Wan.

'You can take your balaclava off now, if you want to,' meddai Jac mewn llais rhesymol. Doedd o ddim yn siarad Cymraeg yn aml ond roedd o'n deall cryn dipyn, felly siaradai yntau'n Saesneg ac atebai pawb arall yn Gymraeg – pawb heblaw Elin. Math o gowdal oedd ieithwedd y teulu, felly. Yn wir, lobsgows oedd popeth ar y fferm – eu dillad yn gymysgedd o'r hen a'r newydd, pawb yn gwisgo unrhyw beth a fyddai'n ffitio; roedd un ddrôr fawr wedi'i neilltuo ar gyfer y sanau a phawb yn eu gwisgo blith draphlith, heb boeni fawr pa mor debyg oedden nhw o ran lliw na maint. Erbyn hyn câi'r crysau eu siario hefyd yn yr un modd.

Cadwodd Wil ei falaclafa ar ei ben. Stwffiodd ei ddwylo i'w bocedi ar ôl gorffen ei fwyd, a bu bron iddo ddechrau hepian ond aeth Jac i'r ddresal i nôl y 'talking stick', cyn eistedd eto.

'We need to talk…' meddai gan gyfarch cefnau pawb.

'Angen trafod…' meddai Wil fel carreg ateb. Doedd o ddim eisiau trafod dim byd. Beth oedd pwrpas siarad? Doedd fawr o ddewis ganddynt, felly doedd ddim pwynt cadw pen rheswm a malu cachu efo'r talking stick. Edrychodd Wil ar y ffon yn ddirmygus. Ha! Pric yn dal pric… ond doedd fiw iddo ddweud y fath beth. Cochodd wrth feddwl am y peth. Rhaid oedd cadw'r ddysgl yn wastad.

'Let's have a chat about today,' meddai Jac. Trawodd y bwrdd efo'i waywffon. 'We need to get a few things sorted.'

Cododd pawb yn ara deg ac eistedd wrth y bwrdd. Doedd dim llawer o awydd trafod ar neb. Rhoddodd Huw ei ben i lawr ar ei freichiau wrth y bwrdd a chlywodd neb air oddi wrtho tan yn agos at ddiwedd y cyfarfod.

Disgrifiodd Jac ei ddiwrnod. Roedd o wedi symud y

defaid i lawr i'r dolydd ar gymhelliad Wil oherwydd bod y tywydd yn gwaethygu, ac wedi rhoi ychydig o wair iddyn nhw yn y cafnau. Herciodd ei lais o'r naill bwnc i'r llall, tan iddo orffen, ac yna cynigiodd y 'talking stick' i'r lleill, drwy ei osod ar ganol y bwrdd. Ond ni chydiodd neb arall ynddo fo.

'You got anything to say, Wil?' holodd drachefn.

Ysgydwodd Wil ei ben.

Ar hynny clywyd llais bach Huw yn treiddio drwy lawes ei gôt.

'Pardon, Huw?' meddai Jac. 'Can you sit up and speak properly?'

Mwmialodd Huw eto, yn gysglyd. 'Y Pole,' meddai'n ddryslyd.

'The pole?' atebodd Jac. What d'ya mean, the pole? Is there a hole in a fence somewhere? What are you on about?'

'Y Pole,' meddai Huw eto heb godi ei lais. 'Gofynnwch i Yncl Wil…'

Roedd Wil yn ei ddiawlio. On'd oedd o wedi dweud wrth y crwt am gau'i geg am y dyn yn y cwt rwdins? Fedrai o ddim cofio beth ddywedodd o rŵan.

'*The pole?*' meddai Jac wrth Wil, gan ei bromptio.

Tynnodd Wil ei falaclafa'n ara deg, gan drio penderfynu beth i'w ddweud. Doedd o ddim wedi bwriadu dweud dim amdano. Beth oedd y pwynt? Byddai'r stori ond yn codi braw ar bawb, yn arbennig y merched.

Plygodd pawb eu pennau tuag ato, pawb heblaw Huw.

'Ddaru ni ddod o hyd i ddyn i fyny ar y ffriddoedd,' meddai drachefn.

'Ni?' meddai Elin.

'Fi a Huw.'

'Be? Est ti â Huw efo chdi i fyny'r mynydd?'

'Do.'

'Y blydi ffŵl uffarn…'

'Wel, mae'n well ganddo fo fod efo…' dechreuodd Wil, ond brathodd ei dafod.

'You found someone there?' gofynodd Jac.

Gwingodd rhyw gythraul bach y tu mewn i Wil. 'Dwyt ti ddim fod siarad heb ddal y 'talking stick',' meddai wrtho.

Chwarddodd Jac. 'One nil to you, Wil,' meddai. Gwenodd Wil. Chwarae teg i'r boi, roedd o'n medru cymryd jôc.

'Well, spill the beans then,' meddai Jac. 'Don't keep us up all night, some of us have beds to go to.'

Heb afael yn y 'talking stick', adroddodd Wil y stori yn ei chyfanrwydd.

'And then what happened?' gofynnodd Jac.

Ymlaciodd Wil, a dechreuodd dacluso'i blât.

'Roedd gynno fo eisiau dod yma i fyw aton ni,' meddai wrth y cwmni.

'Diolch i Dduw na wnest ti ddod â fo adre,' meddai Elin. 'Does 'na ddim digon o fwyd 'ma fel mae hi.'

'Nag oes,' meddai Wil. 'Ond efallai y gwelwn ni fo eto. Mae 'na bosibilrwydd, fel petai. Hundred to one.'

'Pam hynny?' meddai llais bach swil nad oedd neb wedi'i glywed hyd yn hyn. Syllai Mari ar ei hewyrth yn haerllug. Dyn ifanc? Oedd Yncl Wil wedi gyrru dyn ifanc i ffwrdd o'r lle uffernol 'ma?

Deallai Wil beth oedd yn mynd drwy'i phen hi.

'Paid â poeni,' meddai. 'Mae hen ddigon o bysgod eraill yn y môr.'

6

Diflannodd yr eira dros nos, a pheidiodd y tywydd mawr, yn niwedd mis Ionawr. Daeth sbel o dywydd cynnes, sych, i Ddolfrwynog. Yn sydyn, roedd pawb yn dechrau cerdded o gwmpas yn eu crysau. Eisteddai Huw ar ben y grisiau wrth ddrws y llofft stabal, ei wyneb i'r haul, a'i lygaid ar gau. Dyna oedd prif ddelwedd mis Chwefror: Huw yn eistedd yn yr haul ac yn ei addoli, a Megan yr iâr goch wrth ei ochr, ar adegau, yn edrych am friwsion. Dyna sut y cofiai Wil y mis hwn. Bachgen bach â'i wyneb wedi gwyro tua'r haul, ac yn ei addoli. Dychmygai Wil eu bod nhw wedi'u cludo yn ôl i Hen Oes y Cerrig; nid fferm a welai ond cromlech, a Huw wedi'i wisgo mewn crwyn, yn eistedd yno, yn addoli'r haul. Roedd yn hawdd hel meddyliau felly a hwythau'n byw yn y ffasiwn dlodi.

'Fedra i ddim deall y tywydd 'ma o gwbwl,' meddai Wil wrth Clwc. Roedd y ddau ohonyn nhw y tu allan i ddrws y cwt ieir a Wil yn eistedd â'i gefn at y wal yn crafu'i ben. Roedd y balaclafa tyllog wedi diflannu, gan ddangos mwdwl o wallt coch afreolus wedi'i dorri'n flêr gan Elin. Yn ei ieuenctid bu Wil yn wyllt ac yn danbaid fel ei wallt fflamgoch. Fo oedd yr aelod mwyaf llwyddiannus, mwyaf nerthol a'r mwyaf aflywodraethus o blith aelodau'r Clwb Ffermwyr Ifanc lleol. Y gwylltaf a'r mwyaf diddweud. Yr yfwr mwyaf a'r canwr uchaf. Pe bai cwmni teledu wedi gwneud rhaglen erioed am y Gwylliaid Cochion, bydden nhw wedi mynd at Wil gyntaf ac wedi chwilio wedyn am gant arall yr un fath yn union â fo.

Ymddangosodd Wil ar y ffurfafen fel un o'r tân gwyllt ar noson Guto Ffowc – yn llachar, yn lliwgar ac yn orfoleddus.

Yn y gorffennol roedd hynny. Erbyn hyn roedd Wil wedi chwythu'i blwc, wrth i hanner canrif o waith caled ddarfod amdano, bron. Ond er byrred ei fywyd, gwelsai lawer o newid, rhai'n sydyn ond y lleill wedi dod yn araf bach. Amser maith yn ôl, a Wil yn fachgen ifanc, pan syllai i'r de, tuag at odre'r fferm, gallai weld caeau'n rowlio i lawr tuag at waelod y cwm. Bryd hynny roedd Dolfrwynog yn fferm fawr, sylweddol. Ond daeth methiant, tlodi, a thristwch. Daeth newyddion drwg o'r byd y tu hwnt i'r cwm. Treiglodd i mewn drwy enau'r dyffryn fel y dŵr oer oddi tanyn nhw yn y llyn. Llifodd y dŵr drwy'r gagendor, awr ar ôl awr, wythnos ar ôl wythnos, nes iddo lenwi llawr y cwm. Yna tyfodd yn araf ac yn dawel fel tiwmor. Erbyn heddiw roedd digon o ddŵr yn y cwm i ddiwallu anghenion dinas enfawr. Gwelsai Wil y llyn newydd yn y cwm yn tyfu ac yn crynhoi dros y blynyddoedd. Y bore hwnnw bu Wil yn syllu ar y dŵr – fel yr arferai ei wneud yn aml bob dydd – a sylwodd ar rywbeth. Daliai'r llyn i dyfu o hyd: yn nesáu, yn cnoi'r tir ac yn llyfu'r llwyn o goed bedw lle gwelsai'r dyn ifanc o wlad Pwyl am y tro cyntaf, ychydig ar ôl y Nadolig.

Y dyn o wlad Pwyl. Beth ddigwyddodd iddo fo, tybed?

'Beth rwyt ti'n feddwl, Clwc?' gofynnodd Wil. 'Beth yw dy farn broffesiynol di ynglŷn â thynged y dyn o wlad Pwyl?'

Agorodd ei law a chynnig un hedyn o geirch i'r ceiliog o'i law agored. Gogwyddodd y ceiliog ei ben o'r naill ochr i'r llall gan syllu ar y gronyn o fwyd yn llaw Wil. Doedd o ddim wedi 'molchi'n iawn ers wythnosau ac roedd y llinellau ar ei ddwylo'n ddu gan faw. Edrychent fel cloddiau bach o gylch caeau ei gnawd; yn wir, gwelai Wil siâp rai o gaeau Dolfrwynog ar ei law chwith. Dychmygai mai dafad oedd yr hedyn ac efallai fod Clwc yn gogwyddo ei ben o ochr i ochr am ei fod yn clywed bref fach ddistaw.

Trawodd Clwc ei big yn y llaw fawr fudr yn sydyn a diflannodd yr hedyn.

'Oedd hwnna'n neis, Clwc?' gofynnodd Wil.

Atebodd Clwc drwy roi cân fach swynol. Roedd awydd mwy o fwyd ar y ceiliog du. Ond doedd 'na ddim ar ôl.

'Hwnna oedd yr hedyn olaf yn yr holl fyd, Clwc,' meddai Wil yn ymddiheurol. Doedd o ddim yn dweud y gwir. Pur anaml y byddai Wil yn dweud celwydd noeth wrth un o'i ieir, ond dyna roedd o wedi'i wneud y tro hwn. Roedd o wedi rhoi sachaid o had ŷd yn y llofft stabal, yn crogi oddi ar un o'r trawstiau, i'w gadw'n sych ac yn saff rhag y llygod. Roedd sach gyffelyb yn crogi yn y tŷ. Yswiriant rhag trychineb. *Fire, water and theft. Act of God.*

Doedd Duw ddim wedi dangos ei big erstalwm. Dyna oedd barn Wil; Elin oedd yr unig un o'r teulu a ddywedai ei phader erbyn hyn. Roedd y gweddill wedi troi'n baganiaid. Dyna oedd yr argraff a gawsai Wil, beth bynnag.

Agorodd ddrws y tŷ a daeth Mari allan â basgedaid o ddillad wedi'u golchi.

Hi a wnâi'r gwaith tŷ y dyddiau hyn. Roedd ei mam, Elin, wedi rhoi'r gorau i fywyd yn gyffredinol, heblaw am goginio weithiau. Gwariai Elin fwy a mwy o'i hamser yn y gwely bellach. Wedi mynd i deimlo'n isel iawn, meddai Jac. Doedd dim syndod, er na allai Wil drafod y peth efo hi. Agorai ei geg i ddweud rhywbeth pan oedden nhw gyda'i gilydd ond rhewai'r geiriau yn ei gorn gwddw bob tro; roedd dyfais fel rhidyll yn ei wddw yn gwahardd y geiriau pwysig rhag cael eu ynganu, ac ni ofynnodd y cwestiynau pwysig iddi.

Gwyliodd Mari'n pegio'r dillad ar y lein. Fe'u golchai yn yr afon ar ôl eu mwydo dros nos. Doedd 'na ddim sebon ar ôl, a dŵr oer yn unig a ddefnyddiai Mari. Fyddai hynny ddim yn cael gwared ar y baw i gyd ond roedd popeth yn ogleuo'n well ar ôl golchi'r chwys oddi arnyn nhw. Bu Mari'n trio gwneud rhyw fath o sebon, cymysgedd o ddŵr a lludw coed tân, ar ôl iddi ddarllen amdano yn un o hen lyfrau ei nain, ond roedd y broses yn rhy gymhleth.

Roedd Mari wrthi'n pegio'r eitem olaf ar y lein – pâr o nicars bach coch – pan synhwyrodd Wil fod rhywbeth o'i le. Welodd o ddim byd amlwg, ond sylwodd fod ei phen hi yn ei hysgwyddau braidd, a bod golwg ddigalon arni.

Cododd Wil a mynd i lawr y buarth tuag ati. Sylwodd Mari ei fod yn agosáu a newidiodd ei gwedd ar unwaith; cododd ei gên, a lledodd gwên fawr ffals ar draws ei hwyneb. Ond yn lle argyhoeddi Wil fod popeth yn iawn, dangosodd y gweddnewidiad sydyn fod Mari wedi bod yn crio. Wrth nesáu ati, gwelodd ôl dagrau ar ei gruddiau.

'Be sy, Mari fach?' gofynnodd Wil yn ei lais mwyaf tadol.

Trodd ei chefn arno a mynd ar garlam tua'r tŷ. Wrth i Wil sefyll yno yn ei gwylio, syrthiodd y nicars bach coch i'r llawr; doedd Mari ddim wedi'i begio'n iawn.

Ymgrymodd Wil, codi'r nicars, a dechrau ei ailbegio ar y lein. Dyna pryd y cerddodd Jac o'r tŷ, wrth gwrs. Safodd yno'n cilwenu'n ddirmygus ar Wil, a'i ddwylo ar ei luniau'n ferchetaidd.

'Don't think red's your colour, dearie,' meddai'n gellweirus.

'Bygar off,' meddai Wil. 'Ac yn lle aros yna fel lemon pàm na wnei di holi beth sy'n bod ar Mari?'

Daeth newid dros wedd Jac, a chymylodd ei wyneb.

'Howdya mean?'

'Paid â phoeni,' meddai Wil, gan droi i ffwrdd. Doedd

ar Mari ddim eisiau i neb weld ei dagrau, roedd hynny'n amlwg. Ond byddai'n siŵr o ddod o hyd i ffordd i'w chyfarfod cyn nos, a'i holi…

Y prynhawn hwnnw aeth Clwc ymhellach o'r buarth nag erioed o'r blaen. Yn ei ffordd fach hamddenol ei hun aeth y ceiliog du o un cocyn twrch daear i'r llall nes iddo gyrraedd ganol Cae Dan Tŷ. Clywodd Wil ef yn clochdar yn falch ar ben cocyn mawr, fel petai'n anturiaethwr wedi gosod ei faner yn y ddaear ac wedi hawlio'r tir ar ran Llywodraeth yr Ieir.

Cocl-dwdl-dw… atseiniodd ei gân yn glir ar hyd a lled y wlad.

Aeth Wil i lawr y cae tuag ato.

'Hei, Clwc, be ti'n neud yn fan'ma, d'wad?'

Daeth Jac i lawr i'r cae ac ymuno â hwy.

'Hey, Wil, we've got to talk, man.'

We've got to talk… roedd yr amser siarad drosodd. Amser gweithio a gwneud oedd hi bellach.

'Be sy'n bod, Jac?'

'Bloody hell, man, can't you see? We're starving, man. There's hardly anything left. Apples finished yesterday. Only a bag of spuds left. Grain's nearly finished. What the hell are we supposed to live on?'

Safodd Wil gan edrych ar Clwc yn pigo am fwyd o gwmpas y cocyn pridd.

'Bydd yn rhaid i ni neud 'run fath â fo,' meddai'n flinedig. 'Bydd yn rhaid i ni fegera am bob dim y gallwn ni ddod o hyd iddo. Ddangosa i ti fory. Be wyt ti'n neud heddiw?'

'Same as you told me. I've been mending that fence and checking the snares. Two more rabbits today.'

'Gwna chwanag o fagla fel y dangosais i ti a gosoda nhw ar hyd y clawdd ym mhen ucha'r Waun Goch,' meddai Wil yn amyneddgar. 'Ma gynnon ni ddigon o rwdins ar ôl.'

'I'm sick and tired of bloody rwdins,' meddai Jac.

Roedd y gair wedi treiddio i'w eirfa. Nid anghofiai Jac fyth y gair rwdins. Roedd y llythrennau R-W-D-I-N-S wedi'u sgwennu ar ei galon, ac ar leinin ei stumog. Roedd bron â chyfogi jest wrth ddweud y gair.

'Paid ag aros yma'n rhy hir,' meddai Wil wrth Clwc. 'Tyrd adra cyn iddi nosi, cofia.'

'You think more of those bloody hens than us,' meddai Jac.

'Efalla am 'mod i'n fwy hoff ohonyn nhw,' atebodd Wil yn chwyrn. "Dan nhw ddim mor grafangus... gallan nhw edrych ar ôl eu hunain a 'dan nhw ddim yn dod ar 'yn ôl i bob munud yn gofyn i mi neud hyn a'r llall na holi be ddylwn i neud nesa.'

Trodd Jac a mynd i fyny'r cae mewn hwyliau drwg. Sut gwyddai o beth i'w wneud? Cyfrifiaduron oedd ei fusnes o. Arbenigwr. Y gorau yn y maes. Cyflog anhygoel. Aros yn y gwestai gorau. Hedfan dros y byd. Ha! Hedfan dros y byd. Welai o mo hynny byth eto.

Daeth tywyllwch i orchuddio'r cwm. Goleuwyd cannwyll yn y tŷ, cynnwyd y tân, llafuriodd Jac dros botas arall o rwdins a chwningod. Roedd Elin wedi aros yn ei gwely drwy gydol y dydd, yn darllen hen gylchgronau *Cosmopolitan* a *Vogue*. Roedden nhw'n llawn o ddillad a chosmetics cain, er bod ôl cryn fodio arnyn nhw erbyn hyn.

'Lle mae Mari?' gofynnodd Wil wrth lymeitian ei botas. Roedd Jac yn iawn – roedd y rwdins yn codi cyfog arno ynta hefyd erbyn hyn.

'Dwi'm yn gwybod,' atebodd Huw. 'Yn ei stafell dwi'n meddwl.'

'Dos i weld sut mae hi, wnei di boi?'

Edrychodd Huw ar ei ewyrth. Roedd y bachgen wrthi'n

brysur yn darllen un o'r hen lyfrau ac yn edrych ar luniau o'r iâ ym Mhegwn y Gogledd, yr Esgimos, a'r eirth mawr gwyn. Roedd y tudalennau wedi sticio wrth ei gilydd oherwydd tamprwydd, a'r smotiau o lwydni ar un o'r eirth yn gwneud iddo edrych fel miwtant, hanner arth a hanner llewpard.

'Oes rhaid i mi, Yncl Wil?'

Cododd Wil a mynd i fyny'r grisiau'n araf, yn trio osgoi sathru ar y styllod gwichlyd. Ar dop y grisiau, cnociodd ar ddrws Mari. Duw a ŵyr beth oedd yn bod arni. Oedd hi'n wael, tybed? Diffyg bwyd? Iselder, fel ei mam?

Cnociodd unwaith eto. Dim ateb. Agorodd y drws yn araf.

'Mari? Wyt ti yna, cariad bach?'

Dim ateb. Agorodd y drws led y pen ac edrych i mewn.

Neb. Neb o gwbwl. Doedd dim arwydd o Mari.

'Jac!' gwaeddodd Wil o ben y grisiau. 'Tyrd yma, Jac,' meddai eto.

Ymhen ychydig roedd Jac a Huw ar waelod y grisiau, yn edrych ar ffurf gawraidd Wil uwch eu pennau.

'What's up, Wil?' holodd Jac.

Daeth Elin o'i gwely i ymuno â Wil ar ben y grisiau. Roedden nhw'n edrych fel dau ysbryd yn yr hanner gwyll.

'Mari,' meddai Wil. 'Dyw hi ddim 'ma.'

Safodd pawb yn llonydd, yn edrych ar ei gilydd. Yr eiliad honno cyrhaeddodd arogl drwg i boeni trwynau pawb ar waelod y grisiau. Ogla llosgi.

'Damia!' meddai Jac, a rhedeg fel dyn gwyllt oddi yno.

Roedd o wedi gadael y potas ar y tân, wedi anghofio tynnu'r sosban oddi ar y fflamau.

Wrth iddo gerdded yn araf i lawr y grisiau, meddyliodd Wil mor rhyfedd oedd y ffaith fod Jac wedi dweud *damia* yn union fel y gwnâi yntau.

7

Aeth Jac i'r gogledd ac aeth Wil i'r de. Y ddau efo'i wn, wrth i'r wawr dorri mewn stribedi pinc a llwyd yn y dwyrain. Ar ôl ychydig o eiriau, gwahanodd y ddau yng nghanol y buarth, efo cymylau bach gwyn, oer yn chwythu o'u cegau. Roedden nhw wedi edrych ym mhobman, ym mhob twll a chornel, ym mhob cwt a llofft, ond doedd dim sôn am Mari yn unlle. Roedd rhai eitemau o'i dillad wedi diflannu hefyd, a'i hen fag ysgol, gan gynnwys y ddau fwnci bach ar gadwyni arian yn siglo o'r naill ochr i'r llall pan gerddai i lawr yr allt i gyfarfod â'r bws ysgol. Roedd un ohonyn nhw – Dadi mwnci – wedi bod yn fascot iddi pan symudodd i fyny i'r ysgol fawr, ac roedd o wedi dod â lwc iddi hefyd. Roedd y llall – Mami mwnci – yn femento o wyliau teuluol yn Sbaen, cyn i'r byd ddiflannu. Collwyd y trydydd tedi, Babi mwnci, un diwrnod wrth iddi rowlio i lawr y bryncyn ger yr arhosfan efo Paul Simmonds, hogyn newydd a ddaeth i'r pentre. Roedd o wedi bod yn trio...

Cerddodd Wil i lawr i Gae Dan Tŷ efo'i wn dan ei gesail.

'Y mwnci gwirion...'

Siaradai efo fo'i hun, amdano fo'i hunan. Yn ystod yr helynt y noswaith cynt, roedd o wedi anghofio cau'r ieir i mewn yn y cwt.

Cofiodd am hynny tua hanner nos ac aeth i fyny i'r cwt efo cannwyll ar unwaith i gyfri'r ieir. Un, dwy, tair, pedair... cyrhaeddodd naw, a dechreuodd unwaith eto. Ac yna unwaith eto wedyn, ond waeth pa mor aml y cyfrifai, roedd un ohonyn nhw ar goll. Nid iâr, ond y ceiliog ei hun, Clwc. A'r tro diwethaf iddo weld Clwc, oedd ar ben bryncyn o bridd twrch yng nghanol Cae Dan Tŷ, yn canu cocl-dwdl-dw...

Yn y bore disgwyliai weld llanast o blu yn y cae, ond ymhen ychydig clywodd Clwc yn clochdar rywle wrth y llyn. Aeth Wil i lawr at y llwyn bedw wrth ymyl y dŵr a darganfod Clwc yn sefyll ar gangen uwchben y ddaear, yn ddiogel braf.

Daeth teimlad cynnes neis drosto a thorrodd gwên fawr dros ei wyneb.

'Wel myn uffarn i, Clwc, dyma ti'n saff, diolch i Dduw. Wel done ti boi. Ond be ti'n neud yn fan'ma, d'wad?'

Syllodd Clwc arno, gan wyro'i ben o'r naill ochr i'r llall. Pan agorodd Wil ei law chwith, a'i dal tuag ato, hedodd y ceiliog i lawr i'r ddaear, a dilyn Wil i fyny'r cae, gan syrthio'n ôl weithiau cyn dawnsio wedyn tuag ato. Doedd 'na ddim byd yn llaw Wil.

'Hen dric sâl,' meddai wrtho'i hun. Pan gyrhaeddon nhw adre aeth Wil i'r llofft stabal a nôl y sachaid o ŷd i lawr o'r to. Cymerodd lond llaw fechan o hadau a'u rhoi nhw i Clwc wrth y drws, yn yr haul cynnar. Yna clymodd y sach yn ôl yn y to.

'Paid â gwneud hynna byth eto, boi,' meddai'n rhadlon wrth y ceiliog. Ond penderfynodd mai gwirion o beth oedd cadw un ceiliog yn unig. Byddai'n rhaid buddsoddi yn y dyfodol, er y byddai'n achosi prinder bwyd i'r ieir. Roedd un o'r ieir wedi dechrau eistedd ar ei hwyau... mi wnâi adael llonydd iddi. Roedd hi braidd yn gynnar yn y flwyddyn, efallai, ond roedd y tywydd yn anwadal, beth bynnag. Roedd rhywbeth arall ar ei feddwl. Pan godwyd y tatws yn ystod yr hydref gwnaeth Wil gwtsh, heb i neb arall wybod, yn y cwt ieir gan guddio storfa o datws had, yn barod i'w plannu'r flwyddyn wedyn. Mi wyddai fod y

tatws eraill i gyd wedi mynd erbyn hyn; roedd y teulu bron
â llwgu, a phwysau mawr arno i ddefnyddio'r tatws had ar
gyfer bwyd. Ond be wnaen nhw am datws had wedyn?
Roedd y broblem yn cnoi'i du mewn.

Yn y cyfamser, brasgamodd Jac i gyfeiriad y mynydd a'i
wn ar ei fraich. Ers i'r llyn dyfu doedd ond un ffordd y gallai
fynd − tua'r gogledd, sef ar draws y mynydd. Fel y dringai
i fyny'r ffriddoedd gwelai rith y llyn oddi tano yn gwyro o
amgylch y dolydd fel llafn cryman. Roedd y dŵr barus wedi
bwyta mwy o dir ers pan fu yma ddiwethaf. Cyrhaeddodd
giât y mynydd a rhoddi ei bwysau arni, i gymryd hoe.
Doedd Jac ddim yn hoff o'r mynydd. Lle anial, digymorth
ydoedd o gofio bod Jac wedi arfer eistedd o flaen cyfrifiadur
efo byd llawer mwy prydferth i'w weld ar y sgrin. Roedd
teyrnas Microsoft wedi bod yn shangri-la iddo, lle nad oedd
byth sôn am ddiffyg bwyd na thlodi na salwch. Yn araf, heb
ddeall beth oedd yn digwydd, roedd bron iawn pawb ym
Mhrydain wedi mynd i fyw y tu mewn i'w compiwtars −
gan fyw yn eu byd bach rhithiol, y deyrnas fach gyfforddus,
gyfoethog y tu mewn i focs.

Collai Jac y bywyd hwnnw. Roedd realiti wedi bod yn sioc
fawr iddo fo, ac i sawl un arall hefyd. Un o'r pethau gwaethaf
oedd y distawrwydd. Ar y dechrau roedd llonyddwch y byd
naturiol yn fwrn arno, â'r distawrwydd llethol, heb dractor,
car, na pheiriant yn y cwm yn brifo'i glustiau. O bryd i'w
gilydd, rhoddai waedd uchel pan fyddai ar ei ben ei hun, er
mwyn iddo gael clywed sŵn… unrhyw sŵn.

Camai ar hyd yr hen ffordd fynydd, rhwng y grug, a'r
ddau gi yn ei ddilyn. Roedd Wil wedi gorfod annog Jess a
Pero i ddilyn Jac yn lle mynd efo fo; fo oedd eu meistr nhw.
Yma ar y mynydd buon nhw'n ei ddilyn o'n betrusgar, heb
lawer o ffydd yn ei arweiniad. Ymhen awr cyrhaeddon nhw

ben Mwdwl Eithin a gorweddodd y cŵn wrth ei draed er mwyn iddo yntau gael ei wynt yn ôl. Edrychodd o'i gwmpas, o'r gogledd i'r dwyrain, o'r de i'r gorllewin, ac yna yn ôl i'r gogledd eto heb weld dim byd byw yn symud. Roedd y defaid i lawr ar y fferm, a'r merlod mynydd wedi diflannu. Hedai cymylau uchel dros y tir yn ddi-baid, a sylweddolodd Jac nad oedd yr olygfa hon wedi newid o gwbl dros gannoedd o flynyddoedd, yn wir ers pan dorrwyd y coed ymhell yn ôl gan y ffermwyr cynnar. A'r distawrwydd… weithiau clywai gylfinir yn canu yn y brwyn pell; roedd o'n sŵn mor drist. Ond o leiaf roedd hi'n creu sŵn…

Daethai Elin ac yntau yma am bicnic yn fuan wedi iddyn nhw symud i'r fferm i fyw, ar brynhawn braf o haf. Roedden nhw wedi caru yno, ond fydden nhw ddim yn gwneud pethau fel 'na rŵan. Roedd Elin wedi troi ei chefn ar y byd, ac arno yntau hefyd. Fedrai hi ddim dygymod â'r bryntni, yr oerni na'r tlodi yn Nolfrwynog. Cysgai drwy'r dydd, neu fodio drwy ei chylchgronau. Deuai i lawr i swper am fod Jac wedi gwrthod cario bwyd iddi i'r llofft.

'You've got to face the world, Elin,' meddai wrthi. 'It's the same for all of us. Think of Huw and Mari. Try to be an example…'

Ond doedd dim pwynt. Roedd hi wedi dechrau colli'i phwyll, neu dyna roedd o a Wil yn ei amau. Roedd ei chrefyddoldeb wedi cryfhau; mynnai adrodd ddarn o bader hir cyn bob pryd, a mynnai fod Huw yn dweud ei bader ar ei liniau wrth ei wely bob nos – dyna oedd un o'r prif resymau pam roedd y bachgen wedi dianc i'r llofft stabal.

Roedd hi wedi colli diddordeb mewn bwyd.

Un diwrnod collodd Jac ei dymer ar ôl dod o hyd i weddillion un pryd – darn o gig a thalpiau o rwdins – wedi'u lluchio allan i'r ieir.

'Bloody hell, Elin,' meddai'n ddistaw ac yn galed wrthi, er bod ei phen o dan y gorchudd, 'you never stopped talking about bloody food when we had plenty of it, never stopped looking at those bloody cooking programmes on TV – I think you went on about food more than people who were starving. And now look at you…'

A dyma fo ar ben y mynydd mawr, yn nunlle, ar ei ben ei hun. Uffern ar y ddaear. Daeth un o'r cŵn ato, a rhoddodd yntau ei law iddo er mwyn iddo'i hanwesu. Roedd ei dafod pinc yn gynnes ar ei law.

'Well done, boy,' meddai. 'Good dog.'

Be wnâi o rŵan? Dal ati? Ond i ble'r âi o? Cododd o'r grug a dechrau dilyn y llwybr defaid drwy'r anialwch digysur. Ymlaen ac ymlaen â fo, a'r gorwel yn newid o bryd i'w gilydd fel y deuai bryn arall i'r golwg, neu afonig, neu hen gorlan. Aeth awr ar ôl awr heibio a dechreuodd flino. Doedd gynno fo ddim bwyd na diod, ond bob hyn a hyn llymeitiai ddigon o ddŵr yr afon i ladd ei newyn. Synfyfyriodd ynghylch dyfodol Huw, rywbryd yn ystod y prynhawn, ar ryw gefnen o hen ffeg, pan sylwodd ar rywbeth yn y pellter, tua dwy filltir oddi wrtho. Stopiodd, ac edrych yn fanwl. Roedden nhw fel meini hirion ar y gorwel, rhai'n denau a rhai'n drwchus. Doedd o ddim yn cofio gweld unrhyw beth fel 'na ar y mynydd, ond ar y llaw arall doedd o ddim wedi cerdded mor bell â hyn o'r blaen.

Yna edrychodd unwaith eto, yn fwy manwl y tro hwn wrth graffu ar y meini. Efallai fod diffyg bwyd yn dechrau pwyso ar ei bwyll yntau hefyd. On'd oedd un o'r meini'n symud? Syrthiodd ar ei liniau, y tu ôl i lwyn trwchus o rug. Caeodd ei lygaid, ac ar ôl gorffwys am dipyn, craffodd unwaith eto ar y meini. Erbyn hyn roedden nhw i gyd yn symud, a deallodd ar unwaith nad cerrig oedden nhw ond pethau byw. Dychrynodd ar unwaith. Daeth cryndod drosto, ac ofn oer yn ei stumog. Ciliodd y tu ôl i'r twmpath grug am dipyn i hel ei feddyliau. Sylwodd fod lleithder y mawn yn symud i fyny ar hyd ei drowsus yn ara deg, o'i benliniau, mewn staen oer, du. Yna edrychodd unwaith eto: roedd y grŵp yn dod i'w gyfeiriad, ar hyd y llwybr defaid. Erbyn hyn clywai leisiau, a chwerthin. Oedd rhywun yn canu?

Oedd, clywai lais ifanc merchetaidd, yn canu cân ysgafn. Daeth sŵn gweryru i'w glyw. Ceffyl... roedd ganddyn nhw geffyl hefyd. Ar ôl ychydig clywai drawiad carn ceffyl ar y llwybr, a llais dyn ifanc yn siarad yn llon. Chwarddodd y ferch ifanc. Ond hei! Roedd o'n nabod y chwerthiniad yna. Oedd, yn sicr. Chwerthiniad Mari ydoedd. Cododd ei wyneb uwchben y twmpath. Erbyn hyn roedd y parti o fewn tafliad carreg iddo. Cododd yn araf ar ei draed, a'i wn o'i flaen yn barod, rhag ofn. Be welodd Jac o'i flaen ond Mari yn tywys ceffyl, a thu ôl iddi ddyn ifanc tal yn arwain dau geffyl arall. Roedd golwg hapus arnyn nhw, tan iddo sefyll o'u blaenau. Yna daeth yr hen ddistawrwydd yn ôl, fel gorchudd dros y mynydd o'u cwmpas.

8

'Damia!'

Safai Wil yng nghanol y buarth, yn siarad efo fo'i hun eto. Roedd llygod mawr wedi mynd ag wyau'r iâr a fu'n gori. Wedi eu dwyn nhw o dan ei thin. I wneud pethau'n waeth, roedd y llygod wedi cnoi rhai o'r tatws had hefyd. Damia nhw. Byddai'n rhaid dechrau o'r dechrau unwaith eto.

Wrth gwrs, doedd yr iâr yn deall dim. Doedd ganddi hi ddim clem fod ei phlant bach yn yr wyau wedi'u difa gan y llygod mawr. Baich mwyaf dynoliaeth, credai Wil, oedd y gallu i amgyffred marwolaeth. Roedd deall a dirnad marwolaeth ei hun yn medru bod yn eitha poenus; ond y peth gwaethaf oll oedd y ffaith fod pawb yn gwybod ac yn disgwyl amdano fel plant yn aros am y bws ysgol. Gwyddai pawb y bydden nhw'n marw ryw ddiwrnod – gwyddai pawb bron o'r dechrau. Ac yna mi fyddai eu plant hwythau'n marw. Ac yna eu plant hwythau hefyd. *Ad infinitum*. Tan ddiwedd amser. Ond doedd yr iâr yn dirnad dim byd o'r fath... mi ddechreuai hi deulu bach arall, heb golli deigryn. Byddai Clwc yn ymweld â hi; yna, ymhen dim byddai'n canu cân fach ddefosiynol yn y cwt ieir a deuai wy newydd sbon o'i thin hi unwaith yn rhagor. Doedd Wil erioed wedi bod yn dad. Doedd o erioed wedi gweld merch yn mynd clwc-clwc-clwc ac yn dodwy babi yn yr ysbyty. Doedd o erioed wedi cael cyfle i gerdded o gwmpas y pentre fel rhai o'r tadau newydd, yn edrych fel rhywun newydd ennill deg medal aur yn yr Olympics. Do, bu'n caru efo merched y fro fel pawb arall yn ei dro. Ond aeth pethau ddim pellach na hynny.

Doedd Wil ddim yn sicr pam na ddaeth un ohonyn nhw i siario'i wely yn Nolfrwynog. Roedd iddo natur reit wyllt pan oedd o'n ifanc. Tybed ai hynny oedd y rheswm? Doedd 'na ddim cwrs caru yn y coleg amaethyddol, neb i ddweud *newid gêr yn fan'ma a dos yn ara deg am dipyn,* neu *cynhesa dy ddwylo gynta rhag i ti gael uffarn o gic...*

Doedd dim gobaith cael unrhyw sens gan ei dad. Doedd hwnnw'n gwybod fawr mwy nag yntau. Gwridai'r hen ddyn bob tro y gwelai dethi heffar. Swil? Roedd yn syndod i bawb yn y fro fod tad a mam Wil wedi medru dal dwylo, heb sôn am greu plant. Crwydrodd meddwl Wil yn ôl i dwll y llygod mawr. Hwyrach fod gan y rheiny fabis bach pinc ym mhen draw'r twll. Marw fyddai eu tynged nhw hefyd. Teimlai Wil yn ddigalon. Roedd bywydau bach dirifedi yn dod i'r byd o'i amgylch bob munud, ac yntau wedi methu...

Ar y llaw arall, efallai mai peth da oedd hynny, o ystyried cyflwr y byd. Roedd yr hwch wedi mynd drwy'r siop. Dilynodd ei feddwl y gair *siop.* Roedd siop y pentre wedi cau ers blynyddoedd maith; teimlai fel canrif yn ôl. Gwnaeth restr o'i hoff fferins erstalwm pan alwai yn y siop. Gallai eu gweld nhw'n rhes ar y cownter, efo Mrs Jones y Siop yn gofyn sut roedd ei dad, a'i fam, a phob math o bethau eraill. Aeth llu o feddyliau cyffelyb drwy ei feddwl, syniadau bach hollol ddibwys erbyn hyn.

Safai Wil ar ganol y buarth yn synfyfyrio. Roedd o wedi anghofio'n llwyr am Jac a Mari. Ai dyna oedd henaint? Sefyll mewn mannau od, yn hel meddyliau? Ond be arall wnâi o? Edrychodd ar wyneb caled y buarth. Buarth ei blentyndod.

Draw i'r gogledd gwelai'r cwt ieir, a'r drws ar agor. Clywai iâr yn cyfarch wy newydd. Trodd i wynebu'r dwyrain pell – ei gartref yn y llofft stabal. Eisteddai Huw ar y grisiau yn addoli'r haul.

'Hei, Huw,' gwaeddodd Wil, 'gei di beils os steddi di

ar y cerrig 'na am yn hir. Wyt ti'n gwrando?' Chymerodd
Huw ddim sylw. Roedd yr oedolion yn malu cachu byth
a beunydd. Isio iddo fo wneud hyn ac isio iddo fo wneud
rhywbeth arall. I be? Beth oedd y pwynt?

Daeth sŵn newydd i hollti'r distawrwydd, i ymyrryd â
meddyliau Wil, o gyfeiriad y gogledd. Cododd ei ben i weld
beth oedd achos y trwst a glywai'n agosáu. Roedd yn dod o
dop yr allt. Lleisiau, a rhyw sŵn arall na wyddai beth oedd o.

Jac ddaeth i'r golwg yn gyntaf, a'i wn dros ei fraich.
Cerddai â'i ben i lawr, yn edrych ar ei draed. Roedd o wedi
blino, a phrin y medrai gerdded. Yna, gwelai Wil wyneb
golau, yn wên o glust i glust, yn amlwg yn hapus am y tro
cyntaf ers hydoedd.

Wyneb Mari oedd hwnnw, efo'i gwallt wedi dianc o'i
chap. Roedd ei bochau'n goch, ei llygaid yn sgleinio a'i
hysgwyddau wedi codi hefyd. Roedd beichiau'r byd wedi
disgyn oddi arnyn nhw. A beth oedd y tu ôl iddi, yn dod
i'r golwg yn ara deg drwy ganghennau'r griafolen – ceffyl?
Myn uffarn i, ia, ceffyl. Cob reit handi efo tennyn am ei
ben. Yna daeth mwy o geffylau i'r golwg – dau ferlyn
coch tywyll yn cario paciau ar eu cefnau, fel petaen nhw'n
perthyn i anturiaethwr yn crwydro drwy anialwch gwlad
bell, anhysbys. Yn tywys y ceffylau gwelai lanc tal, ac adnabu
ef ar unwaith. Doedd Wil ddim yn gwybod ei enw, wrth
gwrs. Dim ond ychydig o eiriau fu rhyngddyn nhw'r tro
diwethaf y gwelson nhw ei gilydd. Roedd Wil wedi anelu'i
wn ato yn y cwt rwdins ac wedi gofyn: 'Pwy wyt ti, a be
rwyt ti'n neud ar ein tir ni?'

Roedd y llanc wedi sbio'n wirion arno.

'You English?' gofynnodd Wil drachefn.

'No, Polish.'

'What are you doing here?'

'Food… I'm hungry.'

'Why are you here?'

Esboniodd y llanc yn araf, heb symud. Roedd o wedi bod ar ymweliad â Chymru o wlad Pwyl, efo'i dad. Bu'r hen ddyn yn gweithio am gyfnod yn hel cocos ar draethell gyfagos, flynyddoedd yn ôl, a dychwelodd i ailymweld â'i orffennol cyn iddo farw. Ond aeth yn wael a bu'n rhaid i'r llanc aros efo fo. Bu farw ei dad ac erbyn hynny roedd y pres wedi darfod. Bu'n rhaid i'r bachgen forol amdano'i hun wedyn. Ymosodwyd arno gan giang o fechgyn yn y ddinas a ffodd am ei fywyd i'r wlad. Dyna sut y cafodd ei hun yn crwydro o amgylch cefn gwlad Cymru.

Gwrandawodd Wil ar ei stori, ond ni thoddwyd ei galon.

'You go away now or I shoot,' meddai wrtho.

Ymbiliodd y llanc arno, ar ei liniau.

'Please let me stay with you. I work hard, I am strong.'

Gwibiodd meddwl Wil drwy bob dewis. Efallai'n wir y byddai'r bachgen o fudd iddyn nhw. Ond byddai'n rhaid iddo weithio am ei fwyd, a chynhyrchu mwy nag y byddai o'n ei fwyta. Roedd 'na olwg reit handi arno fo.

Gwnaeth benderfyniad sydyn. Byddai'n well iddo herio'r llanc i gyflawni rhywbeth, iddo gael profi ei hun. Os na lwyddai, ni welai Wil o byth eto. Ond os llwyddai, wel…

'You can stay with us if you bring horses,' meddai Wil wrtho yn y cwt rwdins. 'Good horses, and food… anything you can get. If you come back with horses, you can stay.'

Ar ôl hynny heliodd ef allan o'r cwt, a'i wylio'n camu drwy'r eira tua'r gogledd, tua'r byd mawr anwadal. A dyma fo'n ôl, ar y buarth, reit yng nghanol byd a bodolaeth y teulu, wedi mynnu cael lle yn eu hanes, ac ar fin ymuno â hwy wrth y bwrdd bwyd.

9

Mi wyddai Wil yn syth fod popeth ar fin newid unwaith eto. Safodd ar y buarth yn edrych ar y prysurdeb, a gwrando ar y lleisiau hapus. Teimlai ei fod o'n ddiarth iddyn nhw i gyd; ei fod ar wahân iddyn nhw. Ond ymunodd â hwy yn y croeso.

'Nico ydi'i enw fo!' meddai Mari ar dop ei llais. Safodd mor agos ag y medrai at y llanc newydd. 'O wlad Pwyl mae o'n wreiddiol,' meddai wrth Jac. 'Mae wedi dod i fyw efo ni.'

Edrychodd Mari ar Yncl Wil, gystal â dweud *peidiwch chi â meiddio dweud gair, peidiwch chi â sbwylio petha…*

Gwichiodd ffenest y llofft ar agor a rhoddodd Elin ei phen allan.

'Be sy'n bod? Pwy 'di hwn?'

Diflannodd unwaith eto, a chyn bo hir roedd hi wedi ymuno â nhw ar y buarth. Sylwodd Wil ei bod hi wedi medru cochi'i gwefusau yn y ddwy funud a gymerodd hi i wisgo a gwibio i lawr y grisiau. Merched. Doedd dim deall arnyn nhw. Teimlai Wil yn chwithig ac yn afrosgo yng nghanol y miri. Beth os oedd y llanc 'ma'n ddiawl drwg? Yn barod i'w lladd yn eu gwelyau? Oedd rhywun wedi meddwl am hynny, tybed? Dylen nhw fod yn wyliadwrus; efallai fod y Nico 'ma'n perthyn i un o'r gangia 'na, ac yn paratoi'r ffordd fel y gallen nhw ddod yma i'w lladd. Edrychodd Wil ar ei wyneb ifanc, hawddgar. Hwyrach ei fod yn hogyn iawn; efallai ei fod o'n onest, yn agored ac yn ddifalais. Efallai wir. Amser a fyddai'n dangos.

Cymerodd Wil y ceffylau ac aeth â nhw i'r gadlas. Tynnodd y tennyn oddi ar y cob a'i ollwng yn y cae. Gwnaeth yr un fath efo'r lleill. Pranciodd y tri o amgylch eu cartref newydd, cyn mynd ati i bori. Mi fyddai'n braf eu clywed o'r llofft stabal, yn gweryru ac yn stompio. Roedd o'n licio ceffylau: eu harogl, eu maint, eu hen fydolrwydd. Roedd 'na hen geriach ceffylau ar ôl o'r hen ddyddiau yn y stabal, yn chwydu gwellt o'u tu mewn. Coleri lledr mawr trwm a mwncïod haearn o'u hamgylch fel modrwyau. Roedd 'na hen drol yn dadfeilio hefyd, wedi'i gadael yng nghanol yr hen wellt, a fu'n perthyn i'w orhendaid, felly doedd neb yn barod i'w llosgi. Rhoddodd Wil y tenynnau ar hoelen yn y stabal a phwyso'n erbyn ffrâm y drws am ychydig. Roedd y golau'n dechrau pylu'n barod. Edrychodd i fyny i'r awyr las olau, a gweld bod y sêr yn dechrau ymddangos yn y ffurfafen. Daeth i'w feddwl y buasai'n braf cael smôc y funud honno, yn brafiach na dim byd arall yn y byd. Esgob, mi fuasai'n braf cael tynnu ar sigarét a gwylio'r sêr yn ymddangos yn y nen. Roedd yn haws eu gweld y dyddiau hyn, ers i Ddolfrwynog golli'r letrig. Gwyddai enwau rai ohonyn nhw hefyd – Fenws, yn y gorllewin, oedd y loywaf...

Dechreuodd fwmian geiriau agoriadol hen gân. *Mae 'nghariad i'n Fenws, mae 'nghariad i'n fain, mae 'nghariad i'n dlysach na...* sut roedd hi'n gorffen, hefyd? Roedd Wil yn dyheu am sigarét. Roedd y sêr yn llosgi twll yn y nen ac roedd yntau eisiau llosgi twll yn ei ysgyfaint. Straffaglodd ar draws y buarth. Roedd o wedi blino hefyd. Gormod o fynd a dŵad. Roedd o'n heneiddio. A'r poen yn ei fol. Beth oedd hwnna? Ylsar? Eisiau bwyd o hyd? Na, roedd o'n waeth na hynny. Rhywbeth difrifol. Fel cyllell yn ei fol. Trodd wrth ddrws y tŷ a syllu ar Fenws yn disgleirio'n arian glas yn yr awyr binc. Lyfli. Duwies cariad oedd Fenws yntê? Doedd hi ddim wedi gwenu arno tan rŵan. Na, nid gwenu arno fo, Wil, roedd hi ond ar Mari a Nico, wrth gwrs. Nico. Rhyw

fath o aderyn bach oedd hwnnw yntê? Roedd ei feddwl ar
chwâl unwaith eto. Doedd dim trefn ar ei ymennydd. *Nico
annwyl, ei di drosta i, ar neges fach i Gymru lân...* dechreuodd
ei wefusau siapio'r geiriau yn ddistaw. Gyrru aderyn bach
yn ôl i Gymru, *o wlad y clwyf a'r clefyd.* Y ffordd arall oedd
hi rŵan yntê? Cymru oedd gwlad y clwyf a'r clefyd... ond i
ble buasai Wil yn gyrru ei nico?

Dros y môr i... Ibiza. Roedd o wedi bod yno efo criw
o hogia unwaith. Lle cythreulig o boeth. Bois bach, sôn am
yfed. Roedd o wedi chwydu mwy nag a wnaethai erioed
cyn hynny. Bryniau bach o chŵd ar hyd a lled yr ynys;
smotiau bach drewllyd yn gorwedd ar smotyn bach o dir yn
y môr mawr, distaw, ymhell o bobman arall. Doedd o ddim
wedi bachu merch chwaith, fel y lleill. Wedi'i dal hi o fore
gwyn tan nos. Hwyrach mai dyna pam na wnaeth o ddod o
hyd i wraig erioed; roedd o wastad wedi cael ychydig bach
gormod o'r hen jiws 'na.

Crwydrodd ei feddwl yn ôl at Nico. Pwy wnaeth ei yrru
o yma? Enw rhyfedd ar fachgen. Enw Pwyleg oedd o, tybed?
Roedd ganddo fo fam yng ngwlad Pwyl; roedd hi wedi sefyll
wrth ddrws y tŷ yn Warsaw neu rywle tebyg ac wedi gweiddi
Nico! droeon wrth ei alw i mewn am ei swper. Roedd Mari
wedi mopio'n llwyr arno'n barod. Doedd neb wedi mopio
ar Wil fel 'na, neb erioed. Efallai i Gwen Tŷ Newydd adael
iddo fo wneud pethau reit arbrofol yng nghefn y car bob
nos Sadwrn am fis neu ddau ond doedd ei llygaid hi erioed
wedi sgleinio yn ei phen fel rhai Mari. Fel dwy Fenws fach
yn wincio yn ffurfafen ei hwyneb. Bechod.

'You coming in, Wil?' gofynnodd Jac. Roedd o'n sefyll
wrth ddrws y tŷ.

'Ydw.'

Edrychodd Jac arno'n graff. 'You tired?'

'Ydw.'

'Want me to shut the hens in for you?'

'Damia!' meddai dan ei wynt.

'You nearly forgot again, didn't you, Wil?' meddai Jac.

Roedd o'n pitïo Wil, braidd, y funud honno. Hyd yn hyn doedd o ddim wedi teimlo rhyw lawer iawn tuag at yr hen ddyn. Roedd o mor wahanol a rhaid oedd gwneud popeth yn ei ffordd o. Ia, fo oedd y bòs. Ond fel y dywedai Wil, y fo'n unig a wyddai beth i'w wneud. Fo oedd yr unig un efo profiad o dyfu bwyd ac edrych ar ôl anifeiliaid. Hwyrach mai'r teimlad ei fod yn ddyledus iddo fo drwy'r amser oedd wedi creu'r gagendor rhwng Jac a Wil. Ond roedd Wil druan yn trio'i orau. Nid arno fo oedd y bai am ei fod mor henffasiwn, mor benstiff, mor awdurdodol. Wedi'r cyfan, doedd gan Wil ddim profiad o *management techniques* y byd busnes. Doedd o erioed wedi gorfod mynychu cyfarfod ar ôl cyfarfod i ddysgu sut i swyno pobl efo rhyw gynllwyn neu'i gilydd; doedd o ddim wedi dysgu triciau'r byd masnach.

Ffarmwr oedd o. Yn codi yn y bore, yn gweithio drwy'r dydd ac yn mynd i'w wely wedi blino, yn gwybod bod gwaith y dydd naill ai wedi'i gyflawni, neu fod mynydd o waith yn dal i ddisgwyl amdano'r diwrnod wedyn. Pe na bai'n codi gyda'r wawr byddai'r anifeiliaid yn marw. Rhaid oedd i'r tatws fod yn y ddaear yn y gwanwyn a rhaid oedd i'r cnydau gyrraedd yr helm cyn y gaeaf, neu mi fydden nhw i gyd yn llwgu. Eithaf syml ar un cyfrif, eithaf cymhleth hefyd. Bu Jac yn gwylio ac yn dysgu a sylwodd fod yr hen ddyn yn graff ac yn gyfrwys. Mi welai bethau na welai neb arall: argoelion tywydd mawr, y blagur cyntaf ar y ddraenen ddu, neu anifail yn cloffi ym mhen draw'r cae. Ond roedd golwg reit lipa ar Wil, a'i ben i lawr, fel roedd o rŵan.

'You OK, Wil?'

'Ydw, dwi'n iawn,' meddai Wil. Yr hen gelwydd. Y celwydd mwyaf parod yn y byd. Roedd pobl yn medru bod yn reit ddewr, wir.

'Mi wna i gau'r ieir i mewn 'ta,' ychwanegodd Wil, ac i ffwrdd â fo.

Gwyrodd ei ben wrth fynd i mewn i'r cwt, i osgoi'r dist isel.

'Un, dwy, tair, pedair…'

Roedden nhw i gyd yno. Safai Clwc yn falch ac yn awdurdodol ar reng ucha'r glwyd.

'Rwyt ti'n iawn heno, boi,' meddai Wil wrtho, fel petaen nhw'n hen gyfeillion. Dyna oedden nhw mewn gwirionedd. Hen gyfeillion…

Caeodd Wil y drws a mynd am y tŷ. Edmygodd Fenws ar y gorwel pell. Roedd hi mor brydferth. Doedd 'na ddim llawer o amser i werthfawrogi prydferthwch y dyddiau hyn. Rhaid oedd gweithio, poeni, cynllunio… doedd dim cyfle i sefyll ac edmygu'r byd o'u cwmpas.

Pan gerddodd drwy'r pasej bach tywyll i'r gegin roedd y tŷ'n llawn bwrlwm, yn llawn bywyd. Pobol yn symud o gwmpas yn chwerthin ac yn siarad yn gyflym. Roedd fel twmpath dawns y Ffermwyr Ifanc. Yn eu canol safai Nico, fel un o ddynion doeth y Beibl, yn didoli anrhegion i bawb, o fag mawr cynfas, yr un a welsai Wil ar gefn y cob yn dod i lawr o'r mynydd. Lipstig a phowdr wyneb i Elin – roedd hi wedi dotio, yn gwichian ac yn piffian chwerthin fel hogan fach. Druan ohoni. Roedd gan Wil biti drosti a daeth ton o gydymdeimlad drosto wrth ei gwylio. Ei chwaer ei hun, wedi dod i hyn. Ei freuddwydion yntau a'i breuddwydion hithau wedi'u chwalu gan y byd. Plentyn oedd hi, yn rhoi gormod o golur ar ei hwyneb, yn syllu yn y drych am oriau, yn pwdu, yn wylo… ei chwaer fawr yn ferch fach unwaith eto. Roedd arno eisiau rhoi ei fraich amdani y foment honno, a'i chofleidio, ond fedrai o ddim gwneud pethau fel 'na, ddim yn gyhoeddus beth bynnag.

I Mari rhoddodd y llanc lond llaw o fodrwyau, clustdlysau a breichledau – fel petai o'n gapten llong hwylio ar draethell yn yr Affrig dair canrif ynghynt yn rhoi anrhegion disglair i'r brodorion. Huw oedd nesaf, ac mi gafodd hwnnw rywbeth gwyrthiol hefyd – trowsus bach coch Manchester United, genwair bysgota ddu efo stribedi coch arni, a ril a bachau arni. Roedd Huw wedi'i syfrdanu. Cerddodd o amgylch y gegin fawr yng ngolau'r gannwyll yn edmygu ei declyn newydd, yn cogio'i ddefnyddio, yn cogio dal pysgodyn.

'I show you how to use that tomorrow,' meddai Nico wrtho fel brawd mawr cyfeillgar. Mi roedd o wedi gwneud ffrind am byth, am weddill ei oes, tan ddiwedd amser.

'Thank you,' meddai Huw. 'Diolch!'

Edrychodd y crwt ar Yncl Wil, a'i enwair newydd yn ei ddwylo.

'Dwi am aros yma heno, Yncl Wil,' meddai'n wylaidd.

'Iawn, boi,' meddai hwnnw efo gwên.

Ond roedd 'na ddau boen yn ei gynhyrfu – un yn ei fol a'r llall yn ei galon – pan gyrhaeddodd ddrws y llofft stabal ychydig wedyn. Doedd dim sgrap o fwyd yn ei stumog. Ddaru o ddim cynnau cannwyll. Aeth yn syth i'w wely yn ei ddillad. Yn ei sgidiau hefyd.

10

Daeth y wawr i Ddolfrwynog, gan dreiglo'n wyn ac yn wan drwy'r peithiau eithin ar y bryniau. Cyrhaeddodd y golau newydd yn araf ac yn ddistaw, fel y dŵr yn y llyn; roedd yn anodd gweld y gwahaniaeth o funud i funud. Ond o gau'r llygaid am ychydig a'u hagor hwy'n sydyn, oedd, roedd 'na rhywbeth wedi digwydd. Daeth ffurfiau o'r cysgodion fel ysbrydion yn mynnu cael eu gweld – cysgodion Nain a Taid yn y gegin yn cryfhau, yn mynnu sylw. Ond dwy gadair oedden nhw wedi'r cyfan, nid yr hen bobl yn dychwelyd o'r gorffennol.

Cyrhaeddodd mis Mawrth; roedd y gwanwyn wedi dod yn gynnar, a'r teulu bach o gennin Pedr yn chwifio'u breichiau yng ngwynt oer boreol yr ardd. Buont yn byw yn Nolfrwynog ers oesoedd ac roedd eu hachau yn mynd yn ôl ymhellach na'r teulu yn y tŷ.

Nid oedd siw na miw i'w glywed o'r hen ffermdy; roedd pawb yn eu gwelyau. Yn y llofft fwya cysgai Jac ac Elin ar wahân yn y gwely mawr, y ddau bron â syrthio oddi ar ochrau'r gwely. Ni allent fod ymhellach oddi wrth ei gilydd. Roedd 'na gylchgronau wedi'u chwalu ar y llawr wrth ochr Elin, fel gwyntyll wedi torri. Roedd dillad hefyd ar lawr ym mhobman, droriau'n agored efo dilladau bach merchetaidd yn hongian oddi arnyn nhw, cwpanau budr wrth ochr y gwely efo tyfiant gwyrddlas yn eu gwaelodion. Roedd yr hwch wedi treulio cryn dipyn o amser yn llofft Elin a Jac, ac wedi mynd drwy'r siop yn hamddenol braf yn ei hamser ei hunan. Câi Wil sioc... ond châi o ddim dod yn agos. Math o gelf oedd y stafell hon, *installation art* diweddara'r Tate yn Llundain; mynegiant o gyflwr meddwl y ddau a gysgai yn y gwely mawr. Ei deitl: *Colledigaeth.*

Yn ymyl, yn ei llofft fach ei hun, efo hen bosteri pop
yn dal yno ar y wal biws, er eu bod yn pilio, cysgai Mari'n
ddistaw fel llygoden. Breuddwydiai'r funud hon, am… wel,
pwy dach chi'n feddwl? Ia, y Superman o wlad Pwyl, ei
Nico annwyl hi. Roedden nhw'n gwneud pethau anhygoel
o neis efo'i gilydd, wrth gwrs. Yna daeth Yncl Wil drwy
ddrws ei dychymyg efo gwn; safodd yn nrws ei dychymyg
yn gwgu ac yn cyfarth fel ci…

Drws nesaf, yn stafell wely Huw, roedd Nico wedi deffro'n
barod. Fyddai o ddim yn cysgu'n esmwyth wedi i giang o
hogiau ymosod arno. Bu'n lwcus. Rhoddodd ei ofn nerth
grymus yn ei draed a llwyddodd i ddianc drwy strydoedd y
nos. Yn sgil y digwyddiad hwnnw roedd dwy graith hir ar
ei gorff, un ar ei gefn a'r llall ar ei ysgwydd chwith, a'r ddwy
wedi gwella'n barod. Roedd y rhain, a'r tatŵ, o ddiddordeb
mawr i Mari ac i'r merched eraill a gwrddodd wedi hynny.
Doedd dim cyrtans i gadw'r golau o'i stafell lychlyd, ac yn
wir roedd arno awydd codi, er nad oedd o ddim yn siŵr a
ddylai o, rhag ofn i'r teulu ei amau. Pe bai'n symud rŵan,
efallai y byddai pawb yn credu ei fod yn lleidr.

Roedd Huw wrthi'n deffro hefyd; roedd ei lygaid glas
golau yn agor yn araf, yn cau, cyn agor unwaith yn rhagor.
Roedd wedi cysgu mewn hen sach gysgu fudr, ddrewllyd a
llaith, efo staenau ysglyfaethus arni. Lle roedd o? Edrychodd
o gwmpas y stafell. Roedd wedi cysgu ar ddwy gadair
wedi'u hel at ei gilydd wrth y lle tân yn y gegin. Cododd
yn sydyn a mynd i fyny'r grisiau. Roedd ystyllod y grisiau'n
gwichian fel llygod bach. Edrychodd drwy ddrws ei stafell,
a hwnnw'n gilagored. Edrychodd Nico'n ôl arno, gan roi
winc iddo. Chwifiodd ei law ar Huw, mewn dull cyfeillgar,
yna chwifiodd ei law er mwyn dweud *dos i ffwrdd.* Ymhen

munud mi fyddai o wedi ymuno â Huw i lawr y grisiau.

'Good day for fishes,' meddai wrth Huw. 'We go?'

Roedd hi wedi bod yn bwrw'n drwm yn ystod y nos ac mi fyddai'r afon yn uchel.

'Water nice and brown, we get fishes,' meddai Nico efo gwên lydan.

'First we go get...' doedd o ddim yn gwybod y gair.

'You know, little snakes.' Gwnaeth ddrama fechan o fachu pry genwair ar fachyn.

'Worms,' meddai Huw.

'OK, worms, we get them in shit.'

Chwarddodd Huw. Pridd oedd o'n feddwl, mae'n siŵr. Roedd Huw yn gwybod lle i ddod o hyd i gannoedd ohonyn nhw, o dan hen shiten o sinc yn y gadlas. Rhai mawr tew fel nadroedd. Roedd o'n licio ffordd Nico o siarad, yn malu'r iaith Saesneg yn dipiau mân, er y gwyddai Huw beth olygai'r llanc bob tro. Roedd dull Nico o siarad yn gyffrous ac yn ddoniol.

Gwisgodd y ddau mor gynnes ag y gallen nhw, cyn mynd allan i'r gadlas i nôl pryfaid genwair mewn hen dun *baked beans* heb label. Cododd Huw'r shiten sinc ac yn wir roedd 'na gannoedd o bryfaid genwair tew piwsgoch – digon o ddewis ohonyn nhw.

Wrth gerdded drwy'r gadlas aeth Nico at y ceffylau, a gysgodai o dan yr hen goed eirin yn y gornel isaf. Cyfarchodd nhw, a rhwbio'u pennau'n gyfeillgar. Roedd yntau'n hoff o'r ceffylau hefyd. Bu bron iawn iddo faglu dros un o'r beddau cyn sylwi beth oedd yno. Sbiodd yn syn o'r naill fedd i'r llall, ac yna edrychodd i fyny ar wyneb Huw. Buon nhw'n syllu ar ei gilydd felly am gryn amser.

'What's these?' holodd Nico.

'Graves,' meddai Huw.

'What is graves?'

'Dead people.'

Crychodd wyneb Nico, culhaodd ei lygaid. 'People like you and me?'

'Yes.'

'Who they?'

Prociodd Nico un o'r beddau efo'i droed dde. Yna ymgrymodd, gan sythu'r jar yn llawn blodau wedi marw, a'i rhoi hi'n ôl ar ben y bedd.

'We get more flowers,' meddai Nico. 'Who these people?'

'Don't know,' meddai Huw.

Doedd o ddim, chwaith. Doedd ganddo fo ddim clem pwy oedden nhw. Roedd 'na syniad yn ei ben mai perthnasau oedden nhw, ond doedd o ddim yn gwybod pwy. Doedd neb wedi dweud wrtho fo. Cyn gynted ag y gofynnai, caeai drws yn ei wyneb.

Cododd Huw ei ysgwyddau ac arwyddo ag ystum nad oedd o'n gwybod dim byd amdanyn nhw. Roedd y beddau wedi cael eu torri fel pedair craith yng nghadlas Dolfrwynog, pan oedd o'n fychan iawn.

Cyn pen dim roedden nhw'n cerdded i lawr Cae Dan Tŷ, i gyfeiriad yr aber lle roedd yr afon yn cwrdd â'r llyn. Roedd dŵr yr afon yn frown ysgafn, ac yn llifo'n fyrlymus i mewn i'r llyn.

'We go up river – always up, never down,' meddai Nico. Roedd o'n gwybod ei bethau, roedd hynny'n amlwg.

Dangosodd Nico sut i wthio'r lein drwy'r twll yn y bachyn, a sut i wneud cwlwm. Ar ôl dangos iddo unwaith datglymodd y bachyn o'r lein ac ystumio ar Huw i drio cyflawni'r dasg ei hun. Ar ôl ffidlan am dipyn, a bachu'i fawd ei hun yn y broses, llwyddodd Huw i glymu'r bachyn yn sownd. Syllodd ar y gwaed yn codi ar wyneb ei groen. Doedd yr anaf ddim yn brifo gymaint â hynny a theimlai'n ddewrach, ac yn fwy aeddfed o'r herwydd. Yna arwyddodd Nico arno i roi'r pryf genwair ar y bachyn. Roedd hynny'n uffernol o galed, â'r pryf genwair yn trio dianc ac yn gwingo ar y bachyn dur. Cyn gynted ag roedd Huw wedi bachu un rhan o'r pryf genwair roedd darn arall yn dianc. Pwysodd yn galed, yn rhy galed, a byrstiodd y pryf genwair; gwelodd ei du mewn yn tasgu o'i groen. O'r diwedd medrodd fachu digon ar y pryf genwair a chuddio'r rhan fwyaf o'r bachyn. Yna dangosodd Nico iddo sut i gastio'r enwair i enau'r pyllau, lle roedd y brithyll yn aros am y bwyd a ddeuai i lawr ar y lli.

Roedd cyflwr yr afon yn berffaith ac ymhen dwy awr roedden nhw wedi dal wyth o bysgod. Yna torrodd Nico gangen o goeden gyll a chrogi'r brithyll oddi arni. Ystyriai Huw ei hun yn rêl boi, yn cerdded adre gyda'r brithyll yn crogi o'r gangen, a honno wedi'i gosod dros ei ysgwydd. Cafodd ei syfrdanu gan brydferthwch y brithyll, â'u smotiau lliwgar. Roedd eu hoglau ar ei ddwylo, yn ei wallt, yn yr awyr ac ym mhobman. Roedd aroglau'r Cread ar fysedd Huw; gwelsai fflach yn llawn dewiniaeth, a byddai'r bore hwnnw, ar lan yr afon, yn aros yn fyw yn ei gof. Ar y ffordd adre i fyny'r cae heliodd Nico lond llaw o flodau dant y llew. Aethon nhw drwy'r gadlas, a rhoi'r blodau yn yr hen jar.

'We get more tomorrow,' meddai Nico. 'For other graves. We show respect, yes?'

Casglodd y ceffylau o'u cwmpas wrth y beddau, gan yrru cymylau o wynt ceffyl drostyn nhw. Roedd eu dannedd yn wyrdd o laswellt. Safodd y ddau er mwyn eu hanwesu a gwrando ar grensian eu dannedd.

'Hei, sbiwch be 'dan ni wedi'u dal,' meddai Huw ar dop ei lais pan agorodd ddrws y tŷ. Ond fel arfer, pan fo rhywun eisiau cynulleidfa, doedd neb yno i'w gyfarch – Odesiws yn cyrraedd yn ôl i'w aelwyd ei hun ar ôl anturiaethau dirifedi.

Gyda'r nos, Nico wnaeth y swper. Roedd wedi dod â bagiad o reis efo fo, rywsut – drwy ddewiniaeth, meddai Elin. Paratôdd Nico wledd efo'r pysgod a'r reis ac ychwanegodd bethau eraill anhysbys atyn nhw. Fyddai Mari ddim yn licio pysgod fel arfer ond roedd hi'n licio'r pryd hwn gystal â neb. Yn wir, roedd o'n wych, yn anhygoel o flasus. Dylai Nico fod ar y teledu, meddai Elin, a dechreuodd y dagrau bowlio i lawr ei gruddiau wrth iddi gofio nad oedd 'na letrig yn Nolfrwynog; roedd y teledu wedi bod yn hel llwch yn y llofft stabal efo Yncl Wil ers tro byd.

'Peidiwch â chrio, Mam,' meddai Huw. Doedd o ddim eisiau i ddim byd amharu ar ei ddiwrnod perffaith. Fo oedd wedi dal y pysgod hyn. Fo oedd wedi rhoi bwyd yn eu boliau. Gwenodd Huw ar bawb o gwmpas y bwrdd. Am y tro cyntaf erstalwm, teimlai fflam o hapusrwydd yn cynhesu'i du mewn. Y noson honno, cysgodd yn yr un lle, wrth y tân, gan freuddwydio am y llyn. Yn un rhan o ddrama'r nos roedd Huw yn reidio ar gefn dolffin ac roedd y dolffin yn siarad efo fo.

Buom ninnau'n byw ar y tir unwaith, meddai'r anifail, *ond dychwelasom i'r môr. Rydym ni'n hapus yn awr. Nid lle da i fyw mo'r tir...*

11

Eisteddai pawb mewn cylch wrth y tân y noson honno. Roedd Jac wedi nôl llwyth o hen goed sych o'r sied lo, fel y'i gelwid hi o hyd, er na welsai lo ers tro byd. Dawnsiai'r fflamau ar wynebau pawb, a dawnsiai cysgodion pypedau ar y wal y tu ôl iddyn nhw wrth iddyn nhw wrando ar glindarddach y coed yn llosgi a rhuo'r gwynt yn y simdde fawr. Roedd hi'n union fel yr hen ddyddiau, meddai Yncl Wil – yn union fel y byddai hi pan oedd Nain a Taid yn fyw. Edrychodd Wil i galon y tân a gwelodd lun o'r dyfodol: Nico ac yntau'n achub yr hen aradr rydlyd o'r danal poethion yn y gadlas, yn crafu'r rhwd browngoch oddi ar y swch a'r llafn a'r cwlltwr... daeth yr hen eiriau yn ôl iddo, fel goleuadau bach yn disgleirio ar goeden Nadolig – hen, hen eiriau na chaent eu defnyddio bron iawn o gwbwl y dyddiau hynny.

'Swwwwch,' meddai fo wrtho'i hun, dan ei wynt, wrth y tân.

'Be dach chi'n ddeud, Yncl Wil?' gofynnodd Huw, a eisteddai nesa ato fo i ddangos nad oedd o wedi cefnu'n llwyr ar ei ewyrth.

'O, dim byd,' meddai Wil yn gysglyd. Roedd y tân yn andros o boeth erbyn hyn ac yn gwneud iddo chwysu. Byddai'n rhaid iddo fod yn ofalus neu mi gâi annwyd pan âi nôl i'w gartref ei hun yn y dwyrain pell, ar draws môr y buarth lleidiog. Byddai ei sgidiau mawr duon fel llongau ar hyd y tonnau caled, ei gôt fawr ddu fel hwyl a'i lygaid fel binociwlars y gwyliwr ar ben y mast, yn chwilio'r gorwel am dir estron.

Roedd Nico wrthi'n ateb cwestiynau amdano'i hun, gyda Mari ar y naill ochr iddo a Jac ar y llall. Camodd Elin i gyfeiriad y stôl oedd agosa at y llanc, ond newidiodd ei meddwl ar yr eiliad olaf – byddai'n edrych yn wirion petai'n mynnu eistedd nesa ato fo.

Gofynnodd Mari iddo fo o ble roedd yn dod.

'Zakopane,' atebodd Nico.

'Pardon?' medda Jac.

'Zakopane,' atebodd Nico eilwaith. Roedd yn ynganu'r 'pane' ar ddiwedd yr enw fel 'paned' heb y 'd' ar y diwedd.

'Zak-o-pan-e,' meddai Mari'n ofalus ar ei ôl.

'Very good,' meddai Nico efo gwên galonogol.

'Is in Poland, in south. Tatra Mountains. Very pretty, lot of snow in winter,' ychwanegodd. 'People ski in snow. Mountains big. Many trees.'

Roedd o'n dod o le tebyg i Gymru, felly. Heblaw am y sgio.

'My home in Tatra Mountains, special place for Poles,' meddai Nico'n freuddwydiol. 'Homeland. Poland think people in mountains special,' meddai. 'They go there for holidays and listen to Tatra stories and buy Tatra... '

Doedd o ddim yn gwybod y gair.

'Thing you take home... ' meddai Nico.

'Souvenirs?' meddai Mari.

'Yes! You got it,' meddai'n llawen. 'Souvenirs! My father he have stall in Zakopane, he sell souvenirs. Many people sell souvenirs in Zakopane. Big, big, market and many people buy,' meddai yn ei ffordd ddeniadol ei hun.

'Here is like my home I think,' meddai eto. 'In old days people sit by fires and make stories, in house like this, they go from this house to that and make stories about monsters and... '

Beth oedd y gair?

Safodd ar ei draed a chodi ei freichiau uwchben ei gorff, gan ddweud 'wwwwww', fel bwgan. Dangosodd gysgod bwganllyd ar y wal gefn.

'Ghost!' meddai Huw.

'Yes, you right, Huw,' meddai Nico, a gwthiodd Huw ei frest allan, yn falch o ddod o hyd i'r gair cywir.

'Meetings in house like this we call *posiady*. Women they knit. Stories about monster and ghost, and always little boy keep light burning with roots from tree, nice smell like Christmas,' meddai Nico. 'I was little boy who burn roots in house of my... '

Y geiriau. Beth oedd y geiriau? Gwnaeth Nico ystumiau rhywun hen yn cerdded efo ffon.

'Grandfather!' meddai Elin. 'And grandmother?'

'Yes! Right!' meddai Nico. 'In your language?'

'Nain a Taid,' meddai Huw. Gwnâi'r teulu ymdrech i ddysgu geiriau Cymraeg iddo fo.

Yna daeth distawrwydd dros y gegin fawr. Roedd pawb ar goll yn eu meddyliau eu hunain erbyn hyn. *Pwy fasa'n meddwl*, meddai Wil wrtho'i hun, *y basa iaith gwlad Pwyl yn cael ei siarad yn y stafell hon... mi fasa Nain a Taid wedi cael braw. Nain yn gweu yn y gornel a Taid yn gweld siapia yn y tân.*

Cododd Nico ar ei draed.

'I go bed now, I very tired, long day, yes.'

Cododd pawb arall hefyd.

'Thank you very much,' meddai Nico, er nad oedd neb yn hollol sicr pam roedd o'n diolch.

'Finna hefyd,' meddai Mari. Dilynodd o i fyny'r grisiau, a phan glywson nhw wich y styllen dan draed Nico sathrodd Mari ar styllen arall i gynhyrchu gwich debyg, fel mai gwich-gwich-gwich-gwich oedd hi'r holl ffordd i fyny'r grisiau.

Roedd y ddau'n piffian chwerthin, fel plant ysgol, erbyn iddyn nhw gyrraedd y top.

Gwrandawodd pawb arnyn nhw'n mynd i fyny. *Bydd 'na drwbwl yn fan'na cyn diwedd y mis*, meddai Wil wrtho'i hun. *Bydd yn rhaid cadw golwg ar y ddau, mae'n siŵr*, meddyliodd Jac wrtho'i hun mewn cwmwl bach du. Breuddwydiai Elin am gwrdd yn annisgwyl efo Nico ar ben y mynydd, yn y grug, ar ddiwrnod braf o haf efo'r pethau picnic blith draphlith yn y blodau piws, a pherarogl y porffor yn trydanu'i chroen noeth...

'What does Zakopane mean,' holodd Mari ar ben y grisiau, mewn ymgais i gadw Nico yno efo hi yn yr hanner gwyll.

Daeth yr un olwg i'w wyneb o unwaith eto; golwg y daeth hi'n gyfarwydd ag o erbyn hyn. Gwelodd boen, dryswch, a hiraeth yn gymysg yn ei lygaid.

'It mean in the ground.' Pwyntiodd tuag at y gadlas. 'Like graves. Under ground.'

Syllodd yntau ar ei hwyneb ifanc, taer.

'What you say when you put people in ground?'

Aeth rhestr o eiriau drwy feddwl Mari.

'Bury?'

'Yes,' meddai Nico gan afael yn ei hysgwyddau. 'Under ground. Buried, yes?'

'Yes... '

'Zakopane means buried.'

Safodd Mari'n llonydd, gan deimlo'i ddwylo ar ei hysgwyddau. Sylwodd, am y tro cyntaf, ar y tatŵ ar ei fraich. Tatŵ ac arno eiriau Pwyleg, a darlun o long ar y môr.

Sylwodd o ar gyfeiriad ei llygaid llosg, a chwarddodd yn ddistaw.

'You like?'

Nodiodd ei phen a gwenu'n wan.

'The graves,' meddai Nico'n sydyn. 'Who is there?'

Llyncodd Mari'n galed ac edrych i ffwrdd, mewn ymdrech i osgoi ei lygaid.

'My family,' meddai hi. Doedd hi ddim yn gwybod sut i esbonio…

'You tell me about them?' gofynnodd Nico.

'Yes, but… '

Cododd Nico'i fys at ei gwefusau, i'w hatal rhag siarad. Ogleuai Mari'r pridd, y blodau, a'r pysgod… y byd gwyllt, hyfryd, peryglus, ofnadwy hwnnw y tu allan i'r tŷ.

'You tell me again, yes? You come to me in the morning, you tell me… '

Yna camodd i mewn i'w stafell a chau'r drws yn ara deg, gan gadw'i lygaid arni hi drwy'r amser.

Pan hwyliodd Wil ar draws y môr i'w famwlad roedd yr awyr wedi clirio ac roedd Fenws yn disgleirio fel y seren honno dros y preseb. Byddai'r doethion yn cael clamp o groeso yn Nolfrwynog heno, meddai Wil wrtho'i hun. Ond nid aur a thus a myrr oedd arnyn nhw eu hangen – bwyd, a ffisig, a gobaith oedd yr anrhegion y dymunen nhw eu derbyn y noson honno. Dychmygodd weld angel mawr, lliw arian yn hedfan yn yr awyr o'i flaen, yn datgan newyddion mawr: fod Mari'n disgwyl babi, a bod rhaid iddyn nhw ffoi…

Aeth Wil i'w wely yn ei sgidiau y noson honno hefyd. Roedd yn colli cwmni'r hogyn bach. Daeth teimlad sych, annifyr i'w frest wrth iddo'i wneud ei hun mor gyfforddus ag y medrai; yn sydyn teimlai'n annifyr tuag at y bachgen o wlad Pwyl. Yna ceryddodd ei hun yn ddistaw. *Mae o'n hen hogyn iawn*, meddai'n gysglyd. *Gad lonydd iddo fo…*

12

Eginodd pwl bach o iselder ym meddwl Mari pan ddeffrodd y bore wedyn. Agorodd ei llygaid gan edrych am yn hir ar y posteri ar y wal. Roedden nhw'n pilio ac yn dechrau llithro i lawr – yn byblo fel boliau hen ddynion.

Merched ffasiynol mewn cylchgronau oedd y rhan fwya ohonyn nhw, wedi'u gwisgo mewn dillad na welsai Mari erioed mo'u tebyg mewn siop, ac na fyddai'n eu gweld byth eto chwaith. Yn wir, roedden nhw'n edrych yn henffasiwn bellach. Dyna oedd ffasiwn, yntê? Seren wib lachar, ac yna düwch y nos yn ei dilyn. Ymysg y merched roedd 'na ddynion hefyd; arwyr pop ac actorion – eicons ei blynyddoedd cynnar yn yr ysgol uwchradd. Parhaodd i edrych arnyn nhw am gyfnod hir. Sylwodd fod ei llygaid yn llychlyd a bod y lle'n ofnadwy o fudr. Erstalwm byddai ei mam yn swnian arni byth a beunydd ynghylch cyflwr ei hystafell wely, ond erbyn hyn roedd stafell Elin cyn waethed bob blewyn. Agorodd Mari ei llygaid blinedig a syllu am yn hir ar y paent piws. Roedd 'na greithiau a Sellotape a ballu drosto ym mhobman. Ych a fi. Roedd golwg y diawl ar y lle. Gwelodd Mari gysgod ei harddegau cynnar yn cerdded ar hyd y wal ac yn neidio allan drwy'r ffenest. Roedd y cyfnod hwnnw a'r byd hwnnw wedi dod i ben erbyn hyn. Doedd 'na ddim hyd yn oed radio yn y tŷ. Sylwodd fod un o'r cantorion pop ar y wal yn edrych yn debyg i Nico, ac roedd ganddo yntau hefyd datŵ ar ei fraich. Caeodd Mari ei llygaid eto am... doedd hi ddim yn siŵr am faint... ac yna cododd ar ei heistedd yn y gwely, mewn un symudiad penderfynol. Cododd yn gyflym a sgrialu drwy'r droriau; yna, ar ôl dewis a dethol, gwisgodd y dillad mwya derbyniol. Tueddai'r cwbl i fod yn rhy fychan iddi erbyn hyn, a heb fod yn ffasiynol, ond gwisgodd mor daclus ag y medrai.

Brwsiodd ei gwallt ar frys, yna clymodd ef i fyny mewn dull a wnâi iddi edrych yn hŷn ac yn aeddfetach. Rhwbiodd y cwsg a'r llwch o'i llygaid, ond ni roddodd golur ar ei hwyneb. Yna agorodd flwch ar un o'r cypyrddau a dewis modrwy arbennig. Pam honno? Doedd hi ddim yn gwybod yn sicr. Modrwy ei nain ar ochr ei mam oedd hi; hen wreigan fach ffyrnig ond mwyn. Carai Mari hi'n fwy o lawer na gweddill yr hen bobl, er iddi ei hofni hefyd yn fwy na neb arall. Nain Tŷ'n Ddol oedd yr un a fu fwyaf hael tuag ati yn ei ffordd stiff ei hun, a hi hefyd oedd yr un agosaf ati yn ei ffordd henffasiwn ei hun. Hi, yn fwy na neb arall, a fu'n siarad â hi, yn rhoi amser iddi, gan ei thrin fel rhywun annibynnol. Nain Tŷ'n Ddol oedd yr un a fu'n ei diddori gan wneud iddi chwerthin, a fu'n adrodd straeon dirifedi am y teulu a'r fro, heb sôn am y chwedlau a'r straeon arswyd. Roedd hi'n dipyn o storïwraig, yn ddigrif ac yn ddwys yn ôl yr angen, a daeth Mari'n hoff iawn o'r hen wraig â'i storïau anghredadwy. Dyna'r rheswm, efallai, pam y gwisgodd hen fodrwy aur ei nain y bore hwnnw, i roi nerth a hyder iddi. Gosododd ran o'r gorffennol ar ei bys ifanc, rhywbeth cadarn a dibynadwy mewn byd mor gyfnewidiol, oriog ac anwadal.

Agorodd y drws, camodd i ben y grisiau, a churo ar ddrws Nico. Roedd hi wedi penderfynu cymryd y camau hyn wrth baratoi ei hun. Fyddai hi ddim wedi gwneud pe bai wedi petruso. Rhaid oedd rhuthro i mewn, fel mewn arholiad, heb feddwl am y peth, neu mi fyddai Mari'n colli'r dydd. Chwaraeodd efo'r fodrwy ar ei bys wrth ddisgwyl am ateb. Roedd Nico'n aros amdani, ond wnaeth o ddim ymateb am gyfnod gweddus rhag ofn iddo ddangos ei fod yn rhy awyddus. Mewn gwirionedd, bu'n aros amdani ers hanner awr o leia.

Pan aeth Mari i mewn i'w stafell eisteddai i fyny yn y gwely, ei gefn at y wal, a'i goesau wedi'u croesi o'i flaen fel petai'n gwneud ioga. Gwisgai grys-T coch tyllog efo llun Che Guevara arno.

'Sit down,' meddai, gan ddangos lle ar ei wely wrth ei ochr. Ond eisteddodd Mari ar waelod y gwely, gan osod ei chefn hithau at y wal hefyd. Gwelai Nico drwy ochr ei llygad, ond edrychodd i gyfeiriad y ffenest cyn dechrau siarad ag o. Chwaraeai'n nerfus efo'r fodrwy. Gwelodd Nico ei bod hi ar bigau'r drain, ac adroddodd ei stori ei hun mewn ymdrech i'w chael i ymlacio.

'You know, young people like us do the same as this in my country too,' meddai gan chwarae efo hem bratiog ei grys-T. Roedd o wedi cribo'i wallt efo'i fysedd ac wedi hel y cwsg oddi ar ei lygaid yn union fel Mari; wedi'r cyfan, doedd dim dŵr yn dod i'r tŷ erbyn hyn, rhaid ei nôl o'r ffynnon.

'In Zakopane old houses have black room and white room,' meddai'n herciog. Doedd o ddim yn nerfus yn ei chwmni, ond roedd o'n nerfus efo'r iaith Saesneg.

'Black room is black because of smoke, that room is where people live, where they eat and talk,' meddai. 'But white room special. If two young people like each other a lot they sleep in the white room to see if it work, you understand?'

Trodd Mari ato a gwenu'n ddireidus. 'Yes, I understand.' Oedd o'n trio bod yn bowld, yn barod? Oedd hi'n edrych mor *hawdd* â hynny?

'They sleep like that till the girl make... make baby,' meddai'n sydyn. 'No good if she no make baby. But if she (gwnaeth arwydd bol mawr) they get marry.'

Gadawodd Mari i rywfaint o amser fynd heibio.

'And what if she gets pregnant but they don't want to marry by then?'

'No worry, people think baby is good… baby show she is strong woman, can have more babies,' meddai Nico ar frys mawr i orffen, gan fod ceisio esbonio pethau cymhleth yn ei flino.

'It was like that in Wales long ago,' meddai Mari. 'Boyfriends used to climb a ladder to the girl's bedroom and they slept together to make sure they liked each other before getting married. Everyone knew what was going on but everyone turned a blind eye.'

'Turn a blind eye?'

'They pretended it wasn't happening.'

'Oh, I see! So they stop doing that?' gofynnodd Nico. 'Why?'

'Religion,' meddai Mari'n flinedig. 'The chapel people said it was wrong.'

'Well,' meddai Nico gan ddatgymalu'i goesau, 'I think it was better. More honest, yes?'

Gwenodd Mari a throi i ffwrdd oddi wrtho.

'Yes, maybe you're right,' meddai hi. 'But don't get any funny ideas, OK?'

Dywedodd hyn yn gellweirus, a deallodd Nico. Parhaodd i chwarae'r gêm gyda hi; protestiodd gyda'i ddwylo a'i wyneb, i greu'r argraff na fuasai ef byth yn gwneud y fath beth. Duw a'i waredo petai syniad fel 'na'n croesi'i feddwl hyd yn oed.

Ar hynny clywson nhw sŵn sgidiau trwm yn cyrraedd gwaelod y grisiau. Roedd rhywun wedi clywed eu lleisiau.

'Wyt ti yna, Mari?'

Cododd ei llygaid i'r nefoedd ac ateb: 'Ydw, Yncl Wil.'

'Be ti'n neud?'

'Siarad efo Nico.'

'Am be?'

'Am briodi, Yncl Wil. 'Dan ni'n mynd i briodi fory yn y capel. Wnewch chi fod yn *best man*?'

'Paid â bod yn cheeky, Madam.'

'Wel, be dach chi'n feddwl 'dan ni'n siarad amdano?'

'Jest isio gair efo Nico dwi,' meddai.

'Go on 'ta, dywedwch be dach chi isio.'

Clywson nhw Wil yn clirio'i gorn gwddw.

'Nico?'

'Yes?'

Rhoddodd Nico wên fach chwareus, a winc ar Mari, cystal â dweud bod yn rhaid trin yr hen ffôgis 'ma fel cywion bach.

'I wonder... ' meddai Wil, ond cloffodd.

'You want me to help you today?'

Teimlai Mari wefr gynnes neis yn mynd drwy'i hesgyrn. Roedd y Nico 'ma'n foi clyfar ac wedi deall sefyllfa'r teulu'n iawn. Roedd hi'n licio dynion clyfar, cyfrwys...

'Yes,' meddai Wil, a dechra dod i fyny'r grisiau.

'Does dim rhaid i chi ddod i fyny, mi ddaw o i lawr rŵan,' meddai Mari. Doedd hi ddim isio'r hen ddyffar efo nhw yn y stafell hon.

'I will come down soon,' meddai Nico mewn llais cymodol. 'Ten minutes I am with you, yes?'

'Iawn,' meddai Wil, gan anghofio pa iaith i'w defnyddio. Clywson nhw sŵn ei draed yn clecian ar hyd teils y gegin cyn iddo fynd allan i'r buarth a throi'n araf i gyfeiriad y llofft stabal.

Eisteddodd y ddau gan edrych ar ei gilydd yng ngolau haul ysgafn y bore. Roedd y melynder yn cynhesu'r stafell ac yn goleuo'u hwynebau ifanc. Cyfarfu eu llygaid, a daeth gwên ysgafn i wynebau'r ddau. Gwydden nhw'n barod fod posibiliadau yn cael eu hamlygu, fel y bybls a godai ar wyneb y llyn yng ngwaelod Cae Dan Tŷ.

'I think I know why he want me,' meddai Nico. 'I help him today.'

'What does he want you for?' gofynnodd Mari.

'Yesterday, when I was with the horses, I saw him looking at me in the window of his room, yes? And he has been cleaning the… '

Dyna air arall nad oedd o'n ei wybod.

'Go behind tractor, rip earth.'

'Plough?'

'I don't know, there is one in field by graves. He want me to help.'

Crychodd wyneb Mari, wrth iddi gofio rŵan pam yn union roedd hi yma'n eistedd ar wely Nico. Roedd hi am ddweud stori'r beddau wrtho.

Cofiodd yntau hefyd, pan welodd olwg newydd yn taro ar draws ei hwyneb.

'No matter, you tell me other time.'

'No, no,' protestiodd Mari. Roedd hi eisiau dweud y stori wrtho rŵan. Roedd hi wedi gwisgo'n barod, wedi gosod y fodrwy ar ei bys.

'I want to tell you, it's important… or you won't understand why we're living like this, with nothing. No food, no electricity, no new clothes… '

Arhosodd Nico iddi ymbaratoi. Sylwodd arni'n troelli'r fodrwy. Yna dechreuodd y ferch siarad mewn llais diemosiwn.

'Once I had a sister, she was called Sara. She was older then me, and prettier and cleverer.'

'Pa!' meddai Nico. Roedd yn rhaid iddo chwarae'r gêm.

'No, really, she was ever so pretty. And she got loads of A levels, she was going to university. But she was always worried about us... she could see what was going to happen, I think. She became quiet, and withdrawn... '

'What is withdrawn?'

Meddyliodd Mari am eiliad. 'She went into her own world. She stopped talking to us, stopped taking part in family life. She spent more and more time in her bedroom, or walking the fields.'

Disgrifiodd sut yr aeth ei chwaer i wlad bell, ei gwlad fach ei hun. Fel Elin, ei mam, roedd Sara wedi troi'n grefyddol iawn; âi i'r capel deirgwaith ar y Sul efo'i mam, pan oedd hwnnw'n dal yn agored, darllenai ei Beibl a soniai byth a hefyd am Dduw, neu Iesu, neu am Baradwys. Y byd oedd i ddod. Dyna oedd y testun o hyd. Nefoedd. Angylion. Digon o fwyd a diod i bawb, a heddwch; ni fyddai na phaffio, na rhyfel, nac artaith na phlant bach yn marw.

Ac felly y bu Sara am fisoedd, yn freuddwydiol, ymhell i ffwrdd, â'i llygaid glas golau – llygaid fel ei mam a'i brawd, Huw – yn edrych fwyfwy tua'r gorwel pell, neu i rywle arallfydol.

'One day we noticed how thin she was,' meddai Mari. 'We were so busy coping with our new life, we just didn't notice she was fading away before our very eyes.'

Roedd Sara wedi colli bob mymryn o'i chnawd. Ac yna dechreuodd weld drychiolaethau. Gwelsai Mair Forwyn wrth y ffynnon pan aeth hi yno un diwrnod i nôl dŵr. Disgrifiodd Sara hi'n fanwl i'r gweddill ohonyn nhw: y wisg borffor, y dwylo perffaith, yr wyneb a'r croen anhygoel o wyn, fel plisgyn wy, a thu ôl iddi y golau goruwchnaturiol yn yr awyr.

'Perhaps it was no food inside her, make her mad,' meddai Nico.

'Yes, we thought of that, but it didn't make any difference, did it? She thought she'd seen the Virgin Mary, and she wouldn't listen to reason. She was completely gone by then, we couldn't get close to her.'

Eisteddodd y ddau yn y distawrwydd, yn gwrando ar synau'r fferm o dan y ffenest: Clwc yn clochdar yn y gadlas, Megan yn canu yn rhywle ar y buarth, y cŵn yn cyfarth yn awr ac yn y man.

Daeth sŵn crensian traed unwaith eto ar draws y buarth, a'r traed yn cyrraedd gwaelod y grisiau. Mi wydden nhw fod Wil yn ei ôl, fel ysbryd, i'w haflonyddu.

Sibrydodd Nico, a gwasgu ei llaw, 'We carry on tomorrow.'

Yna, gwaeddodd, 'OK, Mister Wil, I come to help you now.'

13

Os oedd Wil wedi dweud *damia*! o leiaf ddwsin o weithiau bob dydd ers pan oedd o'n wyth oed, mae'n saff dweud iddo ynganu'r gair ddigon o weithiau'r diwrnod hwnnw i barhau am oes parot. Yn wir, roedd o'n swnio'n union fel parot ei hun erbyn y nos, yn adrodd *damia* drosodd a throsodd iddo'i hun. Clywsai Nico'r ebychiad gynifer o weithiau fel ei fod yntau hefyd wedi dechrau dweud *damia* erbyn iddyn nhw orffen. Bu'r ddau'n straffaglio am hydoedd efo'r aradr a'r gêr, a doedd y meirch ddim yn ysu am gymryd rhan yn y pantomeim, chwaith; roedden nhw'n gweryru ac yn stompio o gwmpas y buarth tra ffidlai'r dynion efo'r taclau.

Cafwyd rhyw fath o drefn erbyn amser cinio ond doedd 'na ddim cinio ar gael, felly aethon nhw fel syrcas anhrefnus tua'r cae, efo'r cob yn tynnu'r aradr ar ei ben ei hun a'r ddwy ferlen arall yn rhedeg o'u cwmpas, yn gwmpeini. Rhaid oedd paratoi'r tir i dyfu'r ceirch, meddai Wil, ac mi fydden nhw wrthi am byth pe bydden nhw'n defnyddio'r rhawiau. Penderfynwyd mai fo oedd i arwain y cob a Nico i dywys yr aradr. A hwythau heb orffen y gŵys gyntaf torrodd un o'r cadwyni, a bu'n rhaid i Wil hel am adre i nôl chwaneg o gêr a sbanars a llond poced o folltau. Awgrymodd Wil y byddai dyfodiad cenfaint o foch i Ddolfrwynog yn fendith aruthrol, hyd yn oed pe byddai'r rheiny'n orffwyll fel moch y Beibl.

'Pam hynny?' gofynnodd Nico.

'Oherwydd y gallen nhw balu'r ddaear efo'u trwynau a glanhau'r tir,' meddai Wil.

'You want me get pigs?' gofynnodd Nico.

'Yes, you get pigs, and diesel too, and a doctor, and

anything else I think of before we reach the end of this bloody field,' meddai Wil, yn wawdlyd, gan feddwl bod Nico'n gwneud hwyl am ei ben.

'No, serious now, I get you pigs,' meddai Nico.

Stopiodd Wil yn sydyn, heb feddwl, ac aeth trwyn y cob yn erbyn ei gefn, gan ei wthio ar ei hyd fel sachaid o datws yn y gŵys; bu bron iddo gael troed y ceffyl ar ei ben ôl hefyd. Daeth sawl *damia* o'r rhych cyn i Wil fedru codi ar ei draed a throi tuag at Nico.

'You can get pigs?'

'Yes, no problem.'

'Where?'

Tapiodd Nico'i drwyn. 'Nico get anything you like. In Poland we are very poor so we have to be clever. Polish find anything you want, yes?'

Chwarddodd Wil, a dweud: 'You Poles are very clever. Good at staying alive.'

'We have to be,' meddai Nico. 'Everybody try to kill us. No Poland at all for many years. Then Hitler kill six million Polish. It's hard to be Polish. We have to eat any food we can find. We have to use our brains, no? In Poland we have a saying – have trust in God but carry cheese in your bag.'

Chwarddodd Wil eto, a dechreuodd arwain y cob tua'r clawdd pellaf. Roedd yr aradr yn troi'r ddaear, er bod y troi'n ddigon blêr. Moch oedd yr ateb, meddai wrtho'i hun. Ond os âi Nico i ffwrdd, tybed a ddeuai yn ôl? Roedd o'n foi handi, gallai wneud llawer mwy na Jac ar y fferm. Edrychodd Wil ar y tatŵ ar fraich gyhyrog Nico. Llong ar y tonnau. Hwyrach fod Nico wedi bod yn y llynges. Roedd Wil yn gofidio rŵan nad oedd ganddo yntau glamp o datŵ ar ei fraich. Draig goch fawr neu rywbeth fel 'na. Doedd gan Gymru ddim llynges, nag oedd? Roedd o wedi mwynhau prynhawn braf unwaith yng Ngwersyll yr Urdd yn hwylio cwch o gwmpas y llyn. Roedd hogia'r ysgol wedi'i alw'n Popeye am dipyn wedyn, oherwydd iddo ennill tlws.

Flynyddoedd wedyn clywai Popeye yn cael ei sibrwd weithiau pan fyddai rhywun yn siarad amdano y tu ôl i'w gefn. Doedd o ddim yn licio *spinach*. Ych a fi. Mi gafodd o ddolop ohono ar ei blât mewn rhyw ginio amaethyddol efo Arglwydd Hwn-a-Hwn yn eistedd nesaf ato fo a bu'n rhaid iddo fwyta'r stwff. Bu bron iddo dagu. Roedd y blydi stwff fel silwair. Cydymdeimlai â'r gwartheg wedyn. Sut roedden nhw'n medru bwyta cachu fel 'na – y peth naturiol iddyn nhw oedd bwyta glaswellt neis, ffres, yntê?

'Ho!' meddai Wil. Roedden nhw wedi cyrraedd pen y gŵys. Edrychodd y ddau yn ôl ar hyd y cae ac, yn wir, roedd y gŵys yn gam fel olion sgïwr yn mynd drwy'r eira. Dyna oedd argraff Nico, beth bynnag. Sig-sag sgïwr dibrofiad, wedi cael gormod o win gyda'i ginio.

'Nefar mind,' meddai Wil. Roedd troi rownd yn rêl sioe ond cwblhawyd cŵys arall a'r tro hwnnw gwnaeth Wil ymdrech lew i unioni'r gyntaf.

'Ho!' meddai Wil ym mhen y gŵys. Doedd gynno fo ddim syniad pam ddwedodd, Ho! fel'na. Roedd o'n swnio'n iawn, rywsut. Fel 'na y bydden nhw'n siarad â'r ceffylau yn yr hen ddyddiau, mae'n siŵr.

'That one much better,' meddai Nico'n gyfeillgar. Erbyn amser noswylio roedden nhw wedi troi – efallai y byddai *malu* yn well gair – tua chwarter acer o dir. Rhyddhawyd y cob o'r harnais a gadawyd iddo fynd yn rhydd efo'r ddau geffyl arall.

Cerddon nhw tuag adre mewn distawrwydd, a düwch y nos yn tewychu o'u cwmpas. Roedd y gwanwyn wedi dod yn fuan iawn a'r ŵyn bach wedi cyrraedd ers wythnosau –

dyna lle roedd Jac heddiw, yn edrych ar ôl y defaid. Roedd reiat y gwanwyn wedi dechrau fis yn gynnar, y cloddiau eisoes yn las, y nythod wedi'u hadeiladu a'r wyau wedi'u deor.

Roedd meddwl Wil ar ei ieir. Clwc, a Megan, a'r da pluog yn crwydro o gwmpas yn eu byd bach eu hunain; y buarth oedd y bydysawd i Wil a'i griw bach clyclyd erbyn hyn. Deallai Wil nhw gymaint yn well na merched. Pan siaradai o efo'r ieir mi oedd y bygars yn ei ddeall yn iawn, ond roedd merched, ar y llaw arall, yn ddirgelwch llwyr iddo. Pan oedd yng nghwmni merched teimlai Wil fel creadur o'r gofod, newydd gamu o'i *flying saucer.* Ond roedd y llanc 'ma wrth ei ochr i'w weld yn eu deall nhw'n iawn. Sut hynny? Pam roedd gynno fo'r dalent anesboniadwy, ddewiniol honno i'w dirnad nhw? Dylai ofyn iddo, efallai. *Hei boi, be 'di'r gyfrinach? Oes gynnot ti lyfr yn dy boced fel manual y Ford 5000 pan ddaeth o i'r buarth gyntaf ar ben lorri, yn las neis, heb na chrafiad na'r un smotyn o dail arno fo eto... manual efo lluniau a disgrifiad o'r teclyn: A = gear lever, B = clutch, C = brake.*

Daeth pwl o iselder dros Wil. Sut ddiawl roedd o'n mynd i gael trefn ar bethau? Roedden nhw wythnosau ar ei hôl hi'n barod. Y tatws oedd nesaf. Byddai'n rhaid teilio'r darn o dir a gawsai ei ddefnyddio'r llynedd a throi hwnnw cyn gynted ag y byddai modd. Yfory? Trodd at y llanc a mynegi ei ofnau.

'You want me get pigs tomorrow?' gofynnodd Nico.

Esboniodd Wil fod yn rhaid plannu'r tatws rŵan neu mi fyddai'n rhy hwyr; fyddai dim oll yn barod i'w gynaeafu cyn yr hydref.

'OK boss, you tell me what to do,' meddai Nico. Roedd hi bron yn dywyll erbyn iddyn nhw gyrraedd y buarth, ac aeth Wil yn syth i'r cwt ieir i'w cyfrif. Clywai Nico ef yn dweud *un, dwy, tair, pedair*, fel plentyn. Dyna oedd o ar lawer cyfrif, meddyliai Nico. Plentyn. Wedi byw yn y lle 'ma erioed, mae'n siŵr; doedd o erioed wedi byw yn y dinasoedd dichellgar gyda'u hystrywiau a'u peryglon. Wil druan. Roedd 'na olwg wael arno hefyd. Byddai'n lwcus o gael gweld y Dolig. Y fo a'i ieir... roedden nhw'n debycach i harem iddo nag i anifeiliaid.

Sblasiodd Nico'i wyneb a golchi'i ddwylo yn y twb dŵr wrth gornel y tŷ, ac yna aeth i mewn. Roedd hi'n gynnes yno; roedd Elin wedi medru codi heddiw, ac roedd hi wedi cynnau tân a gwneud rhyw fath o fwyd. Math o stiw drewllyd efo darnau o faip yn nofio ar yr wyneb seimlyd. Ond roedd Nico bron â llwgu; stwffiodd y lobsgows i lawr ei gorn gwddw gan ddychmygu, mor fanwl ag y medrai, gorff noeth Mari, rhag ofn iddo wanhau a methu bwyta'r cawdal.

'Thank you... deeowc,' meddai, mewn ymdrech i ddiolch.

'Di-olchhh,' meddai Elin, yn ei gywiro'n dyner.

Aeth Elin a'r plât allan i'r buarth i'w olchi, rhag ofn iddi wneud ffŵl ohoni ei hunan. *No fool like an old fool,* meddai wrth y sêr. Pa seren oedd honna, yn ddisglair yn y nefoedd? Daeth Wil i lawr i'r buarth, a gofynnodd iddo.

'Fenws,' meddai. 'Hwda, dyma ddau wy i ti,' a throsglwyddodd nhw i'w chwaer.

'Blydi hel, Wil, dwi newydd olchi 'nwylo,' meddai'n ddig wrtho. Brathodd Wil ei dafod. Ia, dyna siampl berffaith o ymddygiad merch. Roedd o wedi dod â bwyd neis, ffres iddi a doedd dim diolch i'w gael. *Blydi merched,* meddai o dan ei wynt. Clywodd hithau, a throi ar ei sawdl. Bang! Caeodd Elin y drws yn rhy egr, ac yn y llonyddwch a ddaeth yn sgil y glec, clywodd Wil ei chwaer yn dechrau wylo yn y gegin.

'There, there, no matter... ' Clywai Nico'n ei chysuro. 'We get more eggs tomorrow, no?'

Pan aeth Wil i mewn, gwelodd olion yr wyau ar lechi'r llawr wrth y drws, yn gymysg â darnau o blisgyn. Wrth roi clep i'r drws roedd Elin wedi gwasgu'r wyau yn ei llaw arall ac wedi'u malu.

Ddywedodd Wil ddim gair. Helpiodd ei hun i'r lobsgows, gan drio'i orau, ond doedd dim llawer o hwyl ar y pryd heb fara. Cnôdd y bwyd yn ara deg. Yna aeth allan heb ddweud gair, a mynd i'w wely yn y llofft stabal. Roedd yr hen boen 'na'n dal i gnoi ei fol.

'Silly old bastard,' meddai Elin pan welodd ei blât budr ar y bwrdd. Aeth allan eto, i'w olchi. Yna syllodd ar Fenws nes ei bod yn crynu yn yr oerni. Erbyn deg o'r gloch roedd pawb yn eu gwelyau, pawb heblaw Jac; roedd hwnnw wrth y tân, yn nyrsio oen llywaeth cyntaf y flwyddyn.

14

Un diwrnod, ym mherfeddion gaeaf, roedd y Forwyn Fair yn crwydro drwy'r eira gyda'r baban Iesu yn y mynyddoedd uwchben Zakopane, yn edrych am rywle i ymochel dros nos. Ond trowyd nhw i ffwrdd o'r trothwy gan dri theulu cyfoethog. Yna daeth y forwyn at dŷ bach yn dadfeilio yn yr eira – doedd o fawr gwell na chwt, ac ynddo roedd teulu tlawd, efo deg o blant, a dim ond dwy ddafad i'w henw. Llechai'r cwbl ohonynt, ynghyd â'r defaid, o flaen y tân. Croesawyd Mair i eistedd efo nhw, a chynheswyd digon o ddŵr fel y medrai olchi'r baban Iesu. Wedi iddi olchi'r Iesu, sylwodd Mair fod y plentyn ieuengaf yn dioddef o glefyd ar y croen, a golchodd yntau hefyd yn yr un dŵr. Erbyn y bore roedd Mair a'i baban wedi diflannu, ac roedd croen y crwt gwael wedi gwella. Y tu allan i'r drws gwelson nhw ôl traed yn yr eira, ac yn y pantiau bach lle roedd Mair wedi camu tyfodd llu o flodau crocws piws dros nos – a dyna sut y daeth y blodyn hwnnw i fynyddoedd gwlad Pwyl am y tro cynta.

Gorffennodd Nico'i stori a gwenu ar Mari.

'You see, we are very religious, many stories about Mary and Jesus!'

Eisteddai ar ei wely unwaith yn rhagor ar fore poeth tua diwedd Mawrth a doedd neb arall wedi symud yn y tŷ. Gwisgai Mari'r fodrwy ar ei thrydydd bys ar y llaw dde ac mi wyddent ill dau erbyn hyn fod rhywbeth ar y gweill. Roedd Mari wedi dechrau rhyw fath o ddefod wrth alw'n blygeiniol yn ei stafell. Roedd yn amlwg ei bod hi'n trio ennyn ei ddiddordeb a'i gydymdeimlad. Ond roedd mwy na hynny i'r seremoni hon. Ceisiai Mari greu ei storïau ei hun, a'i nod oedd cadw Nico'n gwrando am gyn hired ag y medrai.

Y bore hwnnw bu'n trafod Olwen a'i chariad tragwyddol tuag at Culhwch, a'r meillion gwyn yn codi o'r ddaear las lle bynnag y safai Olwen. Ac roedd Nico wedi ateb efo stori gyffelyb ei hun. Gwenodd hithau a dweud wrtho ei bod hi'n rhyfedd sut y câi'r un un straeon eu hadrodd ar hyd a lled y byd.

Edrychodd yntau ar y gwe pry cop yng nghorneli'r ffenest; disgleirient yn yr haul tanbaid cynnar. Efallai mai pry oedd yntau hefyd, yn disgwyl am y pry cop i'w lapio mewn cocŵn bach sidanaidd. Ia, dyna oedd hi'n ei wneud. Nyddu gwe yng nghornel ffenest ei dychymyg i'w ddal. Wel, doedd arno ddim brys i adael ac am rŵan roedd y lle i'w weld yn eitha saff. Edrychodd ar ei hwyneb agored, naïf... pe bai o wedi'i gweld hi ar y sgwâr yn Krakov fyddai o ddim wedi edrych arni ddwywaith. Ond roedd hi'n ddel, ac roedd arni hi ei isio fo. Ac yntau'n ddyn, a hithau'n ferch, roedd 'na hen, hen fagnet yn eu tynnu tuag at ei gilydd.

Sylwodd Nico fod ei grys-T yn dechrau ogleuo erbyn hyn. Roedd gynno fo farf ifanc ac roedd o'n dechrau edrych fel Che Guevara ei hun. Teimlai'n gysglyd a chaeodd ei lygaid wrth wrando ar sgidiau mawr Wil yn clopian i lawr grisiau'r llofft stabal. Dilynodd nhw i fyny'r buarth i gyfeiriad y cwt ieir. Yna daeth y wich foreol – wrth iddo agor bollt y drws. Clywai ef yn cyfarch ei harem bluog. Byddai'n rwdlan efo nhw am oriau bwygilydd.

Roedd Nico bron â mynd i gysgu pan ddechreuodd llais Mari unwaith eto sôn am ei chwaer, Sara. Gosododd ei llaw dde ar y flanced, a theimlodd yntau aur y fodrwy yn erbyn ei grimog. Aur. Pa werth oedd hwnnw rŵan? I ble yr âi rhywun i werthu aur? Troellai ei feddwl o amgylch y broblem.

Agorodd ei lygaid ac edrych ar ei cheg yn symud. Ceg bert, lawn cochni. Dannedd bach gwyn. Doedd o ddim wedi blasu gwefus merch ers... www, bron i flwyddyn, mae'n siŵr. Yn ei fflat yn Krakov. Cariad unnos. Hogan o Lithuania. Roedden nhw wedi aros yn y gwely drwy'r dydd canlynol yn caru, yn yfed gwin, yn chwerthin ar y trympedwr yn 'marw' bob awr yn nhŵr Basilica'r Santes Fair yng nghornel y sgwâr. Meddyliodd am afael yng ngarddwrn Mari a'i thynnu tuag ato. Ond roedd hi'n rhy gynnar yn eu perthynas i wneud hynny. Gwrandawodd ar ei llais swynol yn adrodd y stori, er nad oedd o'n deall rhai o'r geiriau. Gwichiodd ystyllod y grisiau dan bwysau rhywun. Huw efallai. Byddai o'n clustfeinio weithiau.

Sara, annwyl Sara. Doedd gynno fo ddim darlun ohoni yn ei ben.

'Wait a minute,' meddai. 'Have you got picture?'

Syfrdanwyd Mari gan y cwestiwn. Arhosodd heb symud, yn edrych arno am gyfnod hir cyn ymateb. Yna cododd a mynd i'w hystafell. Ymhen munud roedd hi'n ôl, efo llun yn ei llaw. Eisteddodd eto, a throsglwyddo'r llun iddo. Ar yr olwg gyntaf, doedd dim tebygrwydd rhwng y ddwy chwaer – Sara'n dywyll ac yn dal fel ei thad, a Mari'n fyrrach efo gwallt brown golau a brychni ar ei hwyneb.

'Do you like my freckles?' gofynnodd Mari iddo un diwrnod.

Nid oedd wedi sylwi arnyn nhw cyn hynny. Oedd, wrth gwrs, roedd o'n eu licio nhw... ond yn amlwg doedd Mari ddim yn eu licio nhw gan y gwnâi iddi edrych fel hogan ddrwg. Ac yn wir, teimlai Nico y byddai hi'n dipyn o lond llaw pe bydden nhw'n dechrau... roedd 'na olwg felly yn ei llygaid. Ond Sara: na, nid hogan felly oedd Sara. Doedd hi ddim yn edrych i mewn i lygad y camera; yn hytrach roedd ei llygaid wedi codi uwchben pwy bynnag a dynnai'r llun, gan edrych i ffwrdd i'r chwith, fel petai Clwc newydd glochdar ym mhellteroedd byd, a'r atsain pell, arallfydol wedi denu ei sylw.

Edrychodd Nico ar y llun am hydoedd. Gwnaeth sioe fawr wrth nodi bod ei hwyneb yn wyn fel y lloer, ei gwallt yn syth a du (fel merched gwlad Pwyl, meddai) a'i bod hi mor denau. Roedd merched gwlad Pwyl yn fain hefyd, ar y cyfan, oherwydd bod y wlad yn dlawd a doedden nhw ddim wedi dal clefyd McDonald's. Y peth cyntaf y sylwodd Nico arno pan ddaeth i Brydain oedd fod llawer o'r merched yn dew, ac yn edrych fel slapars. Roedd o'n licio merched diaddurn, efo gwallt naturiol yn hytrach na merched wedi'u gwisgo fel Barbies. Ond sylwodd fod cyfartaledd uchel o ferched Prydain yn cerdded o gwmpas fel Barbies bach tew, a'u boliau'n disgyn dros eu jîns. Roedd Mari'n naturiol yn fain ac yn ifanc. Yn rhy ifanc, dyna oedd y gwir. Ond gan mai dyn oedd o a hithau'n ferch, oedd modd iddo ymwrthod â themtasiwn? Mmm…

Gafaelodd Mari yn ei droed.

'Are you listening?'

'Yes, yes, I listen.'

Ymhelaethodd Mari ar stori ei chwaer. Druan ohoni, yn gorwedd yn y gadlas heb na chroes na maen uwch ei phen.

Un diwrnod cwrddodd Sara â'r Forwyn Fair wrth y ffynnon. Roedd Sara wedi mynd yno efo'r bwced coch plastig a'r geiriau 'Lloyds Animal Feeds' ar ei ochr, i nôl dŵr. Roedd hi wedi plygu dros y dŵr crisialaidd i edrych am y llyffant oedd yn byw yn y ffynnon (Y Bwystfil Rheibus oedd ei enw) ac wedi'i ganfod ymysg y dail brown lleidiog yn ei gwaelod. Wrth iddi syllu i mewn i'r dŵr, gwelodd nid yn unig ei chysgod hi ei hun ar yr wyneb, ond cysgod rhywun arall hefyd. Trodd. Wrth ei hymyl gwelai rith disglair ar ffurf merch ifanc hardd a golau ysgafn ariannaidd yn chwarae ar ei chroen. Chwyrlïai defnydd ei mantell fel dŵr y ffynnon, yn fwrlwm o symud, yn ffrydio ac yn llifo fel mwg y tân adre ac yn newid ei liw o las golau i borffor. Roedd y wisg fel mellten newydd gyrraedd y ddaear, yn ymgasglu ar ffurf pelen drydanol cyn ffrwydro a chwalu. Roedd croen y forwyn fel yr eira, ei gwefusau'n goch fel y rhosyn, eurgylch uwch ei phen a sandalau syml ar ei thraed. Gwenodd y Forwyn ar Sara a buont yn ymddiddan, ond ni chofiai Sara ddim oll am destun eu hymgom oni bai ei bod yn felys, a'i bod wedi syrthio i berlewyg. Pan ddeffrodd Sara o'r cyflwr llesmeiriol hwnnw roedd y Forwyn wedi diflannu. Gwyddai, er hynny, fod cartref yn barod ym Mharadwys iddi hi a'i theulu pan ddeuai'r dydd. Ni fyddai'n rhaid iddi boeni bellach, gan fod y Deyrnas Newydd bron yn barod ar gyfer yr etholedig rai, sef hi a phawb arall yn Nolfrwynog.

Roedd Sara'n wahanol wedi'r diwrnod hwnnw. Daeth golwg bell, bell i'w llygaid ac aeth i mewn i'w byd bach distaw ei hun. Yna dechreuodd golli pwysau wrth iddi ymwrthod â bwyd, naill ai drwy fynd i'w hystafell yn ystod y prydau bwyd, neu fynd â'i phlât i'w hystafell a lluchio'r bwyd drwy'r ffenest i'r ieir pan na fyddai neb yn gwylio. Yn wir, bu Wil yn pendroni am gyfnod ynghylch ffyniant anesboniadwy ei ieir.

Dioddefai Sara o anhwylder tebyg i anorecsia, mae'n debyg. Roedd pethau felly wedi bod yn rhan o'n cymdeithas ni erioed, esboniodd Mari. Nid peth newydd oedd ymprydio. Roedd merched wedi gwneud hynny ers bore oes, i fod yn denau, neu i symud yn agosach at ddelwedd bur a duwiol.

Credent fod ymwrthod â bwyd yn miniogi'r meddwl ac yn perffeithio'r enaid. Am gyfnod bu gan Sara ynni rhyfeddol a byddai'n glanhau, yn coginio, ac yn gweithio'n ddi-baid ar y fferm. Yna syrthiodd i bwll du a newid i fod yn ferch ddigalon, ddigysur ac, yn wir, yn ddiymadferth gan aros yn ei gwely am ddyddiau bwygilydd. Poenai pawb amdani; âi Huw ati efo cawl a bara ffres pan oedd hwnnw ar gael, ond gwenai Sara'n wanllyd arno gan arwyddo â'i llaw nad oedd awydd bwyd arni. Bu Elin, ei mam, yn dwrdio, yn wylo, yn ymbil arni, ond ni wnaeth hynny unrhyw wahaniaeth.

'This happen to a girl I know at school,' meddai Nico. 'She like no food inside her, plenty of energy for a bit because food slow you down, but your mind go a bit crazy, yes?'

Aeth si ar led yn y fro fod Sara'n medru byw heb fwyd; roedd hi wedi derbyn gras yr Ysbryd Glân ac wedi cyrraedd yr ucheldiroedd hynny lle bu'r seintiau gynt yn treulio'u bywydau yn eu cyrchu. Daeth y cymdogion i'w gweld fesul un neu ddau cyn i lif ohonynt ddod, yn cludo anrhegion ac arian, gan eu hoffrymu iddi, am iddi weld y Forwyn Fair, a'i bod hi ar drothwy teyrnas Dduw. Bron yn ddi-fwlch, byddai deg neu ddeuddeg ohonyn nhw ar eu pengliniau o amgylch ei gwely, yn gweddïo ac yn darllen y Beibl, rhai ohonyn nhw'n llefaru â thafodau.

Ni wyddai neb sut roedd Sara wedi medru byw cyhyd. Roedd y teulu'n bendant nad oedd hi wedi cyffwrdd mewn tamaid o fwyd ers misoedd. Un diwrnod dywedodd Sara y byddai'n fodlon cymryd bwyd pe bai hi'n cael mynd yn ôl at y ffynnon, er mwyn iddi gael gweld y Forwyn Fair unwaith yn rhagor.

A heb i neb wybod, aeth Sara at y ffynnon yn y bore bach a chanfuwyd hi'n ddiymadferth wrth y pistyll un bore rai oriau wedyn. Aethpwyd â hi i'w gwely ac anfonwyd am yr offeiriad; roedd yn amlwg fod y profiad wedi bod yn drech na hi, a bu farw Sara y noson honno am tua hanner nos.

Erbyn hynny roedd dros gant o gymdogion, yn wragedd a phlant, wedi ymgynnull ar y buarth i weddïo dros ei henaid. Dywedodd rhai iddyn nhw weld golau glas prydferth yn gadael y ffermdy drwy ffenest llofft Sara, ac i'r golau hofran yn yr awyr uwchben y buarth am rai munudau. Yna symudodd uwchben y gadlas, a disgynnodd ar lecyn wrth yr hen goed eirin. Crinodd y glaswellt lle disgynnodd. Yn y fan honno, dridiau wedyn, claddwyd Sara yng ngŵydd y teulu a llu o alarwyr. Pe bai wedi byw, byddai wedi dathlu ei phen-blwydd yn un ar hugain mlwydd oed y bore hwnnw.

15

Mawrth a ladd, Ebrill a fling.

Roedd Wil yn eistedd ar y stepan ucha, wrth ddrws y llofft stabal, yn edrych ar Huw yn blingo cwningen.

'Be dach chi'n ddeud, Yncl Wil?' gofynnodd yntau, mewn llais pell-i-ffwrdd, oherwydd ei fod o'n canolbwyntio ar ei waith. Erbyn hyn roedd o'n ddeheuig ac yn gyflym, a'r gwningen wedi colli ei chroen mewn chwinciad.

'Mawrth a ladd, Ebrill a fling,' meddai Wil unwaith eto.

'Be ma hynny'n feddwl, Yncl Wil?'

Doedd Wil ddim yn hollol siŵr; roedd o wedi adrodd y ddihareb droeon heb feddwl yn iawn am ei hystyr.

'Wel, mae mis Mawrth yn medru lladd rhywun achos ei bod hi'n amser drwg i hen bobl, eu cyrff nhw'n wan ac ati ar ôl y gaeaf caled,' meddai Wil mewn llais oedd yn cloffi fwyfwy gyda phob gair. 'Os ydyn nhw'n dal yn fyw erbyn ddiwedd y mis ddylien nhw ddim ymlacio wedyn chwaith oherwydd fod Ebrill yn medru gorffen y job.'

Ai dyna oedd ystyr y peth? Be oedd y Saeson yn ei ddweud? *Ne'er cast a clout till May is out...* oedd hynny'n golygu'r un peth? Duw a ŵyr, meddai Wil wrth y llechan dan ei draed. Roedd 'na batrymau del yn y garreg, fel tonnau mawr gwynion yn torri ar draethell hyfryd. Ew, meddai Wil wrtho'i hun, baswn i'n licio gweld y môr unwaith eto cyn marw. A mynd i hwylio. Popeye... daeth llun i'w feddwl ohono'i hun wrth yr helm gyda chetyn yn ei geg, fel Popeye, a *muscles* mawr fel Nico a tun *spinach* gwag wrth ei ochr. Canodd gân oedd yn perthyn i'w blentyndod:

I'm Popeye the sailor man,
I'm Popeye the sailor man,
I'm strong to the finich
Cause I eats me spinach
I'm Popeye the sailor man.

Efallai y byddai ei gariad, Olive Oil, yn aros amdano ar lan y môr yn yr Eil o Man, yn barod i'w gyfarch ac i'w garu. Roedd hi'n uffernol o denau; biti mawr, gan ei fod yntau'n licio merched sylweddol eu maint, fel ei fam gynt.

'Be dach chi'n ganu, Yncl Wil?'

'O, jest rhyw eiria ro'n i'n eu canu erstalwm, Huw.'

'Wnewch chi eu dysgu nhw i fi, Yncl Wil?'

Buodd mis Mawrth yn fwyn ac yn gynnes tu hwnt. Felly roedd Wil a Nico wedi medru hau'r ceirch yn y cae ac wedi plannu tatws yn yr hen blot tatws ar ôl teilo.

Hau'r ceirch â'u dwylo yn y dull henffasiwn wnaethon nhw.

'We'll get some nice flour now for our bread,' meddai Wil wrth y llanc ar ôl iddyn nhw orffen. Roedden nhw wedi sefyll ar ben y dalar yn edmygu eu gwaith. Roedd 'na dyweirch ar wyneb y tir ym mhobman ond gwnaeth y ddau eu gorau.

Yn ystod yr egwyl fach honno dywedodd Nico stori wrtho.

'Hey old man,' meddai, oherwydd felly y cyfarchai Wil erbyn hyn. Bu'n rhaid i Wil frathu'i dafod bob tro y clywai'r geiriau ar y dechrau, ond erbyn hyn roedd o'n reit hoff o'r cyfarchiad.

'Hey old man,' meddai Nico, 'men from Zakopane in

old days make quick food out of flour.'

'Bread?' gofynnodd Wil.

'No, they take flour in a bag with them when they go hunting for many days, then they make special food. They make fire and put stones in it to get hot. They put flour in cap off their heads, mix in salt and water, put hot stone from fire in it.'

'What, inside their caps?' gofynnodd Wil.

'Yes, inside cap,' meddai Nico.

Roedd Wil wedi'i syfrdanu. Roedd yr hen bobl yn Nolfrwynog wedi byw'n ddigon caled ond mi roedd gwneud pryd o fwyd mewn cap dros ben llestri, rywsut.

Esgorodd un o'r ieir, Maud, ar ddeg o gywion bach ac mi symudodd Wil nhw i fyw efo fo yn y llofft stabal rhag ofn i'r llygod mawr eu lladd. Treuliai oriau'n siarad efo'r cywion bach melyn yn y llofft, yna âi â nhw i lawr y grisiau i'r gadlas bob bore i fyw mewn cratsh; symudai hwnnw o fan i fan er mwyn sicrhau y caen nhw borfa newydd bob yn eilddydd. Mi fyddai o'n meddwl amdanyn nhw o hyd, fel tad yn poeni am ferch bymtheg oed a hithau wedi mynd allan i ddisgo a heb ddod adre cyn hanner nos.

Erbyn hyn, roedd Huw wedi symud yn ôl i'r llofft stabal. Ar ôl cyffro'r wythnos gyntaf roedd cwmni Nico wedi colli ei newydd-deb a Mari gâi'r sylw i gyd bellach. Roedd Elin wedi rhoi'r gorau iddo hefyd ar ôl cynffonna am dipyn. Hen froilar oedd hi wedi'r cyfan, 'run fath ag un o ieir Wil, yn dda i ddim ond i'w rhoi yn y pot. A phwy fasa'n ei bwyta hi, e? Bellach doedd ganddi ddim *eyeliner* ac yn ei barn hi ei hun roedd 'na uffarn o olwg arni. Dechreuodd Jac glosio ati yn y gwely unwaith eto ond roedd ganddi hi ofn ymateb i'w chwantau gan nad oedd dim un o'r pils hynny ar ôl yn y cwpwrdd ac roedd hi'n rhy hen i gael un arall. Pwy fasa'n dod â phlentyn bach arall i'r byd ar amser fel hyn, beth bynnag? Ond roedd rhan arall ohoni'n ysu am gynhesrwydd ei gorff o... cynhesrwydd *unrhyw* gorff. Dyna'r baich o fod yn rhan o ddynolryw, yntê; eisiau tipyn o lonyddwch ar ei phen ei hun, i feddwl a ballu, yna'n teimlo'r lleill yn ei thynnu'n ôl, fel hen dun *baked beans* yn cael ei sugno i fyny gan y peiriant magnetig yn y ganolfan ailgylchu. A beth am Mari? Beth petai honno... doedd 'na ddim doctor ar gael, dim ffisig o unrhyw fath. Roedden nhw'n byw fel anifeiliaid gwyllt; doedd 'na ddim bwyd M&S ar ôl i'w chysuro, nac eBay i siopa, na ffasiwn i'w ddilyn, na cherdyn aur y banc i fynd am dro i'r siopau mawr glân golau cynnes.

A dyna beth arall – roedd y llyn yn dal i godi. Bu'n ei wylio drwy'r ffenest. Roedd hi wedi gweld pethau rhyfedd ynddo hefyd. Ai pysgod mawr oedd y siapiau du yn y dŵr? Ai morlo oedd y pen du, crwn a welsai'n procio allan o'r dŵr un bore Sul, pan oedd hithau ar ei ffordd i'r pot yn y gornel? Roedden nhw wedi dechrau defnyddio un o hen botiau ei mam unwaith eto yn lle mynd allan i'r hen dŷ bach yn y tywyllwch. Morlo mawr du oedd y siâp 'na yn y dŵr? Os hynny, beth oedd o'n ei wneud yn y llyn? Creadur y môr hallt oedd morlo; doedd dim modd iddo fyw yn nŵr llyn.

Gorweddai Elin yn ei gwely y bore hwnnw, yn trio magu dewrder, yn gwrando ar Huw a Wil yn malu cachu ar y buarth, yn gwrando ar y cŵn yn cyfarth yn eu cwt cachlyd, yn gwrando ar yr ieir di-blu yn rhygnu'u cân undonog rywle yn y baw hollbresennol ... ac yn gwrando ar Mari, ei merch ei hun, yn sgwrsio ac yn lolian efo dyn fel petai hi'n ddynes briod. Berwai ei gwaed pan glywai nhw'n giglan ac yn paffio efo clustogau – ac yn gwneud rhywbeth arall hefyd, mae'n debyg, oherwydd byddai 'na ddistawrwydd llethol ar adegau. Heddiw, clywai lais Mari'n sôn am ei thad naturiol, Gwydion.

Daeth llun i'w meddwl ohono'n cyrraedd adre yn ei *uniform* ar noson o aeaf, ei wyneb yn wyn, a'i ddwylo'n crynu. Roedd 'na ffrwgwd fawr wedi bod yn y ddinas ac yntau, yn y gegin, wedi dweud mewn llais gwantan, fod malais a thrais ar y strydoedd. Gangiau o hogiau efo cyllyll a gynnau wedi meddiannu ardaloedd cyfan. Byddai'n rhaid iddyn nhw a'r teulu adael cyn i un o'r plant gael ei anafu, yn wir, cyn i un ohonyn nhw gael ei ladd.

Nonsens, atebodd Elin. Roedd o'n gorliwio'r sefyllfa. Doedd dim posib fod pethau mor ddrwg â hynny.

Aeth â hi at y ffenest, a phwyntio tua'r dwyrain. Gwelson nhw olau oren yn chwarae dros ran o'r ddinas. Tân, meddai. Roedd y gangiau wedi rhoi rhan o'r stad ddiwydiannol ar dân. Roedd yr heddlu wedi colli trefn, roedd peiriannau'r frigâd dân wedi'u llosgi yn y fflamau.

Ymadael â pharadwys? Ymadael â'r siopau glân, cynnes, a chlyd?

Gwrthododd Elin hyd yn oed ystyried y peth. Yma roedd eu bywydau, eu gwaith, eu gobeithion. I ble bydden nhw'n mynd, beth bynnag?

'Yn ôl i'r fferm,' meddai Gwydion. Dyna oedd yr unig ddewis. 'Gwranda arna i, Elin, gwranda. Mae'n rhaid i ni fynd o 'ma.'

Clywodd Elin ei llais ei hun yn atsain o'r gorffennol. *Paid â bod mor hurt.*

Y ffraeo. Dyna oedd hi'n ei gofio yn fwy na dim. Y ffraeo brwd, tanbaid bob nos ar ôl i'r plant fynd i'w gwelyau. Ac yna gwnaed y penderfyniad drostyn nhw gan y ddinas ei hun.

Trwy'r ffenest clywai Elin gân yn treiglo ar draws y buarth...

I'm Popeye the sailor man,

I'm Popeye the sailor man...

16

Safai Mari a Nico'n agos at ei gilydd yn y gadlas, yn hel danal poethion ifanc i wneud cawl.

'Aw!' meddai Mari. Roedd hi wedi cael ei phigo yn ei choes, a gwaeddodd *aw* unwaith yn rhagor, ond yn uwch. Y gwir oedd bod Mari wedi cau'i llygaid ac wedi cerdded i mewn i un o'r planhigion yn fwriadol. Roedd y colyn yn llosgi fwy nag a ddisgwyliai oherwydd bod sawl deilen wedi cyffwrdd â'i choes, ac wedi rhoi mwy nag un pigiad iddi. Edrychodd yn llipa i gyfeiriad Nico, ac ymhen ychydig roedd yntau ar ei liniau o'i blaen yn rhwbio'i choes chwith efo dail tafol. Teimlai Mari ei law chwith yn dynn o amgylch cefn ei phen-glin; rhoddodd hithau ei dwylo ar ei ysgwyddau brown, gan deimlo'i gyhyrau'n symud. Yna, gan esgus bod rhywbeth yn ei wallt du, cyrliog, rhedodd ei bysedd drwy'r blew cynnes. Honno oedd y funud. Honno oedd y foment pan drodd posibilrwydd yn sicrwydd. Iddi hi, o leiaf. Clywai glic di-sŵn yn ei phen yn cadarnhau'r newydd. Roedd hi wedi teimlo'r trydan yn rhedeg drwy ei bysedd o'r cyrls tyn, i fyny ei breichiau, drwy'r ysgwyddau, at ei gwddw. Arhosodd yn fan'no am ganfed ran o eiliad, cyn penderfynu pa ffordd i fynd: ai i fyny i'w phen ta lawr i'w chalon; yna, gyda gwefr drydanol a siglodd y blew bach sidanaidd ar ei bronnau, aeth i lawr, ac i lawr...

'OK now?'

'Yes, thanks.'

Safai o'i blaen, a deilen tafol yn ei law. Oedd 'na olwg gwahanol yn ei lygaid? Edrychodd Mari ar y brychau bach gwyrdd yn ei lygaid brown. Ynysoedd emrallt ym moroedd ei lygaid. Ynysoedd bach dienw, anhysbys ar gefnfor pell paradwys. Oedd 'na goeden efo *coconuts* ar bob un o'r ynysoedd bach yn ei lygaid, ac yn dilyn y llongddrylliad yn ei chalon, oedd 'na Fari fach yn eistedd a'i chefn yn pwyso yn erbyn y coed hynny, efo potel yn ei llaw a honno'n cynnwys y neges bwysica iddi ei gyrru yn ei bywyd?

'I'll finish the nettles – you start on the trees up there,' meddai yntau.

Y drain du roedd o'n ei feddwl. Dangosodd iddi sut i hel y dail bach simsan heb frifo'i bysedd ar y drain. Aeth Mari i fyny ochr y gadlas, i'r clawdd, a dechrau hel y dail. Roedd y chwyddi ar ei choes yn brifo, ac arhosai yn awr ac yn y man i gosi'r gwrymiau gwyngoch. Ar ôl llenwi hen sach efo'r danal poethion ymunodd Nico â hi wrth y clawdd ucha. Dechreuodd bigo'r dail, gan fwyta llawer ohonyn nhw cyn iddyn nhw gyrraedd y bwced coch. Arhosodd Mari i ddweud y drefn wrtho, ond daliodd ati. Gwnaeth hwyl am ei phen, gan gogio pigo ei fysedd ar y drain a dweud '*aw*' mewn llais uchel, merchetaidd. Trawodd Mari ef ar ei gefn yn ffyrnig. Yna peidiodd Nico â lolian a chanolbwyntiodd ar hel y dail.

Ar ôl distawrwydd a barhaodd am rai munudau, dywedodd, 'I go soon.'

Daeth düwch trwm drosti, a phylodd y byd o'i chwmpas.

'I go and get pigs for old man, Wil. He want pigs.'

Daeth yr haul allan eto a chliriodd ei golwg hithau. Ond teimlai ddagrau bach poeth fel nodwyddau yn pricio cefn ei llygaid.

'You're coming back then?'

'Yes, I come back with pigs.'

Ble yn y byd y deuai o hyd i foch? Oedd o'n dweud y gwir? 'Ta sleifio i ffwrdd wnâi o? Ar y llaw arall, byddai wedi medru dianc yn barod heb ddweud gair pe byddai'n bwriadu ymadael. Cyn y wawr, fel lleidr. Hwyliodd llu o syniadau ac ofnau fel balŵns drwy ei meddwl, rhai'n codi i fyny i'r awyr las ac eraill yn disgyn yn fflat ar lawr. Gwelodd ffigwr yn dod tuag atyn nhw ar hyd y llwybr o'r dolydd: Jac, ei llysdad, neu beth bynnag oedd o, yn dod yn ôl o'i drip boreol, wedi bod yn bwrw golwg dros y defaid a'r ŵyn. Roedd o'n cario dafad ar ei gefn, ac mi welai Mari ar unwaith ei bod hi wedi marw. Cerddai Jac yn flinedig efo'i ben i lawr; edrychai fel milwr yn cludo dyn wedi'i glwyfo oddi ar faes brwydr ar ôl i'w fyddin golli'r dydd. Tramp tramp tramp tramp... roedd y dyn wedi ildio, roedd o'n chwifio fflag wen yn yr awyr.

Am y tro cyntaf, teimlai Mari ychydig o biti tuag ato. Ychydig iawn roedd hi'n ei wybod amdano, na neb arall chwaith – dyn fel 'na oedd o. Daeth i'r fferm efo nhw wrth iddyn nhw adael y ddinas. Doedd neb yn gwybod pwy oedd o: y dieithryn yn y car, y dyn efo'r arogl rhyfedd ar ei groen. Yn wir, ddywedodd neb air wrth Mari amdano a bu'n rhaid iddi ddyfalu'r berthynas rhyngddo a'i mam. Ai cariad cudd oedd o, wedi dod i'r wyneb yn ystod eu dyddiau olaf yn y ddinas? Doedd dim llawer o gariad i'w weld rhyngddyn nhw. Ar y dechrau roedd Mari'n ei gasáu. Hwn oedd y dyn a gymerodd le ei thad. Ond doedd 'na ddim amser i gasáu neb ar y fferm pan ddaethon nhw yma i fyw – roedd gorfod newid patrwm eu bywyd yn llwyr wedi bod yn gymaint o sioc ac wedi distewi pawb. Roedd yn rhaid iddyn nhw gadw eu holl ynni er mwyn goroesi.

Cyfnod enbyd oedd y misoedd cyntaf. Er eu bod wedi gweld tlodi ar y teledu, yn India a'r Affrig, doedd ganddyn nhw ddim clem mewn gwirionedd a bu'r sioc bron â'u gyrru nhw'n wirion. Y distawrwydd: dyddiau bwygilydd heb na sŵn car, na radio, na theledu, nac iPod. Distawrwydd bore oes; distawrwydd oedd yn ymestyn ymhell, bell yn ôl, i ddyddiau cynnar y ddaear. Byddarwyd eu clustiau gan y distawrwydd yn Nolfrwynog, meddiannwyd eu clyw gan y tawelwch, yn sibrwd o'r gofod bob eiliad o'r dydd a'r nos.

Gwrandawodd Mari ar draed Jac yn sisial yn y glaswellt gwlyb. Edrychodd i fyny a gweld strimyn o lysnafedd gwaedlyd yn disgyn o drwyn y ddafad. Trodd i ffwrdd. Dyna rywbeth arall erchyll. Roedd marwolaeth o'u cwmpas bob munud o'r dydd. Byddai rhywbeth neu'i gilydd yn cael ei ladd neu'n trengi byth a beunydd. Fyddai hynny ddim yn digwydd yn y ddinas. Digwyddai weithiau ar y teledu, mae'n wir, ond roedd yn hawdd pwyso'r botwm a diddymu'r llun. Doedd marwolaeth ond yn digwydd mewn ffilmiau a gêmau fideo, a thipyn o hwyl oedd o bryd hynny, dyna'r cyfan. Rŵan, gan ei fod o'u cwmpas, roedd marwolaeth yn golygu rhywbeth hollol wahanol. Roedd yn rhywbeth *byw*, fel anifail cudd. Ac efallai mai nhw fyddai'r nesa…

Aeth Jac heibio heb ddweud gair. Roedd o wedi bod yn ddistaw ers wythnosau, er bod Nico wedi'i glywed yn sgrechian ac yn gweiddi ar dop ei lais yn y caeau pan fyddai o ar ei ben ei hun efo'r defaid, ac yn chwifio'i freichiau fel dyn gwyllt. Roedd ar yr anifeiliaid ei ofn a bydden nhw'n rhedeg i ffwrdd pan ddeuai'n agos atyn nhw.

Aeth Mari a Nico ar hyd y clawdd yn ara deg gan hel dail a sgwrsio. Gofynnodd y llanc iddi orffen dweud y stori am Gwydion; roedd o wedi edrych ar y beddau yng ngwaelod y gadlas, ac wedi cofio disgrifiad Mari o'r ddinas yn dadfeilio ac yn toddi yng ngwres y tanau.

Sut medrai hi ddweud wrtho fo am ei thad? Prin y medrai feddwl amdano heb grio. A phwy oedd yn gwybod y gwir? Doedd hi ddim, yn sicr. Fersiwn dagreuol ei mam oedd yr unig fersiwn a wyddai hi a doedd neb arall wedi dweud gair am ei thad. Gwelai lun yn ei meddwl o'i mam yn eistedd ar orchudd ei gwely un noson ar ôl iddi orffen adrodd y stori cyn noswylio. Roedd Mari'n chwe neu saith mlwydd oed ac olion wylo ar wyneb ei mam, ei masgara glas golau wedi rhedeg ar hyd ei bochau. Y noson honno adroddodd ddwy stori wrth Mari, un stori am y tylwyth teg, ac un arall am ei thad. Ond roedden nhw wedi'u cydgysylltu rywsut, yn ei meddwl.

Un diwrnod, ymhell bell yn ôl, aeth dyn dewr am dro…

Ai Dad oedd wedi mynd am dro, 'ta brenin y tylwyth teg? Roedd 'na ysgol yn y stori, a phlant wedi dychryn… roedd Dad wedi bod yn ddewr iawn: 'ta brenin y tylwyth teg fu'n ddewr? Doedd hi ddim yn cofio'n iawn. Ac erbyn hyn fedrai hi ddim gofyn i'w mam.

Un peth a wyddai'n sicr: plismon oedd ei thad. Roedd ganddi lun ohono yn yr un drôr â'r llun o'i chwaer Sara.

Dechreuodd adrodd y stori wrth Nico, a hithau wrth ei ochr dan y llwyn drain.

17

Roedd Nico yn y gegin, yn eistedd wrth y bwrdd mawr yng nghanol y stafell. Plygai dros rywbeth oedd o'i flaen ar y bwrdd, a gweithiai'n ofalus ac yn gywrain.

'What are you doing?' gofynnodd Mari, wedi dod o hyd iddo fo o'r diwedd ar ôl awr o chwilio; roedd hi wedi bod ym mhobman heblaw'r caeau. Arhosodd yn ddistaw, bum llath oddi wrtho, yn silwét bach du yn y drws, a'i llaw yn erbyn y ffrâm. Pigodd ddarnau bach o baent oddi arno â'i gewin, a gorweddai'r rheiny ar lawr fel conffeti mân, gwyrdd yn dilyn priodas ymysg y tylwyth teg.

'Nico?'

Ddywedodd o ddim gair; erbyn hyn roedd ei drwyn o bron â chyffwrdd gwrthrych ei lafur. Sylwodd Mair fod ei dafod yn chwarae yng nghornel ei geg, yn ystumio fel neidr fach goch. Blinodd Mari ar fod yn ffroenuchel ac aeth ato wrth y bwrdd; wedi closio ato, rhoddodd ei braich ar ei ysgwyddau a phlygu ei phen i weld beth roedd o'n ei wneud.

Gwelodd blisgyn wy iâr ar flaen ei fysedd. Roedd hynny'n esbonio pam roedd o wedi torri pen ei wy 'di ferwi mor ofalus y bore hwnnw.

Roedd o wrthi'n awr yn addurno'r wy efo paent o ryw fath.

'This called *pisanki* in my country,' meddai Nico. 'You like?'

Edmygodd Mari ei waith; roedd o wedi creu darlun o ddau gariad yn dal dwylo mewn lliwiau llachar: coch, melyn, gwyrdd a glas.

'Huw give me paint,' meddai. 'This egg for you, yes?'

Chwythodd ar yr wy i sychu'r paent.

'Easter soon, yes? Easter eggs are good magic... we have good harvest now,' meddai. Esboniodd fod y ddefod hon yn un bwysig yn ei famwlad. Sylwodd Mari fod ei lygaid yn disgleirio, fel petai dagrau wedi dechrau codi i'r wyneb ynddynt. Hwyrach ei fod yn colli ei gartref, er na fyddai'n sôn llawer am y lle. Krakov: roedd o wedi disgrifio'r sgwâr mawr canolog. Mynd am dro wrth afon Fistula. Y mynyddoedd o gylch Zakopane, ac eira arnyn nhw yn yr haf; y coed pin a'r llynnoedd dirgel. Eirth yn y fforest. Auschwitz. Roedd o wedi bod yn Auschwitz. Pan oedd o yn yr ysgol dysgodd y geiriau enwog uwchben y fynedfa: *Arbeit Macht Frei* – mae gwaith yn rhyddhau. Roedd o wedi chwerthin yn sinigaidd wrth adrodd y geiriau wrthi.

'Look at us here,' meddai. 'Does work make us free? Not bloody true! Hard work kill you if you are poor, kill you if you don't know how to get food. Bad words!'

A'i waith yntau? Dim ateb. 'Many things,' meddai 'mhen ychydig.

A'r tatŵ?

'For Poland, for motherland,' meddai gan godi'i ysgwyddau, fel petai o ddim yn hollol siŵr pam roedd y tatŵ ar ei ysgwydd.

'Why did you...?' dechreuodd Mari. Ond cododd Nico'i fys at ei wefusau a phwyntio at y ffenest. 'Listen,' meddai. 'It's getting worse now, wind getting strong all morning. Bad storm coming maybe.'

Arhosodd y ddau, un yn eistedd a'r llall yn sefyll wrth ei ochr, yn gwrando ar y gwynt. Edrychodd Mari allan drwy'r ffenest; gwelai'r coed afalau yn cael eu chwipio yn ôl ac ymlaen yng ngwaelod yr ardd. Aeth y stafell yn dywyll, y golau'n pallu er nad oedd y pnawn wedi cyrraedd hyd yn hyn. Oedd, ro`edd y gwynt wedi codi ers amser brecwast. Brecwast? Un wy wedi'i ferwi a llawer o ddŵr oer i dawelu poen y newyn yn ei bol. Roedd hi'n colli pwysau; medrai deimlo'i asennau yn amlwg yn ei chnawd. Roedden nhw i gyd yn newynu'n ara deg. Byddai'n rhaid cael bwyd o rywle. Ond o ble?

Clywodd Mari rywbeth yn malu'n deilchion y tu allan i'r ffenest. Gwydr? Llechan o'r to? Roedd drysau'r llofftydd yn clecian yn erbyn eu fframiau. Lle roedd pawb? Roedd y tŷ fel y *Mary Celeste*. Teimlai Mari fel petai yng nghaban y llong, yn sbio dros ysgwydd y capten ar y siartiau, ychydig funudau cyn i'r drychineb ddigwydd. Beth yn union oedd y drychineb a ddaeth i ran pawb ar y llong? Rhywbeth annisgwyl, 'ta rhywbeth fel hyn? Prinder bwyd yn cnoi y tu mewn i bawb, a storm fawr yn taro'n sydyn? Dychmygodd Mari'r tonnau'n dyrnu'r llong a Nico'n ei chlymu wrth y mast; teimlai'r gwynt yn rhwygo drwy'i dillad tenau, blasodd halen yn ei cheg. Llyfodd Mari ei gwefusau yng nghysgodion hir y gegin, ond nid halen mohono. Rhedodd ei bys ar hyd ei gwefus isaf a darganfod ôl gwaed arno; roedd hi wedi brathu ei gwefus.

Gofynnodd Nico iddi ble roedd pawb. Roedd Elin yn ei gwely, mae'n debyg. Huw? Efo Yncl Wil, gobeithio. Dechreuodd Mari boeni amdanyn nhw. Aeth i fyny'r grisiau'n ddistaw ac edrychodd i mewn i stafell Elin. Roedd ei mam yn eistedd i fyny yn ei gwely, yn edrych allan drwy'r ffenest.

'Storm,' meddai'n ddianghenraid. 'Dwi wedi bod yn edrych ar y coed. Glywi di'r gwynt?'

Gwrandawodd y ddwy ar y gwynt yn rhuo yn y simdde. Trawai glaw trwm yn erbyn ffenest y llofft a chlywent y diferion yn pitran ar y gwydr fel bwledi bach.

'Lle ma Huw?' gofynnodd Elin.

'Dydw i ddim yn gwybod.'

Trodd Elin tuag ati.

'Wnei di edrych amdano fo i mi?'

Edrychodd Mari'n galed ar ei mam. Yna daeth pwl o wres drosti.

'Edrychwch amdano fo eich hunan. Chi ydi'i fam o. Ewch chi i chwilio amdano fo, yn lle gorwedd yn y gwely drwy'r dydd fel... '

Brathodd ei thafod.

'Fel be?' gofynnodd ei mam, a golwg danbaid yn ei llygaid. 'Mewn gwely fasat titha hefyd pe caet ti hanner cyfle – ac nid ar dy ben dy hun, chwaith.'

Stompiodd Mari allan o'r stafell, a mynd i lawr y grisiau. Safai Huw yn y gegin, yn wlyb domen.

'Blydi hel, Huw,' meddai Mari. 'Lle uffarn rwyt ti wedi bod, d'wad? Mae Mam jyst â cholli'i phwyll.'

Safodd Huw yn ei unfan, yn sbio arni.

'Wel, paid â jyst sefyll 'na. Dos i newid.'

'Does gen i ddim dillad eraill i newid iddyn nhw,' meddai yntau'n wichlyd.

'Damia,' meddai llais wrth y drws. Yncl Wil. Roedd hwnnw wedi cyrraedd rŵan. Daeth i'r golwg, a'i sach fawr dros ei gefn a'i sgidiau mawr lledr yn gadael pyllau bach lleidiog ar y llawr.

'Uffarn o dywydd,' meddai Wil. Safodd yn y drws fel bwgan brain.

'Dos i newid, da chdi, neu mi gei di niwmonia,' meddai o wrth Huw.

'Does gynna i ddim dillad heblaw'r rhain,' meddai Huw eto.

'Tyrd i'r llofft rŵan,' meddai Mari, gan estyn ei llaw iddo

fel ysgolfeistres oedd newydd ddod o hyd i un o'i phlant yn sefyll mewn pwll o biso. Diflannodd y ddau o'r stafell a gwrandawodd y ddau ddyn ar eu traed yn mynd i fyny'r grisiau.

'Storm,' meddai Wil. Trodd Nico ato fel buwch yn ei stâl yn y beudy yn aros am ffermwr i ddod i'w godro.

'Yes.'

Rhoddodd Nico yr wy gorffenedig mewn cwpan wy ac edmygu ei waith.

'You like?'

Dechreuodd Wil wenu, yna rhewodd ei wyneb.

'Damia!' meddai eto. Trodd ar ei sawdl a rhuthro allan. Roedd y plisgyn wy wedi'i atgoffa am y cywion bach yn y gadlas yn eu cratsh.

18

Parhaodd y storm am bythefnos gyfan. Lladdwyd pump o gywion bach melyn Wil ar y diwrnod cyntaf, oherwydd iddo anghofio amdanyn nhw; chwipiodd y gwynt eu cartref i'r awyr a lladdwyd y cywion gan wylanod. Ar ôl chwilota yn y danal poethion ac ymysg yr hen geriach, canfu Wil bump ohonynt yn dal yn fyw, ond bu farw dau arall yn ystod y nos − o sioc, mae'n debyg. Bu bron i Wil dorri'i galon. Ar ei liniau yn y gadlas, gyda chyw hanner marw yn ei ddwylo, a glaw oer yn llifo i lawr ei war, agorodd yr argae ac wylodd fel babi. Roedd ei deimladau wedi bod yn cronni ers misoedd, fel llyn enfawr yn crynhoi y tu ôl i wal simsan. Torrodd yr argae a llifodd y dŵr.

Aeth Wil yn ôl i'r llofft stabal a ddywedodd o ddim gair wrth neb am ddiwrnodau. Medrodd gadw tri o'r cywion yn fyw rywsut, ond roedd 'na ddüwch na welsai erioed ei debyg o'r blaen yn ei galon, yn ei ben, yn ei holl fodolaeth, hyd yn oed ym mysedd budr ei draed. Rhuodd y gwynt a disgynnodd y glaw yn ddidrugaredd; malwyd pethau ar hyd a lled y fferm, gyda llechi'n disgyn yn deilchion a ffenestri'n cracio. Welodd Wil ddim byd tebyg erioed o'r blaen. Roedd y tywydd wedi troi'n wirion ac yn ddigon i godi ofn ar ddyn. Weithiau deuai Huw i'w weld, efo ychydig o fwyd iddo pan fyddai rhywfaint ar gael. Cysgai yn y llofft stabal efo Wil ond byddai'n mochel efo pawb arall yn y tŷ yn ystod y dydd. Bydden nhw'n hel at ei gilydd o flaen y tân fel y gwnâi cywion bach Yncl Wil yng nghornel eu bocs. Pan ddeuai Huw i weld Wil caeai'r drws yn glep ar ei ôl, yna safai o'i flaen â'r strimyn arferol o lysnafedd yn treiglo o'i drwyn bach coch.

'Ydach chi'n iawn, Yncl Wil?'

'Ydw, boi.'

'Sut mae'r cywion, Yncl Wil?'

'Dal yn fyw, 'machgen i.'

'Ga i ddal un?'

'Cei, wrth gwrs, ond bydd yn ofalus.'

Penliniodd Huw o flaen y bocs cardbord budr oedd yn gwarchod y cywion. Ymbalfalai Wil o gwmpas y buarth a'r gadlas bob bore yn trio dod o hyd i rywbeth iddyn nhw ei fwyta. Os na ostegai'r ddrycin cyn bo hir, bydden nhw i gyd yn siŵr o farw. Roedd y poen yn nhu mewn Wil wedi gwaethygu ers iddo aros i mewn drwy'r dydd – roedd ganddo fwy o amser i sylwi arno.

Wrth benlinio ar y llawr pren llychlyd â chyw bach melyn yn trydar yn ei law, adroddodd Huw newyddion y tŷ fel cyflwynydd ar y teledu.

Âi Jac i weld y defaid bob dydd ac roedd hyn-a-hyn o ŵyn wedi marw yn yr oerfel, neu mi roedd hyn-a-hyn o ddefaid wedi colli'u llygaid i'r brain. Am ryw reswm roedd Jac wedi dechrau cario'i wn efo fo i bob man.

Arhosai Elin yn ei gwely drwy'r dydd fel arfer ac roedd Nico wedi bod yn sgwennu, ac yn darllen hen lyfrau Huw. Gofynnai am esboniad ar air bob hyn a hyn.

'What *pilgrimage* mean, Huw? What is *shrine*?'

Roedd yn amlwg ei fod o'n llunio cynllun o ryw fath, er nad oedd Huw ddim callach oherwydd bod Nico'n sgwennu mewn Pwyleg.

A Mari... roedd Mari wedi bod yn ei hystafell wely, yn rhwygo'r posteri oddi ar y waliau ac yn ailbeintio'r muriau. Roedd hi wedi cymysgu sawl pot paent *emulsion*, yr hen rai oedd yn y cwpwrdd o dan y grisiau, ac mi gawson nhw dipyn o hwyl efo'r lliw a greodd, yn arbennig Nico. Rhyw fath o binc melynaidd oedd o.

'Wel, mae'r lle'n edrych yn well nag oedd o,' meddai Mari'n dawel. Roedd hi wedi sgrwbio'i stafell yn lân ac wedi'i thacluso. Doedd hi ddim yn hollol siŵr pam. Roedd rhywbeth wedi troi yn ei thu mewn, ac roedd llais bach wedi dweud wrthi, '*Dyna ddigon o hyn, rhaid i ti edrych i'r dyfodol, rhaid i ti wneud nyth ddiogel i ti dy hun neu mi gei dy hyrddio i'r llawr ac mi foddi di mewn môr o laid ac anobaith.*'

O'i phalas pinc-efo-tipyn-o-felyn edrychai allan drwy'r ffenest bob bore ar fyd hollol newydd: byd oedd yn bihafio fel rhiant caredig wedi iddo anafu ei ben mewn damwain a newid yn llwyr: yn frwnt, yn oriog, ac yn anwadal.

Bob bore erbyn hyn dilynai'r un ddefod: ar ôl deffro, edrychai allan drwy'r ffenest gyda'i *duvet* dros ei hysgwyddau. Yna'r un patrwm: gwisgo, molchi mewn dŵr glaw wedi'i hel yn ei dwylo drwy'r ffenest agored, gwisgo modrwy ei nain ar ei llaw dde, twtio, agor y drws, mynd drwodd ar hyd y landin i stafell Nico fel llygoden fach, rhag sefyll ar y styllen wichlyd, eistedd ar ei wely ac yntau'n cysgu, ei wylio'n deffro, gwylio'i lygaid yn chwilio amdani ac yna'n cau, aros i'w law ddod o hyd i'w llaw hithau, gwrando ar y glaw yn rhedeg ar hyd y gwter y tu allan i'r ffenest, gwrando ar ei anadl, gwrando ar y gwynt, gwrando ar ei chalon. Aros amdano, aros iddo eistedd i fyny yn ei wely. Byddai'n aros amdano am byth, mi wyddai hynny erbyn hyn.

Yn y bore bach, yn stafell Nico, teimlai'r wal yn galed ac yn oer yn erbyn ei chefn. Hoffai'r teimlad hwnnw, cadernid ac oerni'r hen ffermdy'n treiddio drwy ei chroen cynnes, reit i'w hasgwrn cefn. Roedd o'n hen deimlad. Gwyddai Mari fod ei nain a'i hen-nain wedi gorffwys a gosod eu cefnau yn erbyn y marmor hwn ac wedi cael yr un teimladau â hi. Ar yr un pryd, edrychai ar Nico'n cysgu'n dawel yn y gwely. Doedd o ddim yn chwyrnwr ac roedd hynny'n bwysig, rywsut, oherwydd byddai'n anoddach caru dyn a wnâi sŵn fel hen fochyn yn rhochian yn y baw. Roedd golwg ddiniwed arno; bachgen bach oedd o wedi'r cyfan, fel Huw, pan oedd o'n cysgu ac yn edrych fel y llun o gorff Che Guevara pan gafodd ei ladd ym Molifia. Roedd y fflwff sidanaidd ar ei foch yn awgrymu blew gwinau, fel ebol yn newid lliw yn y gwanwyn. Gwyliai Mari ei anadl yn codi ac yn gostwng o dan y dillad gwely ac arogl y ddaear arnyn nhw – bu'r tywydd yn rhy wlyb iddi fedru golchi unrhyw beth, ond doedd y gwely ddim wedi dechrau ogleuo hyd yn hyn, fel gwely Elin a Jac. Wrth wylio'i gorff diymadferth byddai Mari'n ymarfer ei stori. Dechreuai chwarae efo'r fodrwy, ac adrodd y frawddeg gyntaf iddi hi ei hun; yn wir, roedd pedair brawddeg gyntaf y stori'n gyflawn, ar ei chof, yn barod.

Dwi'n cofio wyneb 'Nhad, a'i arogl. Dwi'n cofio bod ar y swings efo fo yn y parc. Dwi'n cofio'r pricyls ar ei ên o'n cosi fy moch i. Dwi'n cofio fo'n eistedd ar ben y bwrdd yn gwisgo het bapur Dolig ar ei ben...

Ond doedd hi ddim yn cofio dim byd arall o gwbwl. Beth ddywedai hi wrth Nico pan ddeffrai o? Y gwir? Ond beth oedd y gwir? Fersiwn ei mam?

Gwelodd Nico'n stwyrian ac yn chwilio am ei llaw, neu'i glin, yn ei gwsg. Chwiliodd y llygaid brown amdani. Roedd hi yno. Aeth yn ôl i gysgu am ddeng munud, yna deffrodd ac edrych arni efo'i lygaid yn fawr o ganlyniad i'r cwsg.

'Haia.'

'Haia.'

Mân siarad am bum munud. *'Nes i freuddwydio am... ydi hi'n dal i fwrw glaw... tyrd yn nes ata i... rwyt ti'n teimlo'n neis...*

Ei gorff main, hir yn teimlo'n well na dim byd arall a gyffyrddodd hi yn ei bywyd.

Gyda'i boch yn ei wallt, dywedodd wrtho stori ei thad, o'r diwedd. Stori'r ail fedd yn y gadlas, o dan ffenest Yncl Wil. Bedd heb gymaint ag un blodyn plastig, bedd yn nofio mewn cawl diferllyd o bridd oer. Dywedodd wrtho am y tân ar y stad ddiwydiannol yn y ddinas. Y bomiau petrol, y dorf. Yna'r alwad frys i un o'r ysgolion ar gyrion y ddinas, yn un o'r *suburbs* tlawd, oedd yn rhan annatod o bob dinas fawr. Roedd giang o bedwar neu bum dyn wedi meddiannu'r ysgol ac wedi cymryd dros gant o blant yn wystlon. Roedden nhw'n mynnu arian a hofrennydd. Llawer o arian, miloedd o bunnoedd. Yn sydyn, gwelodd Mari ddelwedd o'i thad ar y teledu. Oedd y cofiant yn ddilys, 'ta wedi'i ddychmygu roedd hi? Amhosib iddi wybod. Ond gwelodd ei thad ar y teledu yn codi ei freichiau uwch ei ben ac yn cerdded drwy'r cordon, tua'r ysgol. Roedd distawrwydd llethol erbyn hynny; tawodd y meicroffon, tawodd y dorf a thawodd y seirenau.

Gwelodd ei thad yn cerdded yn araf, araf, tuag at ddrws yr ysgol, yna'n sefyll yn llonydd cyn siarad efo rhywun drwy un o'r ffenestri. Ar ôl deng munud… ugain munud… pwy a ŵyr faint o amser, camodd i mewn i'r adeilad, ac ymhen ychydig funudau daeth plentyn bach i'r drws. Hogan fach oedd hi, hogan fach ddu â'i chôt yn drwsgwl, efo'i bocs bwyd gwyrdd a llun llyffant arno yn ei llaw. Cerddodd yn araf i ddechrau, ac yna cyflymodd, tua'r dorf. Rhedodd dros y deg llath olaf. Rhedodd yn syth i freichiau ei mam. On'd ydi o'n beth rhyfedd, dywedodd Mari wrth Nico, pa mor sydyn y gwêl plentyn wyneb ei riant yn y dorf?

Ar y newyddion chwech o'r gloch cyhoeddwyd bod tad Mari wedi perswadio'r giang i gyfnewid plentyn yn ei le. Yna, ar y newyddion, gwelwyd llu o rieni yn mynd i'r drws yn gofyn am yr un cytundeb. Newid plentyn am riant. Roedd o'n gweithio. Aeth hanner cant o rieni drwy'r porth a daeth hanner cant o blant allan: plant o bob siâp a lliw'n cerdded, cyn rhedeg tua'r dorf. Yna aeth pethau'n chwithig. Yn lle rhiant yn croesi ar draws yr iard i'r drws, aeth milwr o'r SAS yn cario gynnau cudd. Aeth o i mewn i'r ysgol ar ôl cyfnewid plentyn. Yna clywyd sŵn tanio yn yr ysgol.

Yn hwyrach, ar newyddion deg, y newyddion diwethaf iddyn nhw ei weld cyn ymadael â'u cartref am y tro olaf, clywson nhw fod nifer wedi'u hanafu yn y ffrwgwd. Yn eu mysg, tad Mari. Saethwyd ef yn ei ysgwydd a'i fol. Roedd yn rhy beryg i ymweld ag o yn yr ysbyty y noson honno, ond mi aethon nhw i gyd yn y bore. Roedd o'n wael iawn, ond yn arwr. HERO COP SAVES SCHOOL KIDS oedd pennawd un papur newydd. Roedd ei lun ar bob sgrin deledu yn y wlad, ond welodd y teulu mo hynny, gan eu bod wrth erchwyn ei wely.

Yna bu terfysg ar y strydoedd wrth ymyl yr ysbyty, tra oedden nhw yn yr adeilad. Bu'n rhaid iddyn nhw ffoi; roedd y stryd ar dân… roedd yr ysbyty ar dân. Rhywsut cludwyd Dad allan o'r adeilad, efo'r drip yn ei fraich. Roedd car yn disgwyl amdanyn nhw wrth y drws. Pwy oedd y dyn a ddaliai'r drws, gan helpu i gario Dad i'r car, yna ei ddreifio fel gwallgofddyn drwy'r ddinas, drwy'r goleuadau coch, drwy'r tanau a'r terfysgwyr i'r wlad agored? Gyrru am oriau drwy'r nos, i'r fferm, a phawb arall yn cysgu. Deffrodd pawb heblaw Dad pan gyrhaeddon nhw'r fferm.

Jac oedd ei enw. Dyn distaw yn gyrru drwy'r düwch. Yn stopio ar y buarth. Yn diffodd y golau. Yn codi o'r car ac yn mynd at ddrws Dad. Yn ysgwyd Dad. Yn ei ysgwyd unwaith eto, yn ffyrnicach. Yn edrych i mewn i'w lygaid llonydd. Yn hel pawb heblaw Elin i'r tŷ. Yn aros efo nhw yn Nolfrwynog heb ddweud gair amdano fo'i hun. Yn sgrechian ar dop ei lais yn y caeau. Yn cysgu efo Elin, ond heb ei chyffwrdd. Yn colli'i bwyll yn ara deg yn y gwynt a'r glaw. Yn colli'r awydd i fyw.

19

Ar ôl pythefnos o ruo a threisio a malu, peidiodd y storm yn sydyn un noson. Daeth yr haul allan y bore wedyn mewn tawelwch pur. Wedi iddo godi'n araf ac yn ofnus – i ddechrau, doedd o ddim yn coelio'i glustiau – aeth Wil allan i ganol y buarth a sefyll yno efo'r ieir o gwmpas ei draed, i ailfesur ei deyrnas fach fwdlyd. Sychodd y llaid yn fuan yn yr haul tanbaid; gwelai Wil darth gwyn yn codi o'r domen i'r de, a niwl ysgafn yn esgyn fel mwg o'r bryniau uwch ei ben yn y gogledd. Roedd y ddaear yn sychu o flaen ei lygaid. Edrychodd o gwmpas ar y difrod: roedd llechi'r to wedi'u chwythu ar lawr yma a thraw, a llanast ym mhobman. Dyna'r storm waetha a welsai o erioed yn y gwanwyn: corwynt oedd wedi para am ddyddiau bwygilydd. Hwn oedd y diwrnod cyntaf ers hydoedd iddo fedru sefyll yng nghanol ei deyrnas ac edrych ar ei ddeiliaid pluog yn ymgrymu o'i flaen.

Amser maith yn ôl, pan oedd Wil yn blentyn, gwelai'r byd fel coeden enfawr yn ei gysgodi fel ymbarél; arni tyfai afalau di-ri, ac ym mhob afal roedd cyfrinach neu ryw wybodaeth amhrisiadwy. Gyda phob brathiad câi gyfle i ddysgu rhywbeth newydd, neu gymryd cam pwysig ymlaen yn y byd. Roedd pob munud yn dod â chyfleoedd newydd iddo. Ond erbyn hyn doedd dim un afal ar ôl. Trengodd y goeden a syrthio i'r llawr. Welai o ddim prydferthwch ar ôl yn y deyrnas, naill ai i'r gogledd neu i'r de, i'r dwyrain na'r gorllewin, chwaith. Dyn hapus efo llond bol o fwyd a digon o amser segur yn unig allai fwynhau prydferthwch. Doedd hyd yn oed ei deulu o ei hun ddim yn edrych yn hardd pan oedden nhw'n llwgu a'u hesgyrn yn dangos drwy eu crwyn. Doedd natur ddim yn hardd pan fyddai coed yn marw ar eu traed a defaid yn gorwedd blith draphlith ar y dolydd yn drewi. Doedd yr awyr las uwchben ddim yn hardd i'w lygaid y bore hwnnw chwaith, gan ei fod yn gwybod y medrai'r haul poeth ladd ei datws a chrasu'r hadau mân, fel y gwnaeth y llynedd. Roedd natur fel petai'n dial ar ddynoliaeth am y cam a wnaed â hi, yn talu'r pwyth yn ôl am sawl cweir a dderbyniodd dros y blynyddoedd.

Ystyriodd Wil y buarth, canolbwynt y bydysawd. Teimlai fel pry genwair bach wedi'i ddal mewn llif o ddŵr ac yn gwingo, yn llwyd ac yn llipa ar y llawr. Digwyddai rhywbeth y tu mewn iddo yntau hefyd; trigai sarff yn ei goluddion, ac weithiau byddai'n ei frathu â'i safn heintus. Yr eiliad honno teimlai don o boen yng nghanol ei fodolaeth. Daliodd ei fol â'i law chwith, plygodd ei ben, a chaeodd ei lygaid. Wrth sefyll yn gefngrwm felly ar y buarth yn ei sgidiau mawr du, clywodd lais bach yn galw o un o'r llofftydd. Llais Mari ydoedd. Ac mi oedd hithau mewn poen hefyd.

'Yncl Wil!'

Doedd ei boen ddim wedi lleddfu eto, a bu'n rhaid iddo aros yn ei unfan.

'Yncl Wil!'

Arhosodd heb symud, a daeth llif o eiriau i'w feddwl.

Pan ddêl Mai a'i lifrai'n las...

Roedd llais bach ym mhen Wil yn adrodd darn o farddoniaeth. Ond pam?

Pan – ddêl – Mai – a'i – lifrai'n – las... meddai'r llais, fel plentyn yn adrodd pennill yn ofalus, gan ynganu pob sillaf. Ei lais o ei hun yn yr ysgol erstalwm, efallai. Hwyrach fod ei ymennydd yn gwneud ymgais i'w helpu, yn ceisio tynnu ei sylw oddi ar y poen.

Pan ddêl Mai a'i lifrai'n las,
A'r irddail i roi urddas...

Oedd, mi roedd y poen yn diflannu. Sythodd yn araf, a throi tuag at Mari, wrth iddi hithau'n sefyll yn ffenest y llofft lle'r arferai Nico gysgu. Roedd hi wedi darganfod, felly, ei fod o wedi gadael.

'Ia, Mari fach?'

Dyna hi'n fis Mai'n barod, meddai Wil wrtho'i hun, a doedd Jac ddim wedi cau'r defaid o'r weirglodd eto. Be wnaen nhw am wair?

'Mae o wedi mynd, Yncl Wil,' meddai ei llais ymhell i ffwrdd.

Syllodd i fyny arni. Edrychai mor fychan yn y sgwaryn bach du o ffenest, a'i gwallt wedi'i stwffio i mewn i dipyn o glwt lliwgar, fel sipsi. Fe'i cofiai hi'n sefyll yno pan oedd hi'n hogan fach yn dod ar ei gwyliau, mewn amseroedd gwell... yn canu *Yncl Wil, ga i ddod i hel wyau efo chi plîs,* neu *Yncl Wil, ga i fwydo'r oen llywath plîs...*

Druan ohoni. Doedd Wil ddim yn gwybod llawer iawn am gariad, ond gwyddai fod Mari wedi mopio'i phen yn llwyr ar y llanc o wlad Pwyl, ac y byddai hwnnw'n torri ei chalon hi'n deilchion os na ddeuai'n ôl i Ddolfrwynog.

'Yncl Wil... ydach chi'n gwybod lle mae Nico'r bore 'ma?'

Roedd ei llais bach briwedig yn rhwygo'r awyr, a daeth y poen yn ôl. Gwingodd unwaith eto, a daliodd ei fol. Ond sylwodd Mari ddim ar hynny. Roedd ei llygaid wedi codi tua'r allt, tua'r mynydd; roedd hi wedi synhwyro'n barod ei fod o wedi mynd.

'Lle mae o, Yncl Wil?'

Doedd hi ddim yn edrych ar Wil, doedd hi ddim wedi sylwi ar ei boen. Rhedodd i lawr y grisiau, drwy'r tŷ, ac allan i'r buarth. Erbyn hyn roedd Wil wedi medru sythu.

'Mae o wedi mynd i nôl y moch.'

Syfrdanwyd hi gan y newyddion. Moch? I be ddiawl roedd eisiau moch? Esgus oedd y moch, esgus i ddianc.

'Paid â poeni, Mari fach, mi ddaw o'n ôl,' meddai Wil.

Clywodd hithau'r tinc dihyder yn ei lais, a chwarddodd yn groch.

'Yn ôl? Siŵr iawn na ddeith o ddim yn ôl. I be ddiawl 'sa fo'n dod yn ôl i fan'ma? I dwll o le fel hwn? Ydach chi wedi mynd yn wirion yn eich pen? Welwn ni byth mohono fo eto, Yncl Wil. Mae o wedi diflannu am byth.'

Symudodd i ffwrdd oddi wrtho yn araf, tua'r allt a âi i fyny'r mynydd.

'Paid, Mari, da chdi. Mae gynnon ni ddigon o broblemau yn barod heb orfod poeni amdanat ti. Mae hi'n rhy beryglus ar y mynydd, ac mae o wedi mynd ers neithiwr. Wnei di byth 'i ddal o. '

Stopiodd hithau wrth y giât, a'i llaw ar y gliced. Be wnâi? Ei ddilyn... ia, mynd ar ei ôl, dim ots be ddigwyddai. Fyddai 'na ddim pwrpas i'w bywyd yn y lle hwn. Agorodd y giât, ac aeth drwyddi. Yna, wrth iddi ddechrau ar ei thaith i fyny'r allt, gwaeddodd Wil ar ei hôl.

'Mari! Mari!'

Stopiodd, a throi tuag ato. Roedd hi'n edrych fel y ddoli leiaf mewn *babushka* Rwsiaidd, doli fach bren a fu y tu mewn i ddoli fach arall, oedd wedi bod y tu mewn i ddoli arall. Dyna oedd plant, mewn gwirionedd, yntê? Dolis bach yn dod o du mewn dolis yr un siâp a'r un lliw...

Oedd o'n dechrau ramblo? Oedd y poen a'r newyn yn dechrau dweud arno? Roedd rhywbeth arall yn ei boeni hefyd. Roedd o wedi rhoi benthyg ei wn i'r llanc o wlad Pwyl. Jyst fel 'na, heb feddwl ddwywaith. Oedd o wedi gwneud y peth iawn, tybed? Fyddai drws y llofft stabal yn gwichian yn agored yng nghanol y nos? A ddeuai rhu ofnadwy a golau coch, yna düwch a distawrwydd gorffenedig?

'Ia, Yncl Wil?'

Roedd Mari yn edrych i lawr arno ac yn aros...

'Huw,' meddai Wil. 'Dydi o ddim yn dda. Heb stwyrian o'i wely heddiw, ac mae o'n wyn iawn. Wnei di ddod i roi help llaw?'

Doedd Wil ddim wedi bwriadu gofyn am help Mari, ond gwelodd ei gyfle i'w chadw ar y fferm. Bu'n llwyddiannus.

'Be sy'n bod arno fo?'

'Dydw i ddim yn gwybod. Rwyt ti'n well na fi efo petha fel 'na. Wnei di ddod i'r llofft stabal i gael golwg arno fo?'

Yn araf, daeth Mari yn ôl i lawr i'r buarth drwy'r giât. Aeth heibio i Wil heb edrych arno.

'Dwi'n gobeithio'ch bod chi'n dweud y gwir,' meddai drwy ochr ei cheg.

Ymhen hanner awr roedd y buarth yn fwrlwm o fynd a dŵad rhwng y tŷ a'r llofft stabal. Rhedodd Mari i'r tŷ; rhedodd Elin o'r tŷ i'r llofft stabal; cerddodd Elin o'r llofft stabal i'r tŷ yn araf gyda Huw yn llipa yn ei breichiau; rhedodd Mari o'r tŷ i'r ffynnon ac yn ôl efo'r bwced coch Lloyds Animal Feeds, yn wag ar y ffordd yno ond yn slopian dŵr oer i mewn i'w hen drainars, gan wlychu'i thraed, ar y ffordd yn ôl. Yna rhedodd Mari i'r afon efo llwyth o olch yn ei breichiau. Erbyn iddi ddod yn ôl a'u rhoi ar y lein i sychu, roedd y llieiniau'n lanach ond doedden nhw ddim llawer gwynnach.

Erbyn y prynhawn cysgai Huw yng ngwely ei fam, ar ddillad gwely ffres, ar ôl i'w fam ei olchi gymaint ag y medrai; roedd o'n rhy swrth i wneud ffys pan olchodd hi ei gorff bach gwyn. Roedd 'na gysgodion trwm o dan ei lygaid a sylwodd ei fam, am y tro cyntaf, pa mor denau oedd o. Dechreuodd wylo'n dawel wrth dendio arno. Sut ar y ddaear nad oedd hi wedi sylwi ar ei gyflwr truenus cyn hynny? Roedd ei gorff fel sgerbwd. A hithau, ei fam, ddim wedi sylwi ar hynny. Teimlodd don fawr boeth o gywilydd yn cochi ei hwyneb. Ei mab hi ei hun yn y ffasiwn gyflwr, a hithau'n gorwedd yn ei gwely drwy'r dydd. Teimlodd ei dalcen, ac roedd hwnnw'n boeth o dan ei bysedd. Am weddill y dydd arhosodd wrth erchwyn ei wely, yn dampio'i wyneb efo dŵr oer ac yn estyn dŵr iddo ar lwy. Erbyn naw o'r gloch y noson honno roedd o wedi dechrau gwella, a chysgodd yn esmwyth drwy'r nos.

Pan gyrhaeddodd y wawr teimlai Elin fod y gwaethaf drosodd, ac iddi hithau fod yn lwcus y tro hwn. Ond wedi cael y ffasiwn fraw, tyngodd lw iddi hi ei hun na fyddai'n esgeuluso'i phlant byth eto. Y bore canlynol aeth y bwced coch yn ôl ac ymlaen rhwng y tŷ a'r ffynnon droeon; sgrwbiodd Elin y llofft yn ofalus ac aeth i nôl blodau gwyllt o'r cloddiau i addurno'r hen gabinet wrth ochr y gwely, a silff y ffenest. Yn araf, dros y dyddiau nesaf, daeth i ailnabod ychydig ar ei mab. Sylwodd pa mor anhapus oedd o. Gorweddai Elin ar ei hyd wrth ei ochr ar y gwely gan ddweud wrtho dro ar ôl tro:

Wna i byth hynna eto, Huw… byth eto.

Doedd dim posib gwybod beth oedd achos y dwymyn. Holodd beth oedd o wedi'i fwyta. Ychydig iawn oedd yr ateb. Lle roedd o wedi bod? Yn pysgota yn y llyn. Yn y llyn? Oedd 'na bysgod yn y llyn? Oedd, roedd 'na bysgod mawr yn y llyn, a phob math o bethau eraill hefyd. Siapiau mawr duon yn symud yn araf. Roedd y llyn wedi tyfu. Oedd hi wedi sylwi? Roedd y dŵr wedi symud yn araf drwy'r llwyn yng ngwaelod Cae Dan Tŷ ac wedi meddiannu'r bonion; safai'r coed fel plant yn y dŵr, yn gwylio'r llanw yn dod i mewn, yn ei wylio'n llyncu eu coesau.

Oedd Huw wedi yfed o'r llyn?

Oedd.

Ai hynny a'i gwnaeth yn sâl?

Efallai... roedd o wedi trio cnoi un o'r pysgod hefyd.

Cnoi un o'r pysgod? Beth aflwydd ddaeth drosto?

Eisiau bwyd, Mam. Bron â llwgu. Y pwysau trwm 'na yn ei fol.

Wylodd Elin yn dawel ar y gwely, a'i mab yn ei breichiau. Ei mab hi ei hun yn cnoi pysgod amrwd.

I lawr y grisiau, yn y distawrwydd poeth a ddeuai dros y ffermdy bod dydd, gwnaeth Mari wy 'di ferwi i Huw bob bore ac wedyn, yn ddistaw wrth y bwrdd, peintiodd wy Pasg i nodi absenoldeb Nico; ymhen wythnos roedd saith wy Pasg yn rhes ar silff y ffenest, pob un ohonyn nhw mewn tusw o fwsogl gwyrdd a chyda blodau bach gwyllt yn gadwyn o'u hamgylch.

20

Mis Mai. Ŵyn bach gwyn, diniwed, dibechod, yn chwarae ac yn sboncio. Adar y to'n parablu ac yn ymdrochi yn y llwch mân wrth y cwt ieir. Awyr las ddigwmwl. Y caeau'n cysgu yn yr haul dan gwrlid newydd o flodau menyn a llygad y dydd. Lleuad llawn yn fawr ac yn wyn yn y nefoedd pan ddeuai'r nos.

Roedd Mari'n synfyfyrio yn y gegin. Tybed pryd roedd y Pasg? Efallai fod yr ŵyl wedi digwydd yn barod. Ebrill oedd yr adeg arferol ar gyfer y Pasg, yntê? Heb na radio na theledu yn y tŷ, doedd 'na ddim byd ond hen galendr y medren nhw gysylltu ag o ynglŷn â phethau fel 'na. Pryd oedd dydd Gwener y Groglith? Doedd neb ddim callach yn Nolfrwynog. Pa ots, beth bynnag? Dim ond Elin fyddai'n potsian efo crefydd. Ond, er hynny, roedd wyth wy Pasg ar silff ffenest y gegin, a'r haul cynnar yn taro arnyn nhw. Yn ogystal â'r wy Pasg a wnaed gan Nico ei hun, roedd Mari wedi ychwanegu saith arall, un am bob diwrnod y bu ei hanwylyd i ffwrdd.

Ar bob un ohonyn nhw peintiodd Mari ddau ffigwr bach, a'r ddau'n nesáu at ei gilydd. Ar yr wy cynta roedden nhw'n sefyll gefn wrth gefn, y naill ar un ochr i'r wy a'r llall yr ochr arall. Yn ffyddlon i'w hatgofion ohono, rhoddodd Mari wallt cyrliog ar ben Nico a thatŵ ar ei fraich chwith, yn union fel ei datŵ o – llong fach las yn hwylio ar donnau bach glas. Peintiodd y llong efo un o'i hamrannau ei hun. Heddiw, yn y bore bach, roedd hi wrth y bwrdd unwaith eto, efo wy ffres, newydd ei olchi, yn ei llaw. Ceisiai benderfynu pa ddarlun i'w beintio ar hwn, wedi i Huw ei fwyta, wrth gwrs. Roedd Mair a Nico'n cofleidio ar wy ddoe; be wnâi ag wy heddiw?

Roedd un ffaith syml wedi'i chynnal yn ystod yr ymwahanu; roedd Jac wedi dilyn Nico i'r mynydd gan gario ei wn efo fo – ac ni ddeuai'n ôl, meddai, nes byddai'n gwybod, y naill ffordd neu'r llall, beth a ddigwyddodd i'r llanc o wlad Pwyl. Safai Mari mewn heulwen felen boeth yn y gegin yn dyfalu be ddylai hi ei beintio ar wy heddiw. Newid cywair efallai. Llun o Huw ac Yncl Wil yn trafod yr ieir ar ganol y buarth. Byddai peintio iâr ar y plisgyn yn eironig ac yn ddwys. Roedd Huw wedi gwella a bu Elin wrthi'n trwsio ac yn golchi ei ddillad, ac felly edrychai'n lanach ac yn hapusach nag y gwnaethai ers misoedd lawer. Gwenai o bryd i'w gilydd, a chlywid ef yn chwerthin, hyd yn oed pan wnâi bethau nad oedd o'n rhy hoff o'u gwneud, fel blingo cwningod a glanhau'r pysgod yn barod i'w coginio. Roedd ei fam, hefyd, wedi newid, yn brysur o gwmpas y tŷ a'r buarth, ac yn gwneud be fedrai i helpu Wil, ei brawd. Sylweddolodd, o'r diwedd, ei fod yntau'n wael a bod angen cysur arno.

Ac felly, yn nyddiau cynnar Mai, dyddiau crasboeth a sych, daeth newid i Ddolfrwynog. Bu'r pedwar wrthi'n cario dŵr mewn hen lestri – ac yn y bwced coch, wrth gwrs – i gadw'r tatws yn fyw. Aethon nhw ill pedwar i lawr i'r llyn ac edrych i mewn i'w ddyfnderoedd. Credai un ohonyn nhw iddo weld pysgodyn enfawr yn nofio'n araf ynddo; gwelsai un arall siâp fel octopws yn creu cysgod fel mantell anferthol ar waelodion bas y llyn; gwelsai Mari fôr-forwyn efo gwallt euraid yn cyrraedd at ei chanol. Ni fentrodd 'run ohonyn nhw i mewn i'r dŵr, er y caent eu temtio rhywsut. Roedd arnyn nhw ei ofn o mewn ffordd gyntefig, heb fod ganddynt reswm. Roedd ganddo nerth enfawr yn ei gysgodion, a grym aruthrol drostyn nhw.

Yn nistawrwydd llethol y cwm, chlywen nhw ddim sŵn o gwbl heblaw am y dŵr yn llarpio ymyl y tir, a chri aderyn rheibus yn cylchdroi uwchben yn yr awyr fythol las.

'Shhh... ' meddai Wil. Pwyntiodd at ei glust, ac yna tua'r creigiau ym mhen draw'r dyffryn. 'Glywsoch chi?'

Safodd y pedwar ffigwr yn llonydd wrth ymyl y dŵr mawr.

'Beth oedd o, Yncl Wil?' gofynnodd Huw.

'Llwynog,' meddai Wil. Gwrandawodd pawb, gan edrych yn eiddgar i gyfeiriad y creigiau. A do, mi glywson nhw gyfarth unig yn dod o'r cyfeiriad hwnnw.

'Neu rywun yn trio gyrru neges,' meddai Huw, yn meddwl am yr Indiaid Cochion yn ei lyfrau draw yn y tŷ. Doedd o ddim wedi sbio arnyn nhw erstalwm. Hwyrach mai Big Chief Sitting Bull oedd yno'n dynwared cri'r *coyote* i rybuddio bod rhai o lwyth y Sioux ar eu ffordd...

Huw a welodd nhw gyntaf – y fintai o lwyth yr Arapaho neu'r Cheyenne yn disgyn i lawr ochr y mynydd yn y pellter: tua ugain ohonyn nhw'n symud, fel haid o wenyn yn ymgynnull mewn gardd flodau.

'Sbïwch,' meddai Huw, gan godi'i fys i gyfeiriad y mynydd – yn falch mai fo a welsai nhw gyntaf. Clustfeiniodd, gan geisio clywed udo'r gwroniaid cochion wrth iddyn nhw baratoi i farchogaeth tuag atyn nhw ar garlam. Teimlai Huw wefr o arswyd yn codi o'i goesau. Â'r llyn ar y naill ochr yn barod i'w lyncu, a mintai o Sioux ar yr ochr arall, teimlai fod pethau'n mynd o ddrwg i waeth. Ai marwolaeth sydyn oedd yn carlamu tuag ato – a saeth yn ei drywanu heb iddo wybod – ynteu marwolaeth araf, boenus, a chorun ei ben yn crogi oddi ar wregys un o'r dewrion?

'Ond be 'di hwnna?' gofynnodd Yncl Wil. Pwyntiai

uwchben yr Indiaid Cochion, tuag at grib y mynydd. Yna, mi welson nhw gawr yn disgyn i lawr y llethr, yn dilyn yr Indiaid. Roedd y cawr yn ymddwyn fel ci defaid, yn mynd o'r naill ochr i'r llall ac yn hel y fintai i lawr tuag at giât y mynydd. Roedd yn llusgo sach fawr ddu ar ei ôl.

'Myn uffarn i,' meddai Wil. 'Nico 'di hwnna. Mae o wedi dod o hyd i'r moch. Ia! Blydi moch ydyn nhw. '

Gwrandawodd pawb am unrhyw sŵn yn y gwynt. Ac yn wir, clywodd Huw *ia-ia-ia-iaaaa*, yn union fel cri'r Sioux yn y gwynt. Roedd Nico ar gefn ceffyl, ac yn tywys ceffyl arall ar ei ôl.

'Nico!' meddai Mari, a chyn i neb arall ddeall yn iawn beth oedd yn digwydd roedd hi wedi rhedeg hanner ffordd i fyny'r cae.

'Nico!' meddai eto ar dop ei llais. Ac eto, pan oedd hi allan o'r golwg yn y buarth. Roedd ei llais yn swnio fel carreg ateb erbyn hyn.

'Sbïwch arni,' meddai Elin gyda gwên hynaws, oddefgar. Chwe mis yn ôl byddai wedi mwmian, 'pathetig, Mari' o dan ei gwynt, efallai, ond roedd pethau wedi newid. Roedd ei merch wedi syrthio mewn cariad. A pham lai, roedd o'n hogyn golygus, cryf. Buasai hithau wedi gwneud yr un peth. A dyma fo'n dod yn ôl, yn dod i lawr ochr y mynydd efo cenfaint o foch, gan ddod â bwyd iddyn nhw i gyd. Clywai Elin lais ei merch yn gwanhau wrth iddi ymbellhau ar ei ffordd drwy'r buarth, i fyny'r allt serth, i fyny'r ffriddoedd, i fyny tuag at giât y mynydd lle roedd Nico'n mwynhau hoe fach ar ôl hel y moch drwyddi. Roedd y moch hwythau'n rhochian ac yn palu'r tir, fel petaen nhw oedd bia fo'n barod. Rhedodd Mari ato a thaflodd ei hun i mewn i'w freichiau. Edrychai yntau fel dyn yn ei amddiffyn ei hun yn hytrach na dyn yn derbyn ei gariad i'w fynwes. Bu bron iddo â syrthio ar ei gefn, gymaint oedd ei hangerdd, a bu'n rhaid iddo ddal ei wn yn yr awyr uwch eu pennau, rhag ofn iddo danio.

'Hey now, you be careful!' meddai Nico. Ogleuodd ei gwallt o dan ei ên. Er hyn i gyd, teimlai gynhesrwydd yn ei galon tuag at y ferch hon, a'i chorff bach caled a'i straeon ystrywgar...

'You like my pigs?'

Edrychodd hithau ar y moch. Be fedrai hi ei ddweud am genfaint o foch budr a drewllyd?

'They're lovely, Nico,' atebodd. Erbyn hyn roedd hi wedi cael cyfle i weld mwy ar yr olygfa o flaen ei llygaid: y moch du a gwyn, y ceffyl mawr du a fu'n cario Nico, a'r ceffyl brown ysgafn efo mwng golau y tu ôl i hwnnw, a phac mawr ar ei gefn. Roedd y ddau anifail wedi manteisio ar y cyfle i bori'r glaswellt ar ochr y clawdd wrth giât y mynydd.

Yna, sylwodd Mari fod cnawd Nico wedi'i gleisio mewn sawl man; roedd cylchau glasddu ar ei foch, ar ei wddw, ac o dan y tatŵ. Daliai ei hun, hefyd, fel dyn oedd yn dioddef ar ôl iddo fod yn ymladd.

'Aw!' meddai pan stwffiodd Mari ei phen rhwng ei ysgwydd a'i ben.

'You OK, Nico? What happened?'

Edrychodd yntau arni efo'i lygaid brown a gwyrdd. Faint o'r gwir ddywedai o wrthi? Faint o'r gwir roedd hithau wedi'i ddweud wrtho yntau? Pa mor bwysig oedd y gwirionedd erbyn hyn?

'I fall off horse.'

Gwelai nad oedd hi'n ei goelio.

'Horse fall crossing river, I fall into stones.'

Ddywedodd hi ddim gair. Roedd o yma yn ei chwmni, yn ôl yn Nolfrwynog, dyna oedd yn bwysig. Dim ots os oedden nhw'n byw fel actorion mewn Western erbyn hyn. Roedden nhw'n fyw, roedd eu calonnau'n curo a'r gwaed yn llifo drwy eu cyrff. Dyna oedd bywyd bellach. Bod yn fyw.

'I bring you food, yes?'

Nodiodd Nico tuag at y pac ar gefn yr ail geffyl.

'I bring flour for bread, other things too.'

Rhoddodd Mari ei breichiau o amgylch ei gorff, a'i wasgu mor dynn ag y medrai. Gwingodd y llanc unwaith eto.

'Sorry, Nico. Thank you, Nico. Thank you for bringing us food. Thank you for coming back.'

'You not expect me to come back?'

'No.'

'Hey, you silly girl! Nico always come back!'

Suddodd ei hwyneb yn ei grys, yr un crys ag a wisgai pan adawodd hi wythnos yn ôl. Yr arogl... beth oedd yr arogl? Aeth ei meddwl ar garlam drwy gannoedd o bosibiliadau. Ac yna daeth un posibilrwydd pendant i'r fei: arogl tanio gwn oedd yr arogl cryfaf yng nghrychau'r crys. A'r llall?

Beth oedd y llall? Roedd ei thrwyn bach brown yn trio dweud wrthi bod arogl gwaed ar y defnydd hefyd. Ond sut hynny? Doedd 'na ddim staen. Ac eto, deuai arogl gwaed i'w ffroenau o rywle. Yn ei dychymyg roedd o, mae'n rhaid. Ymlonyddodd Mari ac ymlacio yn ei freichiau, a rhoddodd gusan hir, angerddol, i'w chariad fel math o groeso yn ôl iddo, croeso i'w gartref newydd yng Nghymru.

21

Roedd y moch yn y cae – ond ble yn y byd roedd Jac? Bu'n destun pob sgwrs tan yn hwyr y noson honno yn ffermdy Dolfrwynog. I Elin yn unig roedd ei ymadawiad wedi creu anhapusrwydd, gan nad oedd o'n golygu llawer iawn i'r gweddill. Yn ystod yr wythnosau diwethaf, roedd o wedi bod yn dawel iawn, yn wir bydden nhw'n lwcus o gael gair o'i ben ar adegau. Tybed oedd o wedi colli'i bwyll, ac yn cerdded y mynydd fel anifail gwyllt? Wedi'r cyfan, bu'n udo ac yn sgrechian ar y dolydd, a rhedai ar ôl y defaid fel blaidd newynog. Y creadur druan, meddai Wil. Hwyrach ei fod o wedi syrthio ar ei ben i mewn i un o'r corsydd. Dychmygai Huw ddwy welington fudr yn nofio ar wyneb rhyw bwll du o ddŵr mawn efo bybls yn codi i'r wyneb. Doedd Huw erioed wedi bod yn hoff o Jac, gan ei fod wedi cymryd lle ei dad mor ddisymwth, heb iddo gael 'run gair o esboniad.

Yn anffodus, roedd Jac wedi mynd ag un o'r gynnau efo fo, meddai Wil. Ond, ar y llaw arall, roedd Nico wedi dod â gwn newydd sbon yn ôl efo fo, a llwyth o getris hefyd. Yn ogystal, roedd o wedi dod â blawd, halen, burum, a thuniau o fwyd. Ia, tuniau, meddai Wil – pryd welodd o duniau ddiwethaf?

Ar ôl tanio'r stof aeth Elin ati i wneud toes. Eisteddodd pawb o amgylch y ddwy fowlen fawr yn disgwyl i'r toes godi, fel y bydden nhw'n gwylio'r teledu erstalwm; weithiau codai un ohonyn nhw ar ei draed i edrych o dan y llieiniau, er mwyn gweld beth oedd yn digwydd. Oedd, mi roedd o'n codi'n champion, meddai Wil. Diolch i Dduw fod Elin yn cofio sut i wneud bara. Roedd yn syndod faint o bethau fel 'na oedd yn ddirgelwch llwyr iddyn nhw bellach: sut i wneud bara, sut i dyfu llysiau, sut i drin afiechyd heb gyffuriau ·modern. Anghofiwyd am bopeth yn ystod y blynyddoedd cyfoethog.

Chwarddodd Nico pan welodd yr wyau Pasg. Gwnaeth un ei hun gyda'r nos er mwyn gorffen y casgliad; rhoddodd y plisgyn newydd ar y pen pella, fel bod wyau Nico'n sefyll bob ochr i wyau Mari. Codai'r wy newydd wên ar wynebau pawb wrth ddangos Nico a Mari efo dau fochyn rhyngddyn nhw, yn dal dwylo ac yn dawnsio mewn cylch. Roedd Nico wedi peintio trwynau moch ar wynebau fo a Mari, ac wedi ychwanegu cynffonnau cyrliog yn dod rownd o'u tinau. Wedi i'r bara bobi – roedd bron yn hanner nos erbyn hynny – mwynhawyd gwledd fach syml o fara ffres ar ei ben ei hun. Âi darn o fara drwy safn un ohonyn nhw cyn gynted ag y câi ei rwygo oddi ar y dorth.

Disgynnodd distawrwydd dros y stafell unwaith eto, heblaw am sŵn eu cegau'n cnoi ac yn sglaffio, fel petai llond cwt o gŵn yn bwyta gweddillion cinio dydd Sul. Roedden nhw fel canibaliaid yn bwyta corff cenhadwr ar draethell unig yn ynysoedd y de, rywle ymhell i ffwrdd, meddai Wil wrtho'i hun. Dychmygai domen fawr o esgyrn gwyn yn sgleinio yng ngolau'r lleuad, fel eu tomen hwythau ar y buarth yn Nolfrwynog, a drymiau'n curo drwy'r nos. Fyddai pethau fel 'na wedi digwydd mewn gwirionedd, 'ta straeon celwydd golau oedden nhw? Ar y llaw arall, roedd hi'n bosib fod petha fel 'na yn dal i ddigwydd heddiw – pan âi pobl normal heb fwyd am gyfnod maith, mi fydden nhw'n fodlon bwyta unrhyw beth, pobl eraill hyd yn oed. Roedd o wedi digwydd yn y gorffennol. Gwelsai ffilmiau yn ymwneud â'r pwnc, fel yr hogia ysgol 'na o Dde'r Amerig yn bwyta'u cyd-ddisgyblion ar ôl i'w hawyren lanio ar frys ym mynyddoedd yr Andes, neu rywle fel 'na. Edrychodd Wil ar Nico ar draws y bwrdd yng ngolau'r gannwyll, ac yn wir roedd o'n edrych fel canibal; roedd o wedi dal yr haul, a bellach roedd o'n frownddu. Dychmygai Wil asgwrn drwy'i drwyn, a drymiau'n eu byddaru nhw yn y nos.

'Miwsig,' meddai Wil yn sydyn.

'Pardon me?' meddai Elin.

'Beth am dipyn o fiwsig?' meddai Wil unwaith eto. 'Fel yn yr hen ddyddia.'

Cododd a mynd at yr hen biano yn y parlwr. Roedd 'na bob math o geriach arno, ond teimlai Wil yn benderfynol a symudodd bopeth oddi arno. Cododd y caead, a thrawodd rai nodau efo'i fys mawr budr.

'Tyrd o 'na Elin, rho diwn i ni rŵan,' meddai drwy'r drws.

'Ia, dewch o 'na, Mam, caiff Nico glywed tiwn Gymreig,' meddai Mari, wrth geisio denu ei mam i'w chwarae. Ond digon gwantan oedd y canu a ddaeth drwy ddrws y parlwr i glustiau Nico.

Dechreuodd Wil efo 'Ar Lan y Môr', ond erbyn iddo gyrraedd 'rhosys cochion' roedd o wedi anghofio'r geiriau. Er dechrau cân ar ôl cân, aeth neb ymhellach na'r pennill cyntaf.

'Dewch o 'na, rhaid i ni ganu 'Hen Wlad fy Nhadau' i Nico 'ma,' meddai Wil, pan gododd Elin o'r piano. Roedd ei llaw ar y caead yn barod i'w gau.

Aileisteddodd, a'r tro hwn roedd pawb yn cofio'r geiriau, felly aethon nhw drwyddi ddwywaith.

'This is our national song,' meddai Wil wrth Nico drwy'r drws, mewn llais balch. Ond roedd Nico wedi mynd i gysgu, a bu'n rhaid ei ddeffro a'i hel i'w wely. Aeth Mari i fyny'r grisiau ar ei ôl, ac arhosodd efo fo yn y llofft. Doedd dim ots erbyn hyn – mi wyddai pawb amdanyn nhw. Doedd ei mam ddim yn ddall ac roedd hi hefyd wedi deall bod cariad wedi magu rhyngddyn nhw. Gorweddodd Mari yn y gwely cul wrth ochr Nico, heb iddo wybod ei bod hi yno – gan ei fod o'n cysgu fel babi erbyn hyn. Wrth dynnu ei sgidia, sylwodd Mari fod rhai o'r pwythau ar hyd y gwadnau wedi newid eu lliw, o fod yn felynddu i liw coch. Roedd staen tywyll ar ei jîns hefyd. Oedd, roedd o wedi bod yn ymladd efo rhywun neu rywbeth.

Ac eiddo pwy oedd y blawd a ballu? Pwy oedd biau'r gwn, y moch a'r meirch? Roedd Mari'n ddrwgdybus. Caeodd ei llygaid, ond doedd ganddi ddim gobaith o fynd i gysgu gan ei bod hi wedi cynhyrfu gormod. Nico. Aeth yr enw drwy ei dychymyg dro ar ôl dro fel trên ysbrydion yn mynd drwy dwnnel tywyll; roedden nhw ill dau'n eistedd ym mlaen y trên ac yn sgrechian, yntau a'i fraich amdani ac yn gafael yn dynn ynddi. Gwe pry cop yn cosi'i thrwyn, sgerbwd efo llygaid coch llachar yn neidio allan o'u blaenau, bwgan yn chwerthin yn groch o gilfach dywyll. Roedd o wedi dod yn ôl ati ac yn ei charu, er gwaetha'r ffaith fod byw yn Nolfrwynog fel bod ar drên ysbrydion tragwyddol ar hyn o bryd. Yncl Wil oedd y sgerbwd, gan ei fod wedi colli cymaint o bwysau. Jac oedd y bwgan, yn diflannu i'r tywyllwch ac yna'n sgrechian yn sydyn yn eu clustiau.

Roedd rhywbeth arall ar ei meddwl wrth i'r cŵn udo ar y buarth, a thra hwyliai'r lloer yn ddistaw uwch eu pennau yn y tywyllwch. Y trydydd bedd. A ddyliai hi barhau efo'r pantomeim – y straeon, y fodrwy, y ddefod foreol? Oedd 'na bwynt i hynny bellach? On'd oedd o'n dod yn ôl bob tro beth bynnag? Efallai mai un rheswm pam y dychwelodd oedd am iddi eistedd ar ei wely yn adrodd chwedlau bob bore. Pwy a ŵyr?

Trodd ar ei hochr i'w wynebu ac edrychodd ar y tatŵ yn fanwl. Roedd y llong reit yn ymyl ei llygaid, yn edrych yn fawr yng ngolau'r lleuad, fel petai newydd ei tharo gan dorpedo ac wedi codi ar ei phen blaen yn y dŵr, a'i thin yn yr awyr, yn barod i suddo o dan y don. Symudai'n araf i fyny ac i lawr gyda phob anadl. Arhosodd Mari felly am funudau bwygilydd yn ogleuo croen heulboeth ei chariad, ac yn dychmygu'r llongddrylliad ar ei fraich. Yna, cododd y dillad gwely'n dyner dros y tatŵ a dychmygu'r llong yn suddo i mewn i'r môr. Byddai'r ffrwydradau, y mwg, y dŵr byrlymus a'r goleuadau'n diflannu. Pobol yn gweiddi, yn galw enwau eu plant, eu priod, neu eu cyfeillion... yna distawrwydd y nos, a lleuad lawn fel yr un uwchben Dolfrwynog yn goleuo'r tonnau fel arian byw. Yn ei dychymyg gwelai rafft, neu gwch efallai, a merch arni a dyn ifanc yn penlinio, y llanc yn gafael yn ysgwyddau'r ferch, a hithau'n siglo baban yn ei breichiau. Clywai gri'r baban, llais isel y llanc, sibrydion y ferch. Pwy oedd y teulu bach 'ma ar y môr mawr?

Bu'n hepian am ychydig, yna trodd ei chefn tuag ato, a'i chorff yn fwa o fewn ei fwa yntau. Y trydydd bedd – mi ddechreuai ar y stori honno yfory. Stori Rhiannon o fferm Pant yr Haul, dros y dŵr. Bu'r llyn yn gyfrwng bywyd newydd a rhyddid i Rhiannon, ond bu'r dŵr yn gyfrwng angau hefyd.

22

Eisteddai Nico i fyny yn y gwely, yn edrych ar Mari. Ai breuddwyd oedd teimlo'i chorff cynnes yn y nos, a'i hanadl ar ei fraich? Roedd hi'n eistedd mewn cadair yn y gornel yn ei ffrog-dweud-stori, a'r fodrwy ar ei bys unwaith eto. Ond yn hytrach na dechrau'r ddefod yn y modd arferol, adroddodd hanesion y fferm yn ystod yr wythnos y bu Nico i ffwrdd yn nôl y moch. Bu Huw'n wael a bu'n rhaid iddo aros yng ngwely ei fam am rai ddyddiau. Daeth Yncl Wil o hyd i wy iâr mewn nyth na wyddai neb amdani, yn y sied wair, ac roedd o wedi rhoi X fawr newydd ar ei siart yn y llofft stabal. Roedd o am guddio'r bore hwnnw, er mwyn iddo gael gweld p'run o'i harem oedd yn dodwy yno. Roedd Jess yr ast yn feichiog. Wedi iddo gryfhau tipyn, aeth Huw am dro ddoe gan ddod adre a'i wynt yn ei ddwrn. Credai iddo weld Jac yn eistedd ar ganghennau uchaf un o'r coed sycamor ym mhen pella'r caeau. Roedd posibilrwydd, wrth gwrs, mai hen fag plastig du oedd o.

Edrychodd Nico ar Mari yn ei ffrog-dweud-stori, a'i gwallt wedi'i stwffio i mewn i sgarff liwgar, er mwyn edrych yn hŷn nag oedd hi. Oedd, mi oedd hi'n rhy ifanc iddo fo o bell ffordd, ond roedd hi'n aeddfetach o lawer na'r rhan fwya o ferched o'i hoedran hi. Hefyd, roedd cyflwr di-drefn y byd wedi lluchio pobl ifanc at ei gilydd mewn ffordd annisgwyl; roedd 'na lai o ddewis, ac roedd moesau cymdeithasol wedi newid. Angen a yrr yr hen i redeg – a'r ifanc i garu. Roedd y ferch yma wedi rhoi ei chalon iddo, a mwy, ond doedd hi ddim wedi dweud wrtho eto ei bod hi'n ei garu. Mewn ysbaid o ddistawrwydd yn y stafell, gofynnodd iddi:

'How you say *I love you* in Welsh?'

Cochodd hithau ar unwaith a phlygu ei phen tua'r llawr.

'We don't say that sort of thing in Welsh. It sounds... a bit clumsy.'

'Clumsy?'

'Not right... you don't feel right when you say it.'

'Well say it, anyway.'

'No.'

'Don't be crazy,' meddai Nico. 'I don't want you to love me, just say the words, then I know what they sound like.'

Cochodd Mari unwaith eto. Dyna fo wedi dweud y gwir o'r diwedd – doedd arno fo ddim eisiau ei chariad. Doedd hi ddim yn ddigon da iddo fo. Cododd yn sydyn o'r gadair.

'Where you going?'

'Mind your own business.'

'Hey now, don't get mad. I was only asking you question. I don't know anything about your language – you talk it all day to each other, how am I supposed to know what's going on?'

Arhosodd y ddau yn llonydd, yn gwylio'i gilydd.

'Come on now, please sit down and talk to me. I can't read your mind. I only want to know what words sound like in your language.'

Plygodd Mari ac eistedd eto, yn wylaidd. Edrychodd ym myw ei lygaid.

'Dwi'n dy garu di.'

'Is that what you say?'

'We don't say it, but it means *I love you*.'

'Why you not say it?'

'Because it sounds... we're too shy to say it.'

'I understand now,' meddai Nico. 'Same in Tatra

mountains, we don't say *I love you* either. No words like that. We say *I'm pleased to see you...* that's all we say, it's enough. Like signal.'

Esboniodd Nico fod pobl y mynyddoedd yng ngwlad Pwyl yn rhy swil i fod mor bowld â dweud *dwi'n dy garu di* jyst fel 'na. Roedd 'na ddrama fach symbolaidd bob tro y byddai llanc a merch yn cyfarfod. Bydden nhw'n dawnsio mewn dull symbolaidd: gallai osgo braich, neu ddull arbennig o ddal y partner, ddweud mwy na llith o eiriau.

'The old people are the same here too,' meddai Mari. 'They'll talk for ages about all sorts of things like the weather and the price of sheep before they'll get round to what they really want to talk about. It's quite nice really, shows respect for other people and it's kind of dignified, if you know what I mean.'

'Yes,' meddai Nico. 'I like listening to them too – talking is like a nice game to them, they have all sorts of rules. In the end they say more by saying nothing much!'

Ac felly y bu'r gyfathrach rhyngddyn nhw'r bore hwnnw. Roedd Mari rhwng dau feddwl ynghylch dechrau ar ei stori; a ddylai ddechrau heddiw 'ta fory? Gwelodd Nico'r dryswch ar ei hwyneb.

'Hey you, some time soon now I want to hear about the other graves, you promise me,' meddai mewn ymdrech i'w chysuro. Roedd o'n foi deallus, syniodd Mari. Roedd o'n gweld pethau'n sydyn.

'Perhaps this afternoon we go for walk to see lambs together,' meddai Nico wrth godi. Disgynnodd y dillad gwely oddi arno, ac edrychodd Mari ar ei noethni heb unrhyw arwydd o swildod. Dyma sut roedden nhw'n mynd i fyw o hyn ymlaen; doedd dim rhaid esgus na ffugio. Roedd bywyd ei hun yn noeth erbyn hyn a hwythau bron iâwn wedi cyrraedd yr un cyflwr ag Adda ac Efa. Doedd ffasiynau na moesau cymdeithasol yn golygu dim. Bwyd yn eu boliau ac iechyd a tho uwch eu pennau – dyna'r oll roedd ei eisiau arnyn nhw. Roedden nhw'n byw mewn oes gyntefig unwaith eto, â noethni a symlrwydd yn bethau plaen, naturiol. Ond roedd dau gwmwl mawr du uwch eu pennau drwy'r amser, hyd yn oed ar ddiwrnod braf o haf: byddai newyn ac afiechyd yn creu ofn yn eu calonnau yn barhaol. Roedden nhw'n byw fel anifeiliaid erbyn hyn, yn byw ar fin y gyllell bob awr o'r dydd.

Wrth chwarae yn yr afon yn noeth gyda'i gilydd y prynhawn hwnnw, yn nofio yn y llyn mawr wrth fôn y goeden dderw a fu yno er pan oedd Yncl Wil yn fachgen bach, adroddodd Mari hanes y trydydd bedd. Dŵr oedd yr allwedd. Roedd Rhiannon o Bant yr Haul wedi darganfod mai dŵr oedd yr ateb i drais a gormes.

'We came out of the water a long time ago, and Rhiannon went back into it,' meddai Mari. 'She said something to me one day. She said that everything would go back to the water eventually. Maybe she was a bit mad by then. She thought that all living things would return to the water eventually – like dolphins. She read somewhere that dolphins had lived on the land for a while, and then they'd gone back to the sea, as if they'd got fed up of walking around, or whatever they did, and went back.'

'You think that's true?'

'God knows.'

Gorweddai'r ddau yn y glaswellt o dan y goeden dderw, yn dal dwylo. Aeth meddwl Mari am dro yn ddioglyd tra cysgai Nico wrth ei hochr.

Dyma sut roedd Adda ac Efa wedi byw ym mharadwys. Yn gorwedd ar y ddaear yng nghynhesrwydd tawel diwrnod o haf, yn teimlo'r glaswellt yn cyffwrdd â'r croen noeth, yn teimlo'r awel yn deffro'r blew mân ar ei chorff. A'r dyn wrth ei hochr yn cysgu – ei gorff yn ddrych, yn adlewyrchu gwyrdd y glaswellt a melyn y blodau. Yr afon yn mwmian; y gwenyn yn hymian. Hon oedd y foment hapusa yn ei bywyd. Oedd, roedd yn bosib creu darlun o'r profiad hwn, ei fframio, a'i roi ar wal ei hoff stafell yn ei meddwl; fe'i cadwai yno am byth i'w gysylltu a'i edmygu: darlun i brofi ei bod wedi *byw* unwaith, wedi profi hapusrwydd *pur*, wedi caru dyn am o leia un diwrnod yn ei bywyd.

Cododd y ddau, gwisgo, a mynd am dro i weld yr ŵyn yn chwarae yn y caeau. Cerdded drwy'r borfa yn droednoeth, yn siarad yn ddistaw weithiau, yn sibrwd am gyfnodau; yn cerdded efo'i gilydd neu ar wahân, yn edrych ar gyrff ei gilydd neu yn astudio pluen ar y borfa, neu nyth yn y clawdd, neu flodyn perffaith yng nghysgod yr irddail.

Ar y ffordd adre adroddodd Mari stori gyflawn Rhiannon Pant yr Haul. Gwrandawai Nico'n astud, gan ofyn cwestiwn o bryd i'w gilydd, neu wneud cymhariaeth.

Daeth Rhiannon i'r cwm o rywle pell; ni wyddai neb o ble yn union, ond roedd hi'n perthyn i deulu cyfoethog iawn. Roedd ei rhieni wedi bwriadu iddi briodi dyn cyfoethog oedd wedi derbyn addysg o'r radd uchaf, dyn efo swydd dda. Ond un haf, wrth ddisgwyl am ei chanlyniadau Lefel A, cyfarfu ag Alun Pant yr Haul mewn parti. Syrthiodd mewn cariad ag o, gan brofi tanbeidrwydd ei chariad cyntaf. Wrandawai hi ddim ar ei rhieni nac ar ei ffrindiau gan fod rhywbeth ynglŷn ag Alun yn eu poeni nhw. Oedd, mi oedd o'n hogyn golygus, tal, a heini; roedd y ddau wedi cyfarfod ym mharti blynyddol clwb rygbi'r brifysgol, ac Alun yn aelod o'r tîm. Dyna'r teip roedd hi'n ei licio, a doedd dim bai arni am hynny, nac oedd?

Syrthiodd Rhiannon mewn cariad efo Alun ag angerdd merch ifanc, er na wyddai sut i ddelio efo'i dymer ar ôl iddo fod yn yfed cwrw; roedd 'na Alun arall, cwbl wahanol, ar ôl chwe peint – dyn annifyr, dyn creulon, dyn treisgar. Deuai ati'r diwrnod wedyn efo blodau a siocledi, a'i ben yn isel wrth ymddiheuro. A byddai'n maddau iddo bob tro.

Priododd Rhiannon ac yntau, yn erbyn ewyllys ei rhieni, a symud i fyw i Bant yr Haul. Ond ni welodd hi lawer o haul yn ei chartref newydd. Roedd y mis mêl drosodd ymhen wythnos; ymhen blwyddyn roedd Rhiannon yn byw mewn uffern mor ofnadwy fel y bu'n fud am weddill ei hoes. Ar adegau gwnâi Alun iddi fyw efo'r cŵn mewn cwt ar y buarth; bu'n rhaid iddi gario'i gŵr ar ei chefn pan fynnai; trywanwyd hi nes ei bod hi'n gleisiau i gyd. Ac felly y bu am flynyddoedd maith tan i Rhiannon golli pob gobaith; ni welai neb, oherwydd byddai ei gŵr yn troi pob ymwelydd i ffwrdd o'r fferm. Doedd neb yn gwybod am ei huffern.

Yna daeth y dŵr i achub Rhiannon. Gwelodd hithau'r llyn yn tyfu rhwng Pant yr Haul a Dolfrwynog. Un diwrnod, pan oedd ei gŵr yn cysgu yn ei ddiod, llusgodd hen ddrws i lawr at ochr y dŵr, a rhwyfodd ei chwch bach simsan ar draws y llyn i Ddolfrwynog efo hen styllen. Yno, cafodd ei gwarchod yn stafell Mari. Digwyddodd hyn rai blynyddoedd yn ôl, pan oedd modd cysylltu efo'r byd, ond er iddi yrru sawl neges at ei theulu, ni chafodd ateb yn ôl. Yn dilyn hynny gwaethygodd yn gyflym iawn; gwrthododd fwyta, a gwnaeth sawl ymdrech i gysgu yng nghwt y cŵn yn Nolfrwynog, a byw ymysg yr anifeiliaid.

Un bore, cafodd ei darganfod yn farw ar wyneb y llyn, wedi boddi; roedd hi wedi cerdded i mewn i'r dŵr. Gan nad oedd modd cysylltu â'i theulu, claddwyd hi efo'r lleill yn y gadlas.

'She died of a broken heart, I think,' meddai Mari wrth Nico. 'She used to stand at the top of the farmyard and look towards the road coming down into the valley, as if she expected someone to take her home. But no-one ever came, and she just gave up. She'd made a terrible mistake and she paid a terrible price.'

Bu Nico'n ddistaw am yn hir wedi iddi orffen y stori. 'I hate men like that,' meddai. 'Men who beat their wives are scum, yes?'

Gwenodd Mari. 'You're never going to beat me then, Nico?'

'Never,' meddai. A chyfarfu eu dwylo unwaith eto wrth iddyn nhw gyrraedd y gadlas.

'But how you know this story if she never speak to anybody?'

Trodd Mari tuag ato, a'i wynebu.

'Because she did talk in the end, but only to one person. Herself. We heard her say the story to a ghost in front of her eyes as she walked about. She told it as if it was someone else's story – as if she couldn't believe it was her own story.'

Nodiodd Nico'n araf, i ddangos bod dwyster y stori wedi effeithio arno.

Aethon nhw i sefyll wrth ymyl y bedd, a dywedodd Nico: 'We must get flowers for her, yes?'

'I'll do it tomorrow,' meddai Mari. 'Come on – I'm hungry. Let's go to the house for some food.'

Aethon nhw ar draws y gadlas, i gyfeiriad y tŷ. Yno, wrth y drws, trodd Nico i wynebu'r bryniau, a gafael yn ysgwyddau Mari; tynnodd hi'n agos ato, fel bod ei chefn yn dynn yn ei erbyn. Yna cododd ei fys i gyfeiriad y bryniau.

'You see those clouds beginning to come in?'

'Yes, I can see them. So?'

'Rain tomorrow. No more sun like today. Also something else. You see bushes on top of hill?'

'Yes, of course,' meddai hithau – roedd 'na ddwsinau o glympiau eithin ar grib y bryniau.

'That big one near the tree, you see it? The one with no yellow on it?'

'Yes, I see it,' meddai hithau, er nad oedd hi'n siŵr pa un roedd o'n ei feddwl.

'That's no bush. That one been moving about all the time we walk here from the fields.'

'What do you mean?' gofynnodd Mari.

'That bush not a bush. That bush a man.'

23

Roedd Mari wrthi'n hel blodau gwyllt o'r clawdd yn y glaw. Ni wyddai enwau'r rhan fwyaf ohonyn nhw, ond roedd eu lliwiau'n wefreiddiol er hynny. Efallai nad oedd gwybod pethau felly'n bwysig bellach, ymresymai Mari, gan nad oedd athrawon i ofyn cwestiynau mewn arholiad. Blodyn coch. Blodyn pinc. Blodyn glas. On'd oedd hynny'n ddigon? Bysedd y cŵn... sut roedd y blodyn wedi cael enw felly?

Dyna oedd yn mynd drwy feddwl Mari, fel cymylau bach gwyn yn crwydro ar draws awyr las, wrth iddi hel blodau i'w gosod ar y beddau yn y gadlas. Roedd hi'n bwrw glaw yn ysgafn iawn, ac roedd 'na gymylau mawr llwyd yn hel yn y gorllewin. Hyd yn hyn doedd y glaw ddim wedi poeni dim arni, oherwydd iddo gryfhau'r aroglau hyfryd a ddeuai o'r blodau o'i chwmpas. Eto, roedd ei chrys-T yn wlyb domen a'i jîns yn dechrau glynu wrth ei choesau. Roedd ganddi dusw mawr o flodau eisoes, ac erbyn hyn roedd wedi casglu tusw arall yn ei llaw chwith. Gafaelodd yn y ddau dusw ac aeth i fyny'r ffordd tuag at Ddolfrwynog. Ymhell i ffwrdd – ar ymylon ei hymwybyddiaeth – clywodd ddwy ergyd o rywle uwch ei phen yn y tir uchel, ac arhosodd yn ei hunfan, fel llwynog yn synhwyro perygl. Nico – ble roedd o? Dechreuodd Mari redeg i fyny'r allt. Gwelsai o'n glanhau'r gwn newydd y bore hwnnw. Mae'n rhaid mai fo oedd wrthi – yn saethu cwningod, efallai. Ond mi wyddai hi hefyd na fyddai Nico'n saethu cwningod fel arfer – maglau fyddai o'n eu defnyddio. Dechreuodd deimlo'n anesmwyth; on'd oedd Nico wedi gweld rhywun yn symud ar ben y bryn y diwrnod cynt?

Ceisiodd ddistewi ei hofnau. Aeth i'r gadlas, rhannodd y ddau dusw'n bedwar, a'u rhoi ar y beddau. Roedd hi wedi gofyn i Huw baratoi pedair jar neu ddysgl ar eu cyfer, ond doedd dim sôn amdanyn nhw. Aeth i chwilio amdano, a dod o hyd iddo'n eistedd ar gadair yn nrws y llofft stabal. Dywedodd *damia* cyn gynted ag y gwelodd hi.

'Sori, Mari, 'nes i anghofio... '

Rhedodd Huw o gwmpas y siediau yn edrych am jariau fuasai'n gwneud y tro. Roedd un jar yno'n barod, ac ymhen ychydig roedd o wedi dod o hyd i hen jar arall lychlyd a dwy fas flodau a ddefnyddid i addurno'r tŷ ar adeg mwy llewyrchus.

'Dwi'n mynd i'r ffynnon i'w golchi nhw,' meddai wrth Mari, a'r llestri'n hongian ar flaenau ei fysedd.

Ond doedd Mari ddim yn siŵr o hynny.

'Gwell i ti beidio. Glywaist ti'r saethu?'

'Saethu?' atebodd Huw, yn dangos diddordeb brwd. 'Naddo. Yn lle?'

Ond roedd ei lygaid wedi codi tua chopa'r bryn, ac mi wyddai Mari'n syth bìn ei fod o'n dweud celwydd.

'Be wyddost ti, Huw?'

'Dim byd.'

'Paid â dweud celwydd. Wyt ti'n gwybod rhywbeth...?'

Ar ôl i Mari ei brocio am ychydig cyfaddefodd ei fod wedi gweld Nico'n gadael y buarth, efo'i wn, yn syth ar ôl iddi hithau fynd i hel blodau. Roedd o wedi sleifio i fyny'r allt, i gyfeiriad y bryniau.

Ymhen awr, dychwelodd Nico i Ddolfrwynog a'i wn o dan ei gesail. Cerddai'n arafach nag araf, a'i ben i lawr, ac roedd ganddo gwningen yn ei law chwith, yn stiff ac yn oer. Roedd o braidd yn llwydaidd, ac yn ddistaw iawn, ond heblaw am hynny doedd dim arwydd bod rhywbeth mawr o'i le. Aeth Nico efo nhw i'r gadlas, a'r bwced coch yn llawn o ddŵr o'r ffynnon, a'r tri llestr newydd. Roedd o wedi nôl rhaw Yncl Wil – oedd wastad wrth ddrws y cwt ieir – ac wedi mynd â hi efo fo i'r gadlas. Twtiodd o amgylch y beddau tra rhoddai'r lleill y blodau yn y llestri. Er bod pawb yn wlyb domen, wedi iddyn nhw orffen, safodd y tri wrth y beddau i edrych ar y blodau. Teimlai Mari fod sefyll yno yn y glaw yn golygu mwy iddi, rywsut, na gwneud hynny ar ddiwrnod braf.

Teimlai fod yr achlysur yn ystyrlon, fel y seremonïau erstalwm i gofio meirwon y rhyfeloedd byd. Dyma'r seremonïau y clywsai amdanyn nhw gan Yncl Wil o amgylch y gofeb yn y pentre nad oedd wedi golygu fawr ddim iddo fo'n bersonol, ond byddai ei thaid yn trin y diwrnod fel un pwysig iawn bob blwyddyn. Dyna oedd y drefn, yntê: roedd trychineb un genhedlaeth yn golygu llai i'r genhedlaeth nesa a phrin yn golygu dim i'r genhedlaeth wedyn. Dyna sut roedd cof cenedl yn gweithio. Ychydig iawn o ddigwyddiadau mawr oedd yn aros ar gof a chadw, ac roedd rhai o'r rheiny yn rhai mytholegol, fel hanes Noa a'r dilyw, neu hanes Cantre'r Gwaelod yn cael ei foddi o dan y dŵr.

Edrychodd Mari i fyny i'r awyr; roedd y cymylau'n twchu, ac yn llifo i mewn i'r dyffryn. Dechreuodd ei chorff grynu. Clywai ddannedd Huw yn clecian yn ddistaw hefyd. Oedd y tywydd braf wedi dod i ben? Edrychodd i gyfeiriad Nico. Safai a'i ben wedi plygu, fel pe bai mewn angladd yn syllu ar y bedd agosa ato, y bedd lleiaf o'r pedwar. Bedd plentyn. Edrychodd i fyny'n sydyn i'w llygaid. Newydd ddeall oedd o mai bedd plentyn oedd o'i flaen. Yna cerddodd i ffwrdd, a'r rhaw yn ei law.

'I'll see you later,' meddai, a throdd ei gefn tuag atyn nhw.

'Where are you going, Nico?'

Chymerodd o ddim sylw; cerddodd i fyny'r gadlas tuag at y bryniau, a'i ben yn dal wedi plygu.

'Nico!' gwaeddodd Mari.

Ymlaen â fo, heb edrych yn ôl. Yna diflannodd.

Aeth Mari a Huw i mewn i'r tŷ i sychu, ac mi wyddai Mari fod rhywbeth ofnadwy wedi digwydd ar y bryniau ynghynt. Rhywbeth erchyll, os mai rhaw oedd y diwedd. Newidiodd ei dillad yn y tŷ a rhoi'r rhai gwlyb i sychu ar y ceffyl dillad. Yna aeth i'w gwely, heb unrhyw reswm penodol. Gwyliodd y cymylau yn rasio drwy'r awyr uwchben y cwm, a gwrandawodd ar y gwynt yn cryfhau, yn griddfan yn y bondo. Rhedai afonydd o ddŵr i lawr ffenest ei llofft, gan ffurfio delta yma a thraw; gwelai'r Amazon neu'r Mississippi fawr yn llifo ar draws y gwydr, yna afonydd bychain fel afon Teifi ac afon Tawe yn ymuno â hwy. Teimlai unigedd llethol yn dod drosti yn ei llofft fach yn Nolfrwynog y prynhawn hwnnw; roedd y gwynt yn swnio fel hen, hen wynt a ddeuai o bellteroedd byd, o bellteroedd amser ei hun. Clywsid y gwynt hwn gan ei hen, hen deidiau, yn swnian yng nghromlechi'r gorffennol. Gwynt amser ydoedd, yn mwmian fel hen ddyn diddannedd mewn cartref i'r henoed, hen ddyn anghofus efo'i frecwast ar ei ên a'i biso ar ei byjamas. Roedd y gwynt hwn wedi bod yn dyst i bob poen a fu erioed yn y byd, pob artaith a phob marwolaeth. Gwynt ydoedd a gysylltai bob ing a fu erioed fel ffilamentau'r caws llyffant o dan y tir. Daeth iselder trwm i'w gormesu.

Bu'n hepian am dipyn, yna teimlodd bwysau yn gorwedd ar waelod y gwely. Gwyddai mai Nico oedd yno. Gwaed a phowdwr gwn eto. Beth oedd hi wedi'i wneud? Pam, yn union, roedd hi wedi penderfynu caru'r dyn hwn? *Ha!*

meddai llais bach yn ei phen. Penderfynu? Ni fu dewis yn y mater o gwbl. Roedd o wedi llifio Mari yn ei hanner ac wedi rhwygo'i chalon o'i brest.

'Had a nice time killing someone?' meddai'n gysglyd wrtho. 'Think I don't know what's going on?'

Ni symudodd y pwysau ar waelod ei gwely, ac ymhen ychydig trodd ei phen i edrych. Ia, Nico oedd yno, yn gafael yn ei gôt. Edrychodd arno eto. Roedd golwg y diawl arno – baw drosto i gyd, llaid browngoch ar ei ddwylo, baw ar ei fochau hefyd.

'So you want them to kill us first?' gofynnodd.

Cododd Mari i fyny yn y gwely ar unwaith, ac edrychodd i mewn i'w lygaid.

Oedd, roedd o'n dweud y gwir.

'It's us or them now, Mari. We kill them or they kill us. Understand?'

Llyncodd Mari'n galed, a nodio. Roedd hi'n deall yn iawn. Pe na bai Nico yno byddent hwy i gyd yn gelain erbyn hyn, mae'n debyg, neu wedi llwgu i farwolaeth.

'I do this for you, Mari. I do this for you and me. For us.'

Ond doedd Mari ddim yn barod i dderbyn y newyddion.

'But we spared you, Nico. Yncl Wil could have killed you too.'

'Bad mistake, Mari. He should have killed me. You were lucky with me. But those two men out there would have killed us all. You believe me?'

Doedd o ddim wedi symud modfedd wrth siarad. Tywyllodd y stafell o'u cwmpas yn araf, ac erbyn ddiwedd y sgwrs welai Mari mo'i wyneb o, dim ond ei broffil.

Ymhen ychydig cododd Nico o'r gwely a mynd at y

drws. Trodd, a syllodd arni am rai eiliadau.

'Tomorrow you come to me with a story. That is how we live now. That is how we survive. I shoot the men, I get the food, you tell the stories. OK?'

Nodiodd ei phen, er nad oedd hi'n hollol sicr beth a olygai, a swatiodd o dan y gobennydd.

Ond deallai un peth yn amlwg. Dim ond y rhai cryfaf, y rhai mwyaf diwyd a chyfrwys, fyddai'n cael byw. Gwrandawodd ar y gwynt, ac yn ystod y nos ffurfiodd y bedwaredd stori yn ei phen fel breuddwyd. Fel rhywbeth a ddigwyddodd ymhell iawn yn ôl, yn nychymyg rhywun arall.

24

Bu'r cymylau duon yn rhowlio o'r gorllewin am dridiau, gan ollwng cargo ar ôl cargo o law, fel llongau carthu harbwr yn gollwng howldiau o fwd gwlyb i ddyfnderoedd y môr. Ciliodd gobaith yn araf o'r tŷ. Roedden nhw i gyd wedi gweld hyn o'r blaen: y cymylau'n heidio drostyn nhw am wythnosau bwygilydd, y gwynt yn rhygnu drwy'r cwm o fore gwyn tan nos, fel petai'r fferm wedi symud i uffern neu i burdan; gwyddent fod y tywydd yn mynd i fod fel hyn am wythnosau, heb na heulwen na diwrnod sych.

Roedd Yncl Wil yn gwanhau, yn colli pob gobaith. Huw fyddai'n gollwng yr ieir allan bob bore erbyn hyn, ac yn eu cau i mewn bob nos; arhosai ei ewyrth yn ei wely drwy'r dydd weithiau, heblaw pan godai i fynd i'r tŷ bach. Doedd o ddim yn bwyta, a simsan iawn oedd ei gerddediad. Dechrau'r mis gofynnai i Huw adrodd hanes yr ieir bob dydd; roedd o eisiau gwybod lle roedden nhw wedi crwydro, faint o wyau oedd wedi dod i law, a sut oedd y cywion yn dod ymlaen. Ond erbyn diwedd mis Gorffennaf roedd o wedi tewi; gorweddai ar ei wely budr, o dan ei gôt fawr ddu, gyda dim oll heblaw ei ben yn y golwg. Câi Huw druan ei rwygo yn ei hanner gan y profiad – y rhan gydwybodol ohono eisiau aros i gadw cwmni i Yncl Wil yn y llofft stabal, ond yr hanner arall eisiau dianc yn ôl i'r tŷ. Chwarae teg iddo, arhosodd yn y llofft stabal, yn y dwyrain pell, fel petai'n wystl wedi'i ddwyn ymaith gan fôr-ladron, yn pydru mewn cell ar ynys anghysbell, yn disgwyl am bridwerth gan ei berthnasau. Deuai rhywun draw o'r tŷ weithiau i eistedd wrth wely Wil ac i sgwrsio. Ond Huw oedd y ffefryn.

Byddai Nico'n gwrando ar storïau Mari bob bore.

Cysgent gyda'i gilydd erbyn hyn, heb i neb ddweud gair, ond âi hithau yn ôl i'w hystafell i wisgo ac i nôl y fodrwy-dweud-stori bob bore. Doedd ganddi hi ddim syniad pam. Math o ddefod oedd honno bellach. Hwyrach fod 'na elfen freuddwydiol yn y peth, fel petai hi'n mynd yn ôl i'w phlentyndod, wedi dechrau gwisgo fel hogan fach unwaith eto. Roedd hi wedi mwynhau hynny pan oedd yn blentyn: gwisgo fel y tylwyth teg a chrwydro o gwmpas y tŷ gyda gwialen hud a lledrith, a choron fach loyw ar ei phen. Ia, dyna oedd yn digwydd, mae'n debyg: roedd hi'n dychwelyd bob bore i'w phlentyndod, i fyw unwaith eto mewn byd diniwed, dibechod. Doedd dim glaw yn y byd hwnnw, na newyn, nac afiechyd.

Eisteddai ar wely Nico – gwely i'r ddau ohonyn nhw bellach – gyda'i chefn tuag at y wal, yn teimlo oerni hynafol y mur, ac yn edrych allan drwy'r ffenest tuag at dop y buarth. Weithiau gwelai Huw yn mynd i ollwng yr ieir yn rhydd yn y bore, ac yna'n siarad ychydig efo'r cŵn yn y cwt, ond heblaw am hynny ni welsai ddim ond y cymylau diddiwedd yn croesi'r ffurfafen.

Dechreuodd efo disgrifiad manwl o Dylan, ei brawd ieuengaf. Roedd o'n hollol wahanol i'r lleill, gyda gwallt golau, golau a llygaid glas, glas; buasai wedi medru cerdded ar hyd strydoedd Norwy neu Ddenmarc heb i neb edrych ddwywaith arno. Ond roedd dau beth trawiadol a dynnai sylw pawb ato: roedd yn fychan iawn, yn llawer llai na'i gyfoedion. Yn ogystal, roedd o'n ymddwyn yn wahanol i blant eraill; gellid synio ei fod yn awtistig, ond doedd o ddim chwaith. Er na siaradodd air erioed yn ei fywyd, ac yntau'n saith erbyn iddo farw, doedd dim o'i le ar ei ymennydd. Yn hytrach, roedd o'n arbennig o ddeallus a synhwyrus â dealltwriaeth amlwg yn ei lygaid ac yn llawn afiaith, beth bynnag a wnâi. Oedd, roedd Dylan yn blentyn arbennig iawn. Disgrifiodd Mari bob agwedd arno: y modd y chwythai ei wallt o'i lygaid gan wneud sŵn ysgafn efo'i wefusau. Dawnsiai ar hyd y caeau gan droi fel meri-go-rownd neu chwyrligwgan ar yr un pryd, a'i ddwylo'n chwarae fel adar yn yr awyr o'i gwmpas. Byddai'n nyddu tai bach hudolus o bren helyg, dail a mwsogl a blodau gwyllt, cartrefi lledrithiol ar gyfer doliau ei chwaer Mari, efo canhwyllau bach lliwgar i'w goleuo.

Ond er bod Dylan yn gariad bach i bawb, roedd un person arbennig a ddenai ei holl fryd – ei hendaid. Ni wyddai neb lawer am fywyd yr hendaid hwnnw erbyn hynny oherwydd roedd o mor hen ac mor fethedig fel nad oedd o'n cofio dim byd – nid ei enw ei hun hyd yn oed. Gwnâi Dylan bopeth i'r hen ddyn; âi'r bychan â bwyd iddo adeg brecwast, cinio a swper. Y bachgen fyddai'n ei wisgo yn y bore, ac yn mynd ag o am dro o amgylch y buarth pan fyddai hi'n braf.

'The old man refused to eat any more food when he reached his hundredth birthday,' meddai Mari wrth Nico ar y gwely. 'We were living in poverty even then, and he could see that there wasn't enough food to go round. So he said to us all one day by the fire that he wouldn't eat any more food after that day. He said: I will not take any more food from the mouths of these children, I will not see my own family starve away in front of my own eyes... I am an old man now and I have served my purpose. It is time I went, I am of no further use to this world. That's what he said, in Welsh of course,' meddai Mari.

'So what happened – did he starve to death?' gofynnodd Nico.

'No, he didn't starve to death, and Dylan was the reason for that. Because Dylan also refused to eat any food if the old man refused to eat. For two weeks the old man refused food. He watched Dylan refuse his food also, and then on the fifteenth day he relented because he saw that Dylan was as stubborn and pig-headed as he was. So he said: Yes, I will eat some food then, or this scamp will die in front of my eyes. And everyone cried – even Dylan and the old man. Then the boy took some food to his beloved great-grandfather, and they sat together by the fireside that night. They were laughing and crying every other moment too.'

Dywedodd Mari hanes yr hen ddyn a'r bachgen bach ifanc yn bwyta gyda'i gilydd ac yn cerdded o gwmpas y buarth, gyda'r bachgen yn tywys ei berthynas hanner dall rhwng y cŵn a'r ieir. Yna, pan ddeuai'r nos, âi â'r hen ddyn i'w stafell wely i noswylio, ei ddadwisgo ac ar ddiwedd y dydd weindiai Dylan yr hen focs miwsig a byddai'r ddau'n gwrando ar yr un pwt o fiwsig dro ar ôl dro tan âi'r hen ddyn i gysgu.

Dyna sut ddechreuodd Mari'r stori am ei brawd Dylan.

25

Safai Mari yn y parlwr yn edrych ar yr hen galendr ar y wal wrth y piano. Roedd o'n frith o hen nodiadau: apwyntiad gyda'r deintydd i hwn a hwn, cyfarfod i'r llall. Roedd penblwyddi pobl wedi'u nodi arno hefyd. Bodiodd Mari drwy'r misoedd, yn edrych ar sgwennu ei mam. Roedd Elin wedi rhoi'r gorau i bob dim unwaith eto, ac wedi mynd i'w gwely ar ôl ymadawiad Jac. Treuliai'r rhan fwya o'r diwrnod yn darllen hen nofelau Mills & Boon.

'Pa fis ydi hi?' gofynnodd Mari. Trodd, ond doedd neb yno i ateb.

Aeth i fyny'r grisiau, i lofft ei mam.

'Pa fis ydi hi, Mam?'

'Sgyna i ddim syniad. Haf ydi hi, ia? Pwy a ŵyr efo'r blydi tywydd 'ma.'

Fel arfer, roedd y ffurfafen yn llawn o gymylau llwyd yn rasio o flaen gwynt y gorllewin. Roedden nhw wedi cael pythefnos o dywydd drwg, a phawb wedi digalonni; safai Huw fel iâr dan badell wrth y ffenest byth a beunydd, yn edrych ar y byd llwydaidd y tu arall i'r ffenestri budr.

Aeth Mari ar draws y buarth i'r llofft stabal i ymweld â'i hewyrth Wil. Fel arfer yn ystod y dyddiau hyn, roedd o'n hepian o dan ei gôt fawr ddu. Wedi i'w llygaid ddod i arfer â'r hanner gwyll gwelai Mari sgidiau mawr lledr Yncl Wil yn procio allan o waelod y gwely.

'Sut dach chi heddiw, Yncl Wil?' gofynnodd Mari wrth y drws. Yna nesaodd at y gwely. 'Dach chi'n well y bore 'ma?'

'Dwi'n champion 'sti,' meddai yntau mewn llais gwantan.

'Dach chi isio brecwast, Yncl Wil?' gofynnodd Mari.

'Ddim eto, wel'di. Mi arhosa i tan yn hwyrach,' atebodd yntau.

Ffidlodd Mari o gwmpas am ychydig, yn tacluso ar ôl Huw, yna gofynnodd: 'Pa fis ydi hi Yncl Wil?'

'Mis Gorffennaf ydi hi,' atebodd yntau'n syth bìn. Roedd o wedi cadw llygad ar y diwrnodiau hyd yn hyn, er nad oedd o mor frwd ag y byddai o gynt; efo'r tywydd fel petai'n ganol gaeaf doedd dim llawer o ots pa ddiwrnod oedd hi. Roedd y tatws yn pydru yn y ddaear erbyn hyn, mae'n siŵr. Dylai rhywun fynd i edrych. Mi ofynnai i Nico y noson honno.

'Tatws,' meddai'n uchel. 'Mae isio dyn y tatŵs i weld y tatws.'

Chwarddodd ar ei jôc wan ei hun, ond newidiodd y chwerthin yn beswch trwm. Sylwodd Mari fod 'na ddagrau yn ei lygaid, naill ai oherwydd y poen neu oherwydd y jôc.

'Mae hi'n agos at ganol y mis,' meddai. 'Tua'r pedwerydd ar ddeg, rhywbeth fel 'na.'

Yna chwarddodd eto, ond daeth pesychiad arall. Cododd i fyny ar ei benelin.

'Wsti be? Mae hi'n ben-blwydd arna i. Ydi wir, mae hi'n ben-blwydd arna i, neu'n ddigon agos beth bynnag.'

Syrthiodd yn ôl ar ei wely a daeth cwmwl bach o lwch o'r gôt i lygru'r awyr.

'Blincin hec, Yncl Wil, pwy 'sa'n meddwl?' meddai Mari. 'Pen-blwydd hapus, Yncl Wil!'

Aeth at ymyl ei wely a phlygu i roi sws iddo, er bod ogla ofnadwy ar Yncl Wil druan. Trodd i edrych arni, a gafaelodd yn ei braich.

'Paid â 'ngadael i, Mari. Aros yma am dipyn, wnei di?'

Roedd ei lygaid yn edrych arni fel ci bach ar ôl i rywun

sathru ar ei gynffon.

'Siŵr iawn, Yncl Wil,' meddai Mari, ac eistedd ar hen stôl odro wrth ei ochr. 'Ydach chi mewn poen?'

'Ta waeth am hynny, Mari, dwi ddim yn cael llawer o gwmni'r dyddiau hyn, felly dwi ddim yn mynd i stwnsian am fy iechyd. Mae 'na bethau eraill pwysicach... '

Trodd ei ben oddi wrthi, tua'r wal, am funud, tra ciliai'r dagrau. Roedd 'na lot o bethau ar ei feddwl. Y tatws a'r ŷd a'r anifeiliaid – beth oedd yn mynd i ddigwydd i'r rheiny? Fedrai o ei hun ddim helpu bellach. Fedrai o ddim edrych ar ôl yr ieir hyd yn oed. Roedd ei fyd bach ei hun ar fin diflannu i'r gofod. Ei fyd bach Cymreig, tawel, henffasiwn. Ar un adeg, pan oedd o'n ddyn ifanc, gwelsai fyd mawr hudolus y tu hwnt i'r cwm – byd enfawr efo cenhedloedd dirifedi a phob math o ddiwylliannau, golygfeydd anhygoel a phosibiliadau di-ri. Ond un diwrnod daeth yn ôl i'r buarth ar ôl torri cae o wair ac roedd y byd wedi diflannu; wedi deugain mlynedd o fyw yn Nolfrwynog gwyddai fod y byd mawr hudolus y tu draw i enau'r cwm wedi mynd. Aeth y byd heibio ar frys, heb adael dim oll ar ôl ond arogl persawrus ei addewid.

Yna, gyda dyfodiad henaint, a chyda diwedd y byd hwnnw oedd wedi'i fesmereiddio yn ystod ei ieuenctid, crebachodd y byd fwyfwy; y buarth yn unig oedd ar ôl, â'r ieir yn y gogledd a mynydd y domen yn y de. Erbyn heddiw, gwaetha'r modd, roedd y buarth hyd yn oed wedi mynd o'i afael hefyd – dim ond y stafell hon oedd ar ôl yn yr holl fydysawd. Doedd dim un antur yn debyg o ddod i'w ran bellach; dim rhamant, dim plant. Dim gobaith chwaith. Roedd y Popeye bach hwnnw a chwaraeai yn y cychod yng Ngwersyll yr Urdd wedi mynd i'r gofod erstalwm; roedd o wedi hwylio ymhellach na'r lleuad erbyn hyn, ymhellach na Mawrth, Sadwrn a Phlwto.

'Mari, mae arna i ofn marw yn fan'ma, ar fy mhen fy hun. Be wna i? Dydw i ddim yn mynd i bara yn hir fel hyn. Dydw i ddim eisiau bod yn fan'ma, wyddost ti... '

Gwyddai Mari yn iawn. Roedd hi'n deall. Roedd Yncl Wil yn marw, a doedd y llofft stabal ddim yn lle addas i hynny ddigwydd, rywsut.

'Gwnawn ni eich symud chi'n ôl i'r tŷ,' meddai Mari. 'Mi gewch chi fy stafell i.'

'Na, na, fedra i ddim... '

'Shhh, Yncl Wil, peidiwch â wastio'ch anadl. Mi a' i i baratoi pethau rŵan. Does dim pwynt i chi ddweud gair, dwi wedi penderfynu a dyna fo, OK?'

Trodd Yncl Wil yn ôl at y wal unwaith yn rhagor. Roedd o'n falch. Clywodd Mari ei lais ac ymatebodd i'w ddymuniadau a'i obeithion. Roedd arno fo eisiau dychwelyd i'w gartref – y lle iawn iddo fod. Nid yn y llofft stabal, ar ei ben ei hun yn y llwch ac yng nghanol llestri budron.

Edrychodd Mari arno'n gorwedd yno a dechreuodd grio. Roedd hi wedi bod yn dyst i rywbeth pwysig heddiw. Marwolaeth yr hen Gymru – ia, dyna roedd hi'n ei weld, o flaen ei llygaid. Marwolaeth yr hen ffordd o fyw, yr hen fuchedd Gymreig.

'Paid â chrio, Mari fach, da chdi, neu mi fydda inna wrthi hefyd.'

Gwenodd Mari drwy ei dagrau, a brwsiodd y dagrau o'i hamrannau â'i llawes.

'Mae 'na un peth bach arall,' meddai Mari. Doedd hi ddim yn siŵr sut i daclo'r broblem. Byddai'n rhaid i Yncl Wil gael bath cyn mynd i'r tŷ. Roedd o'n drewi fel corff marw. Sut gallai hi ofyn iddo fo?

'Paid â phoeni, Mari fach, a' i i fyny i'r ffynnon cyn

dod draw,' meddai Yncl Wil. Roedd o wedi rhag-weld y cwestiwn yn ei llygaid hi. Efallai ei fod o'n deall merched wedi'r cwbwl.

Erbyn amser noswylio roedd Wil wedi llafurio i'r ffynnon ac wedi tynnu pob cerpyn o ddillad oddi amdano, yna wedi molchi mor drylwyr ag y medrai yn y dŵr. Bu bron iddo fethu gwisgo'r hen bâr o byjamas amdano wedyn – roedd o wedi ffagio'n llwyr. Bu'n rhaid iddo eistedd yn noeth ar garreg wrth y ffynnon am sbelan cyn medru dal ati gyda'r dasg. Ond erbyn iddi dywyllu roedd o wedi cyrraedd llofft Mari yn Nolfrwynog, wedi dychwelyd i'w hen stafell pan oedd o'n blentyn. Wedi dychwelyd yno i farw.

26

Aeth Mari i'r pantri i chwilio am flawd. Oedd, mi oedd 'na ddigon ar ôl i wneud cacen. Rhoddodd orchymyn i Huw gynnau'r tân yn y stôf ac aeth Nico allan i nôl coed o'r sied. Doedd Mari ddim yn hollol siŵr sut i wneud cacen, felly gwnaeth y gorau y medrai hi. Rhoddodd ychydig o flawd mewn powlen fawr a thorri un o wyau brown Megan ar yr ymyl, yna cymysgodd yr wy i mewn i'r blawd efo ychydig o ddŵr. Ai dyna sut oedd gwneud cacen? Doedd dim pwynt gofyn i Elin, prynu cacennau i'r teulu o Marks wnaeth honno erioed. Blinodd Mari ar gymysgu'r cawdal, a gofynnodd i Nico orffen y dasg. Aeth hwnnw ati fel ffŵl, gan wneud wynebau gwirion, a llwyddo i greu gwên neu ddwy ar wynebau'r cwmni. Roedd y glaw di-baid a'r llwydni wedi creu elfen o *mania* ym mhawb erbyn hyn. Bu Nico wrthi drwy'r dydd yn achub hynny a fedrai o'r tatws cyn iddyn nhw bydru; roedd o wedi'u rhoi nhw mewn rhesi yn y llofft stabal i sychu, ar hyd y bwrdd, ar hyd hen wely Wil, ac ar hyd y llawr hefyd. Roedd 'na ddigon i'w cadw nhw am dipyn o leiaf. Ond fyddai 'na ddim ar ôl erbyn y gaeaf; Duw a ŵyr be wnaen nhw'r adeg honno.

Rhoddodd Mari'r gacen i mewn yn y popty wedi i'r stof gynhesu ac eisteddodd pawb mewn distawrwydd o amgylch y tân. Ymhen ychydig gofynnodd Mari be wnaen nhw am ganhwyllau ar gyfer y gacen ben-blwydd. Cododd pawb ar unwaith ac aethpwyd ati i chwilio ym mhob drôr, ond doedd 'na 'run gannwyll o unrhyw fath yn unlle. Aeth Mari i fyny i lofft ei mam a dechrau chwilota yn y droriau.

'Be ti'n neud?' gofynnodd Elin.

'Dwi'n chwilio am ganhwyllau i'w rhoi ar gacen Yncl Wil.'

'Be?'

'Mae'n ben-blwydd ar Yncl Wil. 'Dan ni'n gwneud cacen.'

'O.'

Pwyntiodd at gwpwrdd yn y cornel.

'Fan'cw, trydydd drôr i lawr, ar y dde.'

Aeth Mari draw at y cwpwrdd, ac yn wir roedd ei mam yn iawn.

'Sut aflwydd roeddech chi'n gwybod bod y rhain yn fan'ma, a'r stafell mewn uffarn o stad?' gofynnodd Mari.

'Dwi'n gwybod lle mae popeth yn y stafell 'ma,' meddai Elin, 'so be 'di'r pwynt cadw pethau lle na faswn i byth yn dod o hyd iddyn nhw?'

Syfrdanwyd Mari gan y geiriau; roedd ei mam wedi ymateb fel merch ifanc yn ei harddegau, nid fel gwraig ganol oed. Brathodd ei thafod ac aeth i lawr y grisiau efo saith cannwyll fach binc yn ei llaw. Roedd hi'n eu cofio'n iawn – fe'u defnyddiwyd ar ei chacennau pen-blwydd hithau yn y gorffennol.

Doedd y popty ddim yn ddigon poeth i bobi'r gacen yn iawn ac roedd ei chanol yn feddal pan roddwyd hi ar blât yn y gegin. Stwffiodd Huw'r canhwyllau i mewn i'r sbwng ac aeth pawb i fyny'r grisiau, un ar ôl y llall, a'r styllod yn gwichian yn symffoni o dan eu traed.

'Dewch o 'na, Mam, dewch i stafell Yncl Wil,' meddai Mari ar ben y grisiau.

Ond dal i ddarllen wnâi Elin, fel petai arni ofn y byddai'r byd go iawn yn dal i fyny â hi; roedd hi wedi encilio'n gyfan gwbl i fyd bach ei llyfrau erbyn hyn.

Pan agorodd Huw'r drws roedd Yncl Wil yn cysgu. Be

wnaen nhw rŵan? I lawr y grisiau â nhw yn rhes fwganllyd, mor ddistaw ag y medren nhw. Ymhen awr, clywson nhw gnoc yn dod o stafell Wil ac aeth Huw i fyny i weld sut roedd o.

'Tyrd â diod o ddŵr i mi wnei di, Huw bach,' meddai Wil.

Wedi dychwelyd i lawr y grisiau, torrodd Huw'r newyddion fod Wil yn barod i'w derbyn.

Aeth y trŵps i fyny'r grisiau'r eilwaith, a'r tro hwn roedd Wil yn eistedd i fyny yn ei wely, yn edrych yn llawer gwell.

Pen-blwydd hapus i chi,
Pen-blwydd hapus i chi...

Canodd pawb am y gorau, wedi'u stwffio gyda'i gilydd wrth y drws.

Sto lat, sto lat,
Niech zyje, zyje nam...

Aeth Nico ati i ganu'r diwn mewn Pwyleg hefyd, a chwarddodd pawb heblaw am Yncl Wil, gan fod hwnnw wedi dechrau wylo a'r dagrau'n powlio i lawr ei ruddiau. Eisteddodd Mari a Huw ar ei wely i'w gysuro, a bu Huw wrthi'n helpu ei ewyrth i ddiffodd y canhwyllau.

'Pen-blwydd hapus!' meddai pawb heblaw Nico.

'Pemblo habeez,' meddai yntau, a chwarddodd pawb unwaith eto.

Yna, aethon nhw i gyd i lawr y grisiau, ac eistedd o amgylch y tân. Ddywedodd neb fawr ddim tan amser swper; bu Huw wrthi'n chwarae'r piano efo dau fys am dipyn, tan i bawb weiddi *paid*.

Yn hwyrach, yn llofft Nico a Mari, daliodd y ddau ei gilydd mor dynn ag y medrent gan wrando ar y gwynt yn chwibanu drwy'r bondo.

'This weather no good, we have no food for the winter,' meddai Nico. 'We have to do something different now Jac and Wil not working. Perhaps move away.'

Tynhaodd Mari ei breichiau amdano.

'But where can we go? There's nowhere left… '

'We have to think of something, or we starve this winter.'

Yna, distawrwydd rhyngddyn nhw cyn i Nico ofyn am fwy o hanes Dylan, y bachgen bach mud. Bu'r stori ar ei feddwl drwy'r dydd.

'You tell me more about little boy and old man? This story could be useful some day.'

'What do you mean, useful?'

'Never you mind – you tell me the story, I like it.'

Chwaraeai Mari efo'i wallt cyrliog wrth iddi adrodd stori Dylan, y bachgen bach mud, a'i berthynas arbennig efo'i hendaid. Gafaelai'r crwt ym mlaen ffon yr henwr a'i arwain fel trên bach yn tynnu cerbyd ar hyd y lein. Byddai yn ei fwydo ac yn ei wisgo. Ond pan ddaeth y llyn i foddi'r cwm, daeth newid dros wedd yr hen ddyn. Roedd ei hen gartref, lle ganed ef, yng ngwaelodion y cwm, ac ni fedrai ddygymod â'r golled. Bob bore gofynnai i Dylan am gymorth i fynd draw i'r hen dŷ, hanner milltir oddi tanynt, a safai yno, ym muarth yr hen fferm, yn gwylio'r dŵr yn cyrraedd y giât, cyn llyfu godre'r tŷ ei hun, ac yna meddiannu'r gegin a'r parlwr a'r sbensh. Cerddai'r ddau drwy'r adeilad, a'r dŵr yn sugno'u traed ac yn brathu eu bodiau efo'i ddannedd oer. Bob bore âi'r ddau ohonyn nhw gyda'i gilydd i weld faint roedd y dŵr wedi codi. Yna aeth y ffenestri o dan y dŵr, a'r drws; ymhen rhai misoedd roedd y dŵr wedi cyrraedd y llofftydd, a'r adeiladau i gyd erbyn hynny bron wedi diflannu.

Safai'r ddau wrth ymyl y dŵr gyda'r hen ddyn yn canu neu'n adrodd hen hanesion a barddoniaeth Cymru:

Ble mae'r lleisiau llaeth fu'n llifo
trwy'r briws a'r bwtri a'r beudy...

meddai o yn ei lais crynedig. Un diwrnod daeth hi'n storm fawr, ond er gwaetha'r ddrycin, mynnai'r hen ŵr fynd i lawr at y dŵr, i'w weld fel y gwnâi bob diwrnod arall. *Peidiwch â bod mor ffôl 'rhen ddyn*, meddai pawb wrtho. Ond gwrthodai wrando. Dechreuodd ar y daith i lawr tua'i hen gartref ar ei ·ben ei hun, â'r gwynt yn ei chwipio o'r naill ochr i'r llall, a'r glaw yn ei guddio mewn mantell o lwydni. Clywid ei lais, am gyfnod, yn herio'r gwynt a'r glaw. Yna diflannodd. Aeth awr heibio, ond doedd neb yn gwybod beth i'w wneud. Clowyd y bychan yn y sbensh, rhag iddo ddianc o'r tŷ a dilyn ei hendaid drwy'r storm i lawr at fin y dŵr. Ond rhywdro, heb iddyn nhw wybod, llwyddodd Dylan i'w ryddhau ei hun a rhedeg i lawr y caeau ar ôl ei hendaid.

Stopiodd Mari, a gwrando ar anadl ei chariad. Roedd yr anadl yn drwm ac yn wastad. Roedd o wedi mynd i gysgu.

27

'Haia…'

Roedd o wedi deffro o'r diwedd.

Ychydig iawn o gwsg a gawsai Mari. Bu'n gorwedd ar ei hochr am oriau'n gwrando ar y gwynt yn sgyrnygu yn y to, ac yn ceisio dychmygu wyneb y babi oedd yn nofio'n ddistaw yn nyfroedd ei thu mewn, fel pysgodyn bychan bach yn nofio ym moroedd du'r nos. Mi wyddai erbyn hyn fod ganddi blentyn yn ffurfio o'i mewn. Tybed a fyddai ganddo fo, neu hi, wallt cyrliog fel Nico? Neu wallt brown golau fel llygoden, a brychni ar ei drwyn fel hithau? Efallai y byddai tatŵ o long fach ar ei fraich arfaethedig. Wrth gwrs, mi fyddai hi'n siarad Cymraeg efo fo, neu hi, a byddai Nico'n siarad Pwyleg. Enw Cymraeg, ta Pwyleg? Y ddau, efallai… un o bob iaith. Gareth Gustaw Evans. Huw Jozef Evans. Symudodd ei gwefusau wrth ynganu'r enwau.

'Mari?'

'Yes, Nico?'

'You say something?'

Roedd ei lais o'n gysglyd ac yn felfedaidd.

Trodd Mari ac edrych ar wyneb llonydd ei chariad. Sut medrai o gysgu mor hawdd, pan oedd cymaint o'i le ar y byd? Roedd o wedi cyfadde na fyddai digon o fwyd ar gyfer y gaeaf. Ond be wnaen nhw, mewn difri? Y gwir oedd mai Nico'n unig a allai eu hachub nhw rŵan. Roedd Jac wedi diflannu, ac ni fyddai Wil fyw tan y Dolig, yn ôl pob golwg. Clywai Mari galon Nico'n curo 'mhell i ffwrdd, fel injan llong. Roedd y gwalch bach wedi mynd i gysgu hanner ffordd drwy stori Dylan. Ond doedd dim pwynt dal dig. Gwenodd Mari, yna cusanodd y llong ar ei datŵ.

'Bad boy, you went to sleep when I was telling you about Dylan.'

'Sorry, Mari. Very tired.'

Aeth deng munud heibio cyn i Nico ddeffro'n iawn. Ymhen ychydig, dywedodd: 'You give haircut for me today, OK?'

Allai hi ddim dweud gair am dipyn.

'Haircut? But why? I love your hair like that.'

'No, I have haircut today and I kill a pig for food. How much salt left?'

Sut ddiawl gwyddai hi?

'Don't know,' meddai'n flin. Beth uffarn oedd yn digwydd? Torri gwallt? Halen? Lladd mochyn? Roedd hi ar goll yn llwyr.

'Now you finish Dylan story please,' meddai Nico. 'Important for me to know the end. Important for the future, yes?'

Wedi pwdu erbyn hyn, dechreuodd Mari godi o'r gwely ond rhoddodd Nico ei fraich o amgylch ei sgwyddau, a'i thynnu hi'n ôl.

'No, this very important. I need to know about Dylan or maybe we won't be able to live this winter. You understand?'

'No.'

'Don't worry, Mari, I explain everything soon. I make a plan. Only way out. No food for winter, we must think of something. Maybe this idea I have will save us, I don't know.'

'What is it?'

'Tell you tonight, now tell me about Dylan.'

Adroddodd Mari ddiwedd stori Dylan wrtho. Roedd y

crwt wedi dianc o'r sbensh ac wedi dilyn ei hendaid drwy'r cae dyfrllyd, soeglyd. Roedd ei wellingtons wedi mynd yn sownd yn y mwd a bu'n rhaid iddo'u gadael yno lle roedden nhw. Buont yno am fis neu fwy wedyn, oherwydd doedd neb yn medru'u cyffwrdd. Rhedodd Dylan ymlaen drwy'r llaid, gyda'r glaw yn tasgu oddi ar ei wyneb ac yn ei ddallu ar brydiau. Yna, cyrhaeddodd ymyl y llyn, wrth hen gartref ei hendaid. Gwelai'r hen ddyn ar ben y to; rhywsut, gan ddefnyddio pob dernyn o ynni oedd yn ei gorff, llwyddodd yr hen ŵr i nofio at y tŷ cyn dringo i grib y to. Eisteddai yno'n rhuo yn erbyn y gwynt, yn herio natur â'i ddyrnau, gan grochlefain hen farddoniaeth Cymru yn ei lais gwichlyd. Crynai ei farf gwyn tra bloeddiai'r geiriau hynafol i lygad y storm.

Gan ddibrisio ei fywyd ei hun, neidiodd Dylan i mewn i'r llyn byrlymus a nofio at ei hendaid. Yna safodd ar rimyn y to, gan afael yn ysgwyddau'r henwr, ac ond ei ben yn unig i'w weld uwchlaw'r dŵr.

Rhoddodd yr hen ddyn waedd angerddol pan welodd fod y bachgen wedi ymuno ag o ar y to. Ymbiliodd arno i nofio'n ôl i'r lan. Ond gwrthododd Dylan. Ni fynnai adael yr hen ŵr i farw ar ei ben ei hun.

A dyna'r diwrnod diwethaf y gwelwyd nhw'n fyw. Pan ddarganfuwyd bod Dylan wedi dianc o'r tŷ mi wyddai pawb i ble'r aethai. Fe'i dilynwyd at ymyl y dŵr gan weddill y teulu. Ond erbyn iddyn nhw gyrraedd yno roedd yr hen ŵr a'r bachgen ifanc wedi diflannu. Ni welwyd yr hen ŵr byth wedyn, ac ni ddarganfuwyd ei gorff chwaith. Ond daethpwyd o hyd i Dylan.

Pan ddaeth Yncl Wil at ymyl y dŵr rhoddodd floedd erchyll: gwaeddodd *Dylan*, ar dop ei lais, dro ar ôl tro. Rhwygodd ei gôt a'i sgidiau oddi amdano, a neidiodd i'r dŵr; nofiodd i lawr at y tŷ ac aeth i mewn i'r adeilad ddwywaith, ond ni welodd argoel o'i berthnasau. Ar y trydydd tro bu o'r golwg am bron i bum munud; roedd y gweddill yn dechrau ofni ei fod yntau hefyd wedi'i lyncu gan y dŵr. Ond cododd Wil i'r wyneb unwaith yn rhagor a'r tro hwn roedd corff diymadferth yn ei freichiau. Dylan ydoedd, y bachgen bach, efo'i wallt golau yn llipa dros ei lygaid glas, a'i geg yn llawn o ddŵr. Ni wnâi'r sŵn cyfareddol hwnnw efo'i wefusau byth eto, ni ddawnsiai ar hyd y dolydd a'i ddwylo'n hedfan o amgylch ei ben fel dwy golomen wen yn dychwelyd drwy'r awyr i arch Noa.

Gorffennodd Mari'r stori, ac arhosodd y ddau'n hollol lonydd ym mreichiau ei gilydd tan iddyn nhw glywed traed Huw yn taro'r styllen wichlyd wrth ddrws Nico; roedd o wedi bod yn gwrando arnyn nhw.

'Huw?'

Ond ni ddaeth ateb. Cododd Mari a Nico, gwisgo, a mynd i lawr y grisiau i'r gegin. Yno, yn ôl gorchymyn Nico, eilliodd Mari bob blewyn o'i ben. Wedi iddi orffen, edrychai fel llofrudd oedd wedi dianc o garchar.

'Perfect,' meddai pan welodd ei lun yn y drych. 'That's just how I want to look. Dangerous.'

A rhoddodd sws ar foch ei gariad, heb wybod ei bod hi'n feichiog; heb wybod chwaith gymaint roedd hi'n ei garu; heb wybod bod y symudiad bach cyntaf wedi digwydd yn ei bol tra daliai hi'r siswrn uwch ei ben; heb wybod chwaith fod y torri gwallt hwnnw yn arwydd fod eu bywydau ar fin newid am byth.

2 8

Roedd Nico'n benderfynol. Roedd o'n mynd i ladd mochyn.

'I must get food ready for you,' meddai yn y gegin, efo twca mawr miniog yn ei law. Bu wrthi'n rhoi min arno ers hanner awr, ac roedd y llafn disglair yn codi ofn ar Mari.

'But why now, Nico? What's got into you?'

'Things are happening, we must get ready,' meddai yntau dan ei wynt. Roedd yr eillio wedi newid ei wedd yn hollol: edrychai'n filwrol ac yn beryglus. Doedd Mari ddim yn hoff o'r Nico newydd 'ma.

'You look like a bloody convict,' meddai hi'n flin.

'No chance of a kiss then?' meddai Nico a gwên wirion ar ei wyneb.

'You can sod off,' meddai Mari.

'Anyway, you come for a walk this morning, look at the animals?'

Bu Mari'n hir cyn ymateb, ond gwyddai fod yn rhaid iddi ddweud wrtho am y babi cyn bo hir, felly atebodd: 'OK, but you put that knife away now, you're making me nervous.'

Chwarddodd Nico, ac aeth allan i'r buarth. Sylwodd ar unwaith nad oedd Huw wedi gollwng yr ieir yn rhydd, ac aeth i fyny i'r cwt. Pan agorodd y drws canfu mai dim ond tair iâr oedd ar ôl, a bod Clwc wedi diflannu hefyd. Gwaeddodd ar Huw, ond doedd dim sôn am hwnnw chwaith. Aeth i weld y cŵn, a safodd wrth y drws yn trio penderfynu be i'w wneud efo nhw. Pan adawai'r fferm âi ag un efo fo, yn gwmni iddo ac i fod yn wyliwr nos; roedd Jess ar fin esgor ar gŵn bach, a byddai'n rhaid ei gadael hi yma. Ystyriodd bob posibilrwydd. Byddai'n rhaid iddo wneud cynlluniau manwl, neu mi fyddai pawb yn marw. Roedd eisoes wedi penderfynu na allai o eu gadael nhw i farw yn y cyflwr truenus hwn, er nad oedd y penderfyniad wedi bod yn un hawdd. A bod yn hollol onest, cael a chael oedd hi, oherwydd y peth calla fyddai dianc i ddüwch y nos, fel Clwc.

Cydwybod... dyna oedd ei faich mwyaf erbyn hyn. Roedd tosturi a chydymdeimlad hefyd yn rhwystrau iddo. Gwendidau oedden nhw wrth frwydro i fyw. Roedd o wedi teimlo tosturi dros y teulu bach hwn, yn disgwyl eu tynged ar ryw glwt o dir yng nghanol unlle. A'r hogan, Mari... oedd, mi oedd hi wedi bod yn gysur iddo yn ystod y dyddiau du, ar ôl iddo fynd ar goll mewn gwlad estron, ac yntau'n teimlo'n llawn anobaith. Roedd ei chorff bach parod wrth ei ochr yn y gwely wedi bod fel potel ddŵr poeth iddo yng nghanol gaeaf. Roedd yn amlwg ei bod hi'n ei garu ac os oedd merch ifanc yn caru dyn fel yna roedd 'na ddyletswydd, rywsut... dyled i dalu rhywfaint o'r cariad yn ôl. Doedd o ddim yn sicr beth oedd ei deimladau o tuag ati; doedd o ddim wedi meddwl ryw lawer am y peth. Bu hi yno iddo, ac roedd hynny'n ddigon, rhywsut. Doedd o ddim eisiau meddwl gormod amdano.

'Nico!'

Roedd ei llais ifanc yn galw ar draws y buarth.

Sythodd, a throi tuag ati. Edrychai Mari fel geneth ysgol wrth ddrws y tŷ, yn fain ac yn welw, gyda'i jîns tyllog a'r sgarff wirion 'na'n cadw ei gwallt i mewn.

'Yes?' atebodd Nico.

'You ready to go?'

'Come on then.'

Roedd y glaw wedi peidio o'r diwedd, ac er bod yr

awyr yn llawn o gymylau llwyd roedd hi'n reit gynnes. Aethon nhw i lawr Cae Dan Tŷ efo'i gilydd, yn hamddenol, oherwydd doedd dim brys i wneud unrhyw beth penodol erbyn hyn. Roedden nhw wedi rhoi'r gorau i'r hen drefn, a doedd neb yn esgus meddwl erbyn hyn y medrent gynnal eu hunain: tyfu eu bwyd eu hunain, a byw ar y fferm gyda'i gilydd am byth fel hyn. Na, roedd y freuddwyd drosodd. Aros roedden nhw rŵan; aros i'r dyfodol gyrraedd. Wydden nhw ddim be ddigwyddai, wrth gwrs, er eu bod yn gwybod bod trefn eu bywydau ar fin cael ei chwalu'n llwyr. Byddent yn bwyta unrhyw beth a ddeuai i law, fel petaen nhw'n byw ymysg y brodorion Maori, neu Aborijinis Awstralia; roedd Huw wedi dechrau bwyta dail a mefus gwyllt, a hyd yn oed siani flewog pan ddeuai ar draws un. Roedd eu dillad yn glytiau, a'u sgidiau'n dyllog. Cerddai Huw o gwmpas maglau'r cwningod heb ddim am ei draed. Doedd o ddim wedi ymolchi ers misoedd a go brin y siaradai o gwbl. Roedd teulu Dolfrwynog yn llithro'n ôl i'r gorffennol pell.

Safai Mari a Nico wrth y dŵr, law yn llaw, yn syllu i'r dyfnderoedd. Roedd y ddau ohonyn nhw'n meddwl am gartref yr hendaid o dan y dŵr, a Dylan yn deifio i mewn i'r llyn i geisio achub yr henwr. Stori dorcalonnus, meddai Nico wrtho'i hun. Ond, oedd hi'n stori wir?

Edrychodd ar Mari drwy ochr ei lygad. Roedd syniad yn ei ben mai stori ffug oedd hanes Dylan, a dim amgenach. Stori amser gwely i blentyn… neu i Nico, y tro hwn. Stori i'w gadw yno ar y fferm. Ai dyna oedd y gwir?

'Nico,' meddai Mari'n betrusgar. 'I've got something to tell you.'

'Too right,' meddai Nico. 'I think maybe you got a whole heap of things to tell me, no?'

'No, listen to me Nico. It's important.'

Trodd i edrych yn iawn arni.

'No, you listen to me now, Mari. All this load of shit. All your stories about Virgin Mary and little boy Dylan, bullshit yes? And you know what? This no lake. Look at it. Trees under water yesterday, out of water today. Water move up and down, yes? This is no lake, Mari – this is the sea. You understand Mari? This is the big sea.'

Edrychodd Mari ar y dŵr. Oedd o'n dweud y gwir? Oedd y môr wedi cyrraedd y cwm mewn gwirionedd? Plygodd, a rhoi ei bys yn y dŵr, yna agorodd ei cheg yn barod i'w flasu. Ond newidiodd ei meddwl ar y funud olaf. Beth am y babi?

'Now it's my turn,' meddai hi wrth Nico. 'Are you ready for this? Because I've got something really big to tell you.' Oedodd am eiliad, a gwenu. 'Well, it's something really small, actually.' Chwarddodd yn ysgafn. Oblegid peth bychan iawn oedd y babi, ond roedd o'n mynd i gael effaith mawr iawn ar eu bywydau. Roedd yr eironi'n reit ryfedd, wir.

'Yes?' meddai Nico, yn dechrau colli ei amynedd. 'What is it?'

Gafaelodd hithau yn ei ddwylo, ac edrych i mewn i'w lygaid.

'Nico,' meddai'n ddistaw, 'I'm expecting a baby.'

Distawrwydd llethol... yna eisteddodd Nico ar dwmpath soeglyd – teimlai ei din yn gwlychu.

'That's all we need,' meddai mewn llais blinedig. 'That's all we bloody need, Mari. A baby.'

Rhoddodd ochenaid drom ac eisteddodd ar y twmpath am hydoedd yn dweud, *that's all I need... that's all I bloody need...*

29

Disgynnodd dagrau hallt Mari i mewn i'r llyn. Na, môr oedd o bellach. Cerddodd i mewn i'r dŵr yn araf, nes roedd yn cyrraedd ei phengliniau. Roedd y dŵr yn ofnadwy o oer, ond safodd Mari ynddo'n wylo. Edrychodd, drwy ffilm o ddŵr, ar ei dagrau bach poeth yn syrthio i mewn iddo. Roedd y cylch bellach yn gyflawn, meddai wrthi ei hun: codai'r dŵr o'r môr i'r cymylau; yna syrthiai i'r ddaear fel glaw; rhedai hwnnw i ffynnon Dolfrwynog, lle byddai Mari'n ei yfed. A dyma hi'n trosglwyddo'r dŵr yn ôl i'r môr ac yn dechrau'r broses unwaith eto. Roedd cartref y babi newydd yn ei bol yn fôr bach hefyd, oherwydd roedd yr hylif o gwmpas y baban yn cynnwys yr un cyfartaledd o halen yn union â'r môr mawr a sugnai ei jîns. Pysgod a allai gerdded oedd dynion a merched. Gweddillion esgyll pysgod oedd eu breichiau a'u coesau. Roedd olion tagell yn dal yn eu gyddfau. Teimlai Mari fagnet cryf yn ei thynnu i mewn i'r dŵr; roedd yr amser wedi dod iddi orffen ei chyfnod ar dir sych, fel y gallai ailfynychu dyfnderoedd tawel y môr unwaith yn rhagor. Ni fyddai neb yn galaru pe bai hi'n diflannu o dan y don. Roedd biliynau wedi marw'n barod; pa ots petai hithau a'i baban yn diflannu i ebargofiant hefyd? Doedd gan Nico ddim awydd bod yn dad, roedd hynny'n amlwg; doedd o ddim yn ei charu hi chwaith neu mi fuasai'n rhedeg i mewn i'r dŵr ar ei hôl ac yn ei llusgo i'r lan. Cymerodd gam arall i mewn i'r heli. A cham arall wedyn, tan ei bod hi'n teimlo'r dŵr yn cyrraedd ei chluniau. *Dos 'ta*, meddai llais bach yn ei phen. *Dos i mewn at dy drwyn.*

Ond arhosodd Mari lle roedd hi, yn wylo. Yna stopiodd. Beth oedd y pwynt? Doedd hi ddim yn mynd i gerdded i mewn i'r dŵr, doedd hi ddim yn mynd i foddi fel Dylan. Fu erioed hen ŵr i'w achub, na chartref o dan y dŵr. Roedd hynny i gyd yn ei dychymyg. Stori amser gwely. Hi greodd yr hanes, ei dychymyg hi ei hun. Medrai ymfalchïo yn hynny. Byddai stori fel 'na wedi ennill clod iddi yn y dosbarth sgwennu creadigol, pan oedd ysgolion ar gael, cyn i'r gyfundrefn addysg chwalu'n gyfan gwbwl. A hynny cyn diwedd y byd.

'I know you won't do it, so come back here, Mari,' meddai Nico. Doedd o ddim wedi symud o'r twmpath, ac roedd y staen gwlyb wedi symud ar hyd ei jîns, at ei liniau, bron. 'Come on. Don't be silly. I know you won't do it.'

Trodd Mari a dychwelyd i'r lan. Safodd o'i flaen, a'i dwylo ar ei chluniau. Roedd hi wedi stopio crio erbyn hyn, ond roedd ei llygaid yn goch ac yn brifo. Edrychodd yn filain arno.

'So you don't want our baby?'

'I didn't say that.'

'*That's all I need* – that's what you said.'

'It was a big shock, Mari. I didn't expect it.'

'What did you expect, the way we carried on? It was bound to happen sooner or later, wasn't it?'

'Yes, I know. But it's still a shock. And now is a bad time, Mari. We are fighting to stay alive. No food. No doctors. How you going to cope?'

'Oh, so it's me who's going to cope, is it?'

'No, I help you.'

'So you're going to help?'

'Yes, of course I help. My baby, I help. I am Polish, I am Catholic.'

Eisteddodd Mari wrth ei ochr, din wrth din ar y twmpath.

'So you're not going to run away?'

'No, I help you with baby, Mari. But I have to go away for a bit.'

'How long? Where?'

'A couple of weeks, maybe a month. Don't worry, I kill pig before I go.'

Lladd mochyn? Be ddiawl oedd hynny i'w wneud efo dyfodiad babi?

'One thing I must know, Mari, these stories – what is truth about them? I know there are people in graves, but who are they really?'

'Nico, they are the people I told you about.'

'But the stories about the way they died – all true, Mari?'

Pwysodd Mari ei breichiau ar ei gliniau, a rhoddodd ei phen yn ei dwylo, yn union fel Nico. Doedd 'na ddim dwywaith amdani, byddai'n rhaid iddi ddweud y gwir wrtho rywbryd. Pam ddim rŵan? Roedd hi wedi gobeithio gohirio'r peth cyn hired ag y medrai – i'w gadw o yno yn gwrando ar y ffug chwedlau. Bu ei chynllun yn llwyddiannus, am ei fod o'n dal yno, wrth ei hochr. Roedd hi wedi ei gadw fo yno am ddigon o amser i...

Ond doedd hi erioed wedi bwriadu gosod magl iddo fo, fel y gwnâi yntau i'r cwningod. Na, nid dyna oedd ei bwriad. Eisiau ei gwmni oedd hi, a'i gariad. Roedd gobaith wedi diflannu o'i chalon yn y cyfnod cyn iddo gyrraedd. Doedd 'na neb i lawenhau yn ei gwmni, neb yr un oed â hi o fewn can milltir, hyd y gwyddai. Ac yna, un diwrnod, cyrhaeddodd Nico ar y buarth, fel ateb i bader. Oedd hi'n syndod fod Natur wedi rheoli ei theimladau yn dilyn hynny? Beth arall wnâi merch ifanc heblaw caru dyn fel hwn, fflyrtio efo fo, dal dwylo efo fo? Dyna oedd y rheswm dros ei bodolaeth ar y ddaear, yntê?

'What do you want to know?' gofynnodd o'r diwedd.

'OK. Let's start with the first one, the Virgin Mary story. What is the truth?'

Dywedodd Mari'r gwir wrtho. Ia, Sara ei chwaer oedd wedi'i chladdu yn y bedd cyntaf. Oedd, roedd hi wedi trengi oherwydd y newyn a ddisgynnodd dros y wlad, wedi i Brydain chwalu. Gwelson nhw ddiwedd ar y gymdeithas, a diwedd ar y byd y gwydden nhw amdano. Dim ond ychydig iawn o bobl oedd ar ôl ymhen deufis; roedd y gyflafan wedi lladd naw o bob deg ohonyn nhw erbyn hynny. Diffyg bwyd oedd y prif reswm; bu torfeydd yn ymladd am bod tamaid ar ôl i'r cyflenwad bwyd fethu. Bu farw'r hen, y methedig a'r afiach yn fuan iawn. Yr ifanc yn unig oedd ar ôl ymhen chwe mis, yn ymladd mewn gangiau am yr adnoddau prin. Yn wir roedd ffilmiau'r ugeinfed ganrif wedi rhag-weld y dyfodol gyda llygad praff. Ac wedyn daeth ffactor arall i'r fei: diffyg gobaith. Collodd miloedd eu pwyll, oherwydd na allen nhw ddygymod â'r distawrwydd. Roedd trydedd genhedlaeth yr iPods a'r iPhones wedi arfer â chymaint o sŵn yn eu clustiau fel na allent ymdopi â distawrwydd y byd naturiol. Ac aeth canran o'r rhai oedd yn weddill yn wirion yn eu pennau oherwydd nad oedd ganddyn nhw unrhyw obaith i'w cynnal. Mi wyddai Nico hyn; roedd o wedi bod ymysg y giwed yn Lerpwl pan ddaeth y diwedd. Roedd o wedi bod yn ffodus, roedd o wedi medru achub ei fywyd ei hun. Ond lladdwyd miloedd ar y strydoedd, o flaen ei lygaid. Roedd y trawma wedi eu gyrru'n wirion.

'Sara never saw the Virgin Mary at the well,' meddai Mari. 'I made that all up. Sara just gave up hope, really. She couldn't cope with the world when it changed. She didn't want to do anything, she just sat there, day after day, looking into space. We tried to make her eat, tried to force it down her even, but it was no use. She got thinner and thinner, and then she just died in her bed. There was nothing we could do. She just gave up hope and stopped living.'

Gyda'i llais yn floesg, adroddodd hanesion y lleill hefyd.

Roedd stori Gwydion, ei thad, yn agosach at y gwir. Ia, plismon oedd o yn y ddinas, eu hen gartref, ond ni laddwyd o yno. Roedd o'n ddyn iach pan gyrhaeddodd Ddolfrwynog, efo'i deulu a'i ffrind pennaf, Jac. Ond un diwrnod daeth giang o'r dref agosaf i ardal Dolfrwynog i reibio'r wlad; clywid hwy'n saethu yn y pellter, yn ymladd efo'r ffermwyr ac yn dwyn eu stoc. Ymosododd y giang ar Ddolfrwynog un noson ond roedd y dynion yn barod amdanyn nhw, efo'u gynnau wedi'u llwytho; lladdwyd pedwar o'r giang cyn i'r gweddill ffoi. Lluchiwyd y cyrff i mewn i'r geulan wrth y maes; roedd eu sgerbydau'n dal yno, yn y mieri. Ond cafodd un o drigolion Dolfrwynog ei anafu hefyd: ei thad. Saethwyd ef yn ei goes, ac aeth y briw yn ddrwg. Doedd dim doctoriaid, dim ysbyty. Bu farw ymhen pythefnos, yn y tŷ, ac fe'i claddwyd yn y gadlas wrth ochr ei ferch. Erbyn hyn doedd neb yn medru galaru; roedd un sioc wedi dod mor fuan ar ôl y llall fel nad oedd dim modd teimlo dim byd, rywsut.

A Rhiannon, ei chwaer hynaf... roedd y rhan fwyaf o'r stori'n wir. Roedd Rhiannon wedi marw ar y fferm, ei chalon wedi'i thorri'n deilchion. Ond nid Alun Pant yr Haul roedd hi wedi'i briodi – doedd dim ffasiwn le'n bod. Na, roedd Rhiannon ei chwaer wedi priodi dyn hyfryd, heb ei ail. Roedd y teulu cyfan wedi syrthio mewn cariad ag o – ac roedd ganddi hithau, Mari, glamp o grysh arno am dipyn. Meddyg yn yr ysbyty oedd o – a bu farw mewn ffrwgwd wedi i un o'r gangiau ymosod ar y lle i geisio dwyn cyffuriau. Pan ddaeth Rhiannon i'r fferm i fyw atyn nhw, a hithau wedi dianc rhag pawb o'r ddinas mewn car y noson dyngedfennol honno, gwnaeth ei gorau glas i addasu, i fod yn rhan o fywyd y fferm, i ail-fyw ei bywyd. Ond yn araf, araf, gwaethygu fu ei hanes. Efallai fod cyflwr Sara wedi effeithio arni hithau hefyd. Ond diwedd y gân oedd iddi hithau farw hefyd. Darganfuwyd potelaid o dabledi yn wag wrth ei gwely; doedd dim posib gwybod oedd hi wedi lladd ei hun ai peidio. Doedd neb eisiau dod i'r casgliad hwnnw, beth bynnag.

Ac yna Dylan... ei stori orau hi. Doedd 'na ddim hen ŵr ac aeth o na'i gartref ddim o dan y dŵr. Boddi wnaeth Dylan wrth nofio yn y llyn. Dyna'r cyfan oedd i'r peth. Ac yntau wedi arfer nofio ym mhwll nofio diogel y ddinas, doedd o ddim wedi cymryd digon o ofal. Darganfuwyd ei gorff gan Mari ei hun, yn yr hwyrddydd, a doedd hi ddim wedi wylo ers y diwrnod hwnnw tan heddiw. Rhoddodd ei boch ar ysgwydd Nico a distewi. Ni fu gair rhyngddyn nhw yr holl ffordd adre. Ond rhywbryd, wrth iddyn nhw ddringo Cae Dan Tŷ, cyfarfu eu dwylo, a chlymodd y ddau eu bywydau ynghlwm wrth ei gilydd am byth cyn cyrraedd y tŷ.

30

Erbyn mis Awst, ni wnaethon nhw unrhyw ymdrech i ffermio nac i dyfu bwyd. Roedden nhw wedi rhoi'r gorau i fyw'n gonfensiynol bellach; bydden nhw'n lladd oen yn ôl y galw, yn bwyta ffrwythau o'r cloddiau, ac yn cnoi gwreiddiau'r gneuen ddaear. Trodd y tywydd, a daeth poethder enbyd i grasu'r ddaear. Bu'n rhaid iddyn nhw gysgodi yn ystod oriau cynnar y pnawn, fel petaen nhw'n byw ym Moroco neu'r Aifft. Âi'r anifeiliaid i gysgodi o dan y cloddiau, a syrthiodd y wlad i drwmgwsg distaw. Heb i Yncl Wil wybod, aeth gweddill yr ieir i'r pot bwyd. Roedd o wedi sylwi nad oedd clochdar na chlwcian yn dod o'r buarth bellach, ond ddywedodd o ddim gair. Eu byd nhw oedd o rŵan; roedd o wedi llacio'i afael ar y ffrwyn ac roedd ceffyl ei fodolaeth yn carlamu'n ddirwystr. Ychydig iawn fyddai o'n ei fwyta erbyn hyn ac roedd yr awydd i fyw'n gwanhau o ddydd i ddydd. Un uchelgais oedd ganddo ar ôl – dymunai fod yn ddewr yn ystod ei ddyddiau olaf. Roedd pob diwrnod fel petai mewn brwydr; sut roedd yr hen filwyr wedi medru rhedeg tuag at eu marwolaeth, mor barod, ar faes y gad? Caledai Wil ei wyneb a gafael yn dynn yn ei ddwylo ei hun pan ddeuai rhywun i sgwrsio ag o, fel petai'n codi tarian yn barod i wynebu mintai o filwyr.

Roedden nhw i gyd yn byw mewn breuddwyd bellach. Adeg i freuddwydio oedd hi ar ddolydd Dolfrwynog. Plant oedden nhw, wedi blino, yn disgwyl am eu rhieni i fynd â nhw adre ar ddiwedd y parti pen tymor. Rhedai Huw o fan i fan yn hanner noeth, heb sgidiau na dillad heblaw am hen drowsus bach pêl-droed Man U. Doedd o ddim wedi torri ei wallt ers misoedd ac roedd yr haul wedi'i felynu; edrychai fel Tarzan bach gwallt golau yn byw ymysg yr anifeiliaid gwyllt. Roedd o wedi gweld dolffiniaid yn y dŵr, medda fo, ac âi i lawr i edrych amdanyn nhw bob dydd; yna, un diwrnod, daeth teulu ohonynt i'r fro, i neidio yn y dŵr a chwarae o gylch coesau Huw wrth y lan. Gwyliodd Elin yr olygfa drwy ffenest ei llofft, ond aeth hi ddim lawr i weld ei mab ymysg y pysgod mawr, yn tasgu dŵr drostyn nhw ac yn ceisio'u marchogaeth. Erbyn canol mis Awst roedd Huw yn frown fel hogyn o India ac yn byw yn wyllt; weithiau, ni ddeuai adre gyda'r nos, cysgai yn y perthi wrth y môr yn 'disgwyl i'w ffrindiau newydd ddod ato i chwarae.

Yna diflannodd am ddeuddydd, ac aeth Mari a Nico i chwilio amdano. Clywid eu lleisiau'n gwanhau wrth iddyn nhw fynd at gyrion y fferm, yn gweiddi *Huuuwwww* ar dop eu lleisiau. Daethon nhw o hyd iddo fo ar un o ganghennau uchaf sycamorwydden ym mhen draw'r caeau; roedd o wedi bod yn eistedd yno am ddeuddydd.

'Be ti'n neud yn fan'na, dywed?' holodd Mari'n flin. 'Tyrd o 'na ar unwaith, mae Mam druan o'i chof yn poeni amdanat ti.'

'Mae hi o'i chof beth bynnag,' meddai Huw. Roedd y geiriau yn teimlo'n fawr ac yn rhyfedd yn ei geg, oherwydd doedd o ddim wedi siarad efo neb ers wythnosau, ac roedd o bron wedi colli'r arfer o wneud.

'Come on, Huw, we worry about you,' meddai Nico mewn llais cleniach.

Ond y gwir oedd na fedrai Huw ddod i lawr o'r goeden; roedd o wedi medru ei dringo, ond roedd dod i lawr yn fater gwahanol. Roedd o'n styc lle roedd o. Bu'n lladd amser drwy grynu, gweiddi am gymorth ac wylo.

Aeth Nico i fyny i'w nôl, a thywysodd y bachgen i lawr yn araf, gangen wrth gangen, tan i'w draed gyffwrdd â'r ddaear.

Wylodd yn ddi-baid ym mreichiau Mari am bum munud, a'i gorff bach tenau'n crynu mewn braw. Yna rhedodd i ffwrdd, tuag at y dŵr, a thuag at ei deulu newydd.

Aeth Nico a Mari i lawr i'r llyn i ymdrochi. Buon nhw yno yn y dŵr am bron i awr, yn nofio ac yn chwarae ac yn cusanu. Yna, gan fod yr haul mor drybeilig o boeth, dywedodd Nico y byddai'n well iddyn nhw fynd i gysgodi o dan y goeden dderw.

'People with (pwyntiodd at y brychni ar ei thrwyn hi) get sunburn bad,' meddai. 'And we got to think of the baby.'

'So, suddenly you're worried about the baby,' meddai Mari i'w bryfocio, gan wenu.

Mi orweddon nhw o dan y goeden. Rhoddodd yntau ei glust ar ei bol, i wrando.

'Don't be daft, it's much too early for that,' meddai hithau. Ond oedd hi? Sut gwyddai hi? Dyma'r tro cynta iddi fod yn disgwyl plentyn...

Gorweddodd y ddau yn y glaswellt, ac edmygodd hithau'r lliwiau yn dawnsio ar ei groen: y gwyrdd o'r glaswellt, a'r melyn o'r blodau menyn, a'r glas o lygaid y gath. Roedd o wedi teneuo; gwelai fframwaith ei asennau drwy ei groen, fel sgerbwd llong. Gafaelodd yn ei law, yna rhowliodd ato ac aeth i gysgu am dipyn a'i hwyneb yn ei gesail a'i llaw dros ei frest. Wrth iddi grwydro'n hamddenol tuag at gwsg teimlai ei chroen yn sychu yn y gwynt, a'r awel yn suo drosti. Clywai fref ambell i ddafad, a boncath yn mewian fel cath rywle uwch eu pennau yn y coed.

Deffrodd yn sydyn. Roedd ei chroen wedi oeri; mae'n rhaid ei bod hi wedi cysgu am gryn dipyn o amser. Roedd 'na aderyn mawr uwch ei phen, yn hedfan mewn cylch araf, araf, ac yn mewian. Roedd Nico'n dal ynghwsg, ond deffrodd yntau hefyd, fel petai'n ymateb i berygl. Gorweddon nhw felly, yn gwrando ar yr aderyn, yn mwynhau treigl distaw amser. Dyma'r agosaf y buon nhw at ei gilydd erioed.

'Mari,' meddai'n ddistaw.

'E?'

'You awake?'

'Yes... '

'Warm?'

'Yes, I'm fine.'

'Mari, I got a plan. Maybe stupid, I don't know. But we got to do something. All right now in summer, but when baby come... what we do then?'

'Don't know.'

'Maybe baby come in winter. We need food for winter.'

'Yes, I know that – so what's the plan.'

Rhoddodd Nico ochenaid drom. 'This is only thing I can think of. Crazy idea, I don't know. Your stories... maybe they help us now, maybe not. You want to hear my crazy plan?'

'Yes, Nico, of course. Get on with it.'

Eisteddodd Mari ar ei fol, yn ei wynebu, a'i phengliniau y naill ochr iddo. Chwaraeodd gyda'r cyrls mân ar ei frest.

'Many days from here, about a week by horse, there is a town made from huts,' meddai Nico. 'I saw it when I get pigs. Many huts, hundreds of people live there, refugees, yes?'

Aeth ymlaen efo'i stori. 'Most people there very poor, starving like us. But some rich and fat, you know how people are – always some make good living in bad times, no?'

Mwmialodd Mari i ddangos ei bod hi'n deall.

'I will go to that place, bring rich ones here. Tell them about Virgin Mary at the well and Dylan drown trying to save old man. Tell them big lies to make them come here. They bring food and gold and things like that. Then you tell them stories, they like them very much. Like pilgrims in old days, they believe any old rubbish but they feed us and pay us, yes?'

Unwaith eto roedd y bachgen wedi'i syfrdanu. Gorweddodd Mari yn ôl ar y glaswellt, yn chwarae efo gwelltyn yn ei cheg. Roedd y cynllun yn anhygoel o feiddgar. Pa ddewis oedd ganddyn nhw, beth bynnag?

Rhowliodd ar ei hochr unwaith eto, i'w wynebu. Dilynodd batrwm y tatŵ ar ei fraich gyda'r gwelltyn. Yna atebodd: 'OK, Nico. We'll give it a try. I can't think of anything better. Let's go for it.'

31

Eisteddai pawb o amgylch y bwrdd mawr gwyn yn Nolfrwynog. Roedd yr haul yn machlud, ac yn lliwio ffenest y gegin efo sawl melyn a choch a phiws. Heddiw, tro Huw oedd hi i eistedd ym mhen y bwrdd, yn ei drowsus bach Man U. Roedd ei geg a'i fysedd yn goch efo sudd mafon gwyllt. Edrychai'n wyllt; gallasai ddod o un o'r slyms yn y Trydydd Byd.

Un o hen lyfrau Dolfrwynog oedd y prif reswm pam eu bod nhw yno wrth y bwrdd y noson honno, gan mai yn un o'r rheiny y gwelsai Nico rywbeth i'w symbylu i greu ei gynllun beiddgar. Roedd y llyfr ar agor o'i flaen ar y bwrdd y funud honno, a symudai ei fys ar hyd y tudalennau wrth iddo drafod ei weledigaeth. Oherwydd, yn y llyfr hwnnw, fisoedd yn ôl, darllenodd bennod yn trafod hen bererinion yr Oesoedd Canol. Daethai'n amlwg mai dynion busnes oedd y mynaich a gwŷr crefyddol yr oes honno. Oedd, roedd eu hangen i greu defod i sancteiddio'r dynion da, ond defnyddiwyd y seintiau hefyd i hudo pobl i ymweld â'u beddau. Gwnaed *souvenirs* a ffurfiwyd defodau cymhleth i ddenu ymwelwyr. Gwerthid creiriau i wneud elw, gan honni mai esgyrn ac eiddo'r saint oedd y gwrthrychau, er nad dyna oedden nhw mewn gwirionedd. Symudwyd eu cyrff o'r naill fangre i'r llall i ddenu'r pererinion. Er bod rhywfaint o hyn yn ddilys, roedd yn ffordd hwylus hefyd o greu cyfoeth i'r eglwysi a chadw'r mynaich a'r crefyddwyr mewn bwyd a diod.

Wrth ddarllen am hyn, gwelodd Nico gyfle i'w cynnal yn Nolfrwynog. Amlinellodd ei gynllun. Ymhen wythnos mi adawai'r ffermdy ar gefn un o'r ceffylau. Âi dros y mynydd, gan mai dyna'r unig ffordd y medrai adael bellach – roedd y môr wedi amgylchu'r tir, gan greu ynys, bron iawn, o'u hardal. Âi â gwn ac un o'r cŵn efo fo, a byddai i ffwrdd am o leia bythefnos, efallai mis – doedd o ddim yn siŵr. Cymerai dros wythnos iddo ddod o hyd i'r *shanty town* a welsai pan oedd o'n nôl y moch. Wedyn, cymerai o leiaf wythnos iddo ddod o hyd i *king rats* y dref a'u perswadio i fynd ar bererindod i weld y 'saint' yn Nolfrwynog.

Yn y cyfamser, byddai'n rhaid i bawb lanhau'r tŷ yn drwyadl ar eu cyfer, gan mai yno y bydden nhw'n aros. Byddai'n rhaid i bawb, heblaw am Yncl Wil, symud i'r llofft stabal, a byddai'n rhaid i Mari 'sancteiddio' Wil gydag un o'i straeon gwefreiddiol; dylai hi awgrymu mai arwr dewr oedd Wil, yn marw ar ôl cyflawni rhywbeth gwyrthiol. Swydd Mari oedd swyno'r pererinion efo'i straeon ystrywgar wedi iddyn nhw gyrraedd; fel tâl am y profiad byddai'n rhaid i'r ymwelwyr ddod â bwyd ac eitemau gwerthfawr efo nhw. Awgrymai Nico fod byw yn y *shanty town* yn ddiflas ac yn undonog; byddai'r *king rats* a'u merched eisiau rhyw fath o ddifyrrwch ac adloniant, fel pawb arall. Câi Elin chwarae'r piano iddyn nhw, a châi Huw chwarae ar gefn y dolffiniaid. Byddai rhan i bawb yn y gweithgaredd. Dyna oedd ei gynllun. Ni welai unrhyw ffordd arall o gynnal y teulu drwy'r gaeaf.

Yn y distawrwydd ar ôl anerchiad Nico manteisiodd Mari ar y cyfle i gyhoeddi ei bod hi'n disgwyl plentyn. Ei mam a Wil oedd yr unig rai nad oedd wedi clywed – clywsai Huw nhw'n siarad. Dechreuodd Elin wylo, cyn dwrdio a bygwth Nico. Eisteddodd pawb arall yn edrych arni efo golwg blinedig yn eu llygaid.

'Byddwch ddistaw, Mam!' gwaeddodd Mari. Doedd hi ddim yn mynd i dderbyn ffwlbri ei mam y tro hwn. 'Faint o blant gawsoch chi? A sut ddigwyddodd hynny – yr angel Gabriel eto? Mae o wedi digwydd rŵan. Be oeddech chi'n feddwl roeddan ni'n neud yn y llofft efo'n gilydd – chwarae dolis? Dwi a Nico'n mynd i gael plentyn, a dyna fo.'

Cododd Elin a mynd i fyny'r grisiau, gan sniffian yr holl ffordd. Curodd ar ddrws Wil. Aeth i mewn heb aros am y *dewch i mewn* arferol. Roedd Wil wedi clywed y ffrwgwd wrth y bwrdd, ac yn disgwyl amdani.

'Paid ag ypsetio dy hunan, 'y mechan i,' meddai'n glên wrth ei chwaer. 'Mae'r pethau 'ma'n digwydd, wsti.'

'Ond fi oedd y dwytha i wybod, fel arfer,' meddai Elin yn flin. Roedd ei thrwyn yn goch a'i llygaid yn llawn o ddagrau.

Trodd Wil tua'r machlud, a gofyn iddi agor mwy ar y ffenest. Er ei bod hi'n tynnu at hanner nos roedd y stafell yn ddiawledig o boeth. Roedd yn amlwg i bawb bellach eu bod nhw'n mynd i brofi gwres cythreulig fel yr un gawson nhw ddeng mlynedd ynghynt, pan fu farw miliynau ar draws y byd. Teimlai Wil fel pysgodyn ar y lan, yn ymladd am ei wynt. Tybed faint o bobl oedd ar ôl yn y byd? Bron yn sicr byddai gwledydd cyfan yn y trofannau erbyn hyn heb neb yn byw ynddyn nhw. Roedd pobl o'r Affrig wedi ffoi yn ystod y pumdegau a'r chwedegau, ond doedd dim digon o dir nac adnoddau i bawb. Bu'n rhaid bomio'u cychod nhw yn y môr, rhag iddyn nhw orboblogi Ewrop. Erbyn hynny, roedd y môr wedi codi'n llawer uwch a rhan helaeth o Brydain wedi diflannu o dan y don; dim ond ynysoedd oedd ar ôl, miloedd ohonyn nhw erbyn hyn.

Ynys fechan oedd Cymru bellach hefyd, efo canran o ffermwyr ar ôl a nifer o *shanty towns* ar hyd y glannau; ffoaduriaid oedd y rhan fwyaf o'r trigolion, naill ai wedi lladd a rheibio ar eu ffordd yno neu wedi dianc rhag yr ymladd a'r anrheithio; criw od iawn oedden nhw, o bob lliw a chrefydd dan haul. Wrth gwrs, o dan y fath amgylchiadau roedd crefydd yn ffynnu ac roedd miloedd wedi marw dros eu ffydd. Môr-ladron oedd y rhan fwya o drigolion y *shanty town* agosaf, yn byw'n debyg iawn i'r Vikings erstalwm; aent i ffwrdd am wythnosau yn eu cychod hwylio a dod yn ôl efo carcharorion ac eiddo i'r ynyswyr.

Ni wyddai Wil nac Elin fawr am hynny, er eu bod yn gwybod yn iawn am achos y trafferthion: cynhesu byd-eang. Cafodd llawer o rwtsh ei siarad am *carbon footprints* a byw'n wyrdd, ond ni wnaed dim byd pendant i ddatrys y problemau, dim ond blynyddoedd o falu awyr ymysg y gwleidyddion heb fawr o newid. Ac yna, yn sydyn, roedd hi'n rhy hwyr. Wrth edrych yn ôl i'r gorffennol, ar ôl canrif o siarad ac ymgecru, mi sylweddolon nhw pa mor syml oedd yr ateb drwy gydol yr amser. Roedd pob ateb terfynol yn hanes dyn yn syml, mor syml â hafaliad Einstein, $E = mc^2$. Ond erbyn iddyn nhw weld hynny, roedd hi'n rhy hwyr.

Eisteddai Elin ar wely Wil a gafaelodd yn ei law.

'Biti ein bod ni wedi sbwylio pethau yntê,' meddai hi fel hogan fach. Roedd 'na dinc siomedig yn ei llais, fel merch fach wedi gweld gwesteion ei pharti pen-blwydd yn cael eu hel adre ar ôl mynd dros ben llestri. Dyna ddigwyddodd, mewn ffordd. Parhaodd y parti ar ddechrau'r ganrif mor hir nes bod bawb yn chwil ac yn sâl.

'Paid â phoeni,' meddai Wil. 'Mae hi'n rhy hwyr rŵan. Dim arnon ni oedd y bai, wsti.'

'Be 'dan ni am wneud, Wil?'

Gafaelodd Wil yn ei llaw.

'Rhaid i ni eu helpu nhw. Mae ganddyn nhw obaith, maen nhw'n ifanc.'

'Pah!' meddai Elin. 'Gobaith? Pa iws 'di hwnnw...'

'Fedran nhw ddim gorwedd i lawr a marw, wsti,' meddai Wil. 'Gwnân nhw drio byw rywsut. Tyrd o 'na rŵan, rhaid i ni eu helpu nhw.'

Sychodd Elin ei dagrau, ac aeth yn ôl i'w llofft. Rhoddodd glep i'r drws nes bod y sŵn yn atseinio drwy'r tŷ. Cododd Huw ei lygaid i gyfeiriad y sŵn, yna rhedodd allan drwy'r drws, drwy'r buarth, i lawr i Gae Dan Tŷ, i gyfeiriad ei deulu newydd. Yn y nos.

32

Daeth Nico adre yn goch ei wyneb ac yn diawlio'r ceffylau. Roedd cymaint o amser bellach ers iddo eu trin nes eu bod nhw bron iawn â throi'n wyllt. Aeth o gwmpas y tŷ gan chwilio am rywbeth melys i'w hudo ato yn y cae, ond doedd 'na ddim byd ar gael wrth gwrs. Eu twyllo oedd yr ateb, fel arfer. Rhoddodd lond llaw o gerrig mân yn ei fwced coch. Byddai'r cerrig yn swnio fel bwyd wrth iddo ysgwyd y bwced. Aeth Mari, Huw ac ynta i hudo'r ceffylau i'r gadlas a llwyddwyd i wneud hynny ar ôl pob math o giamocs. Roedd Nico mewn tymer ddrwg erbyn hyn a dangosodd ei rwystredigaeth drwy roi clamp o gic i'r bwced coch, gan ei hollti'n ddau.

'Damia,' medda fo, yn defnyddio'r unig air Cymraeg yn ei eirfa.

Cafodd Huw dipyn o hwyl yn lluchio cerrig at y bwced, gan chwerthin a bihafio fel mwnci. Doedd 'na ddim hwyl ar Nico o gwbwl. Bu wrthi am awr gron yn chwilio am y cyfrwy ac yn hel y gêr at ei gilydd. Yna daeth ton o amheuaeth drosto. Oedd o'n gwneud y peth iawn? Be ddigwyddai pe bai un o'r gangiau'n cyrraedd pan fyddai i ffwrdd? Aeth i fyny i lofft Wil i gael sgwrs efo'r hen ddyn. Rhoddodd Nico'r gwn sbâr wrth ochr gwely Wil a llond bocs o getris ar y bwrdd. Wil fyddai gwarcheidwad y tŷ bellach. Pwyntiodd Nico at ei lygaid a dweud: 'You are guard for house now, you look all night, yes?'

Nodiodd Wil. Roedd o wedi clywed *damia* yn dod o gyfeiriad y gadlas yn gynharach ac wedi gwenu am y tro cyntaf erstalwm.

Aeth Nico i lofft Elin.

'You get up every day now, lady, you walk through fields and up mountain every morning to look for men.'

'Men? I wish,' meddai hithau. Ond cytunodd i wylio'r gorwel a helpu Wil.

Allan ar y buarth, safodd Nico ac edrych o'i gwmpas, a daeth cwmwl bach du drosto; teimlai bwl o iselder wrth feddwl cymaint oedd y lle wedi newid mewn cyn lleied o amser. Welen nhw mo Wil yn sefyll yng nghanol ei deyrnas byth eto, yn edrych i'r gogledd ac i'r de, yn siarad efo'i harem bluog, gan ddweud *damia* – fel y gwnâi mor aml. Chlywen nhw mo Clwc eto'n clochdar yn falch ar ben y domen, fel y gwnaeth sawl ceiliog arall ers bore oes. Roedd un o synau cynharaf gwareiddiad wedi peidio yn Nolfrwynog a'r hen fyd yn diflannu o flaen eu llygaid.

Teimlai Nico chwa o hiraeth am yr hen bethau darfodedig; yr hen genhedloedd syml, diniwed, a fu ar y ddaear am ychydig o eiliadau yn hanes y byd, ond a ddiflannodd i'r gofod du. Daeth hiraeth drosto am yr ieithoedd bychain a'r arferion annwyl a ddiflannodd hefyd; am y bobl swil, heddychlon, na welai'r byd mohonyn nhw eto; am ferched prydferth y cynfyd, am y cymdeithasau cyntefig, a holl bethau diflanedig y canrifoedd a fu. Ni welid hwy byth eto; roedden nhw wedi'u difa, ac roedd y byd wedi'i ddifetha: roedd y gwledydd prydferth wedi'u rheibio, y moroedd hardd wedi'u gwenwyno, a llawer o'r anifeiliaid, y pysgod a'r adar wedi eu difa.

Gafaelodd Nico yn llaw Mari ac aeth â hi am dro i lawr at y môr. Roedd heidiau o sglefrod môr pinc wedi glanio ar y lan dros nos, ac yn edrych fel llu o *flying saucers* sinistr. Edrychodd Mari i mewn i'w canol a gweld curiadau a symudiadau trydanol yn aflonyddu'r jeli. Roedd yn boeth iawn erbyn hyn ac roedd y sglefrod yn crino ac yn marw.

'I don't want to leave you like this,' meddai Nico mewn llais prudd. 'It's not safe – what happens if another gang come?'

'No, it's our only chance,' atebodd Mari. 'We've got to try this plan. Otherwise we'll starve to death this winter, and what about the baby?'

Roedd ansicrwydd amlwg ar wyneb Nico.

'You come with me?'

'No, that's even more dangerous,' meddai Mari. 'But come back soon, I can't live without you for long.'

Daeth deigryn i'w llygaid, a gafaelodd y ddau yn ei gilydd yn dynn.

'If I'm not back in a month something has happened,' meddai Nico. 'You make other plan then. OK?'

'You'll be back, I know you will,' meddai hithau.

Buont yn cofleidio felly am dipyn wrth ymyl y dŵr. Yna, dywedodd Nico: 'I go and kill pig now.'

'You what?'

'Make place to keep meat, then kill pig. You have enough food then – potatoes in Wil's room, meat in safe place. Don't worry, I know what I'm doing.'

Aethon nhw yn ôl i'r tŷ, ac aeth Nico i ffwrdd efo'r hen raw yn ei law a Huw efo fo. Aethon nhw i gyfeiriad y ffynnon; tynnodd Nico ei grys-T Che Guevara a dechreuodd balu twll islaw'r ffynnon. Ymhen ychydig torrodd dwll yn mesur llathen sgwâr; yna bu'n chwilota am lechi mawrion i wneud caead, fel y byddai'r dŵr yn rhedeg drostyn nhw heb fynd i mewn i'r twll. Ar ôl chwilio am dipyn cyflawnodd y dasg.

'Place to keep meat, nice and cold,' meddai Nico. 'You come with me now, fetch pig.'

Aethon nhw yn ôl i'r tŷ i nôl y twca, ac aeth y ddau i

chwilio am y moch. Daethon nhw o hyd iddyn nhw yn tyrchu o dan y goeden dderw fawr wrth ymyl y pwll lle bu Nico a Mari'n nofio. Sylweddolodd Nico na chaent fyth eto dorheulo'n noeth yn y fan honno. Ar ôl smalio'i fod o'n mynd i nofio, rhedodd Nico'n sydyn ar ôl un o'r moch bach, a'i ddal wrth un o'i draed ôl, a sŵn ei wichian yn atseinio.

'Get me stone, big one,' meddai Nico, a rhedodd Huw at lan yr afon. Dychwelodd efo clamp o garreg, ac mewn eiliad lladdodd Nico'r mochyn.

Taflodd y creadur ar ei gefn ac i ffwrdd â nhw adre; yn ystod y ddwy awr wedyn torrodd y mochyn yn ddarnau hwylus ac aeth â'r rhan fwyaf ohonyn nhw i'r gell wrth y ffynnon. Aeth â rhywfaint i'r tŷ, a rhoi'r cig yn y sosban fwyaf yno er mwyn gwneud lobsgows enfawr a fyddai'n para am ddyddiau. Roedd hi'n rhy hwyr erbyn hynny iddo ddechrau ar ei siwrne, a phenderfynodd aros am noson arall gyda'r teulu bach yn Nolfrwynog. Aeth o a Mari i'r llofft yn gynnar, ond doedd dim posib iddo gysgu â'r ceffylau'n gweryru yn y gadlas ac yn aflonydd; aeth Nico allan efo'i wn droeon rhag ofn bod yno ladron, ond allai o ddim gweld neb. Efallai fod y tywydd poeth wedi crino'r borfa a doedd dim ddigon o fwyd i'r ceffylau, meddai wrth Mari. Roedd hi'n noson ofnadwy o boeth ac i wneud pethau'n waeth, chwyrnai Yncl Wil fel mochyn yn ei wely a gwaeddai Huw yn ei gwsg, wrth alw ar y dolffiniaid ym môr ei ddychymyg; noson aflonydd, felly, gafodd pawb yn Nolfrwynog.

Aeth Nico'n sydyn ac yn annisgwyl yn y diwedd. Pan welodd o ychydig o olau yn y dwyrain cododd yn ddistaw bach ac aeth i lawr y grisiau efo'i ddillad yn ei law a gwisgodd yn y gegin. Ar ôl nôl ei bac o'r parlwr aeth i'r gadlas a chydio mewn merlen. Ymhen awr roedd o wedi cyrraedd giât y mynydd, ac erbyn i Mari ddeffro roedd o ar ben y boncyn yn gwylio'r haul yn codi. Wrth ei phen ar y clustog daeth Mari o hyd i nodyn oddi wrtho yn cynnwys y geiriau moel:

Gone, love you. Look after you and baby. Nico XX.

Roedd o wedi methu ffarwelio â hi, gymaint oedd yr arswyd yn ei fol a'r ofn na fyddai'n medru rheoli ei deimladau wrth adael. Sylwodd Mari iddo adael dwy gusan – un iddi hi ac un i'r babi.

.   .

33

Yr haul oedd yn rheoli eu bywydau erbyn hyn. Symudai'n araf, araf yn yr awyr ddigwmwl o'r bore bach hyd at y machlud, ddydd ar ôl dydd. Bu'n rhaid i Mari fynd â dŵr oer o'r ffynnon i lofft Wil droeon yn ystod y dydd i oeri corff yr hen ddyn. O hanner dydd tan bedwar byddai'n rhaid iddyn nhw chwilio am gysgod yn y lle oeraf posib; gorweddai Mari wrth y ffynnon, yng nghysgod y coed, am oriau yn darllen hen lyfrau Huw neu'n cysgu. Âi Huw i lawr i'r môr i nofio neu i chwarae efo'r dolffiniaid pan ddeuen nhw i fyny o'r môr agored. Roedd o wedi torri tatŵ ar ei fraich yn yr un lle â Nico: llun dolffin glas yn neidio mewn môr glas. Gwnaeth y tatŵ efo dart, a defnyddio inc o hen botel; bu'r poen yn annioddefol, ac udai fel ci bob tro y priciai ei groen. Ond roedd poen yn rhan annatod o'i fywyd rŵan, ac yn dangos mai fo oedd dyn y tŷ bellach. Rhoddodd y gorau i siarad; ysgydwai ei ben, neu arwyddai gyda'i ddwylo, ond ni ddywedai 'run gair.

Ar ôl dau ddiwrnod o fwyta'r lobsgows roedd Mari wedi syrffedu arno ac wedi rhoi'r gweddillion i'r ast a'i chŵn bach. Dim ond dau ohonynt oedd yn fyw erbyn hyn; gollyngodd Mari nhw o'r cwt i grwydro o amgylch y buarth i chwilio am fwyd, a'r ddau golwyn yn hongian oddi ar dethi eu mam. Dyheai Mari am siocled a deuai llun bar o siocled yn ei wisg foethus o bapur arian i'w meddwl droeon bob dydd. Dychmygai weithiau fod ganddi ddarn o siocled yn ei cheg; teimlai'n union fel petai'r blas ar ei thafod. Dro arall ysai am jam coch; am *rywbeth* heblaw'r lobsgows. Doedd 'na ddim wyau, felly rhaid oedd byw ar datws yn unig, a mefus gwyllt. Roedd y lwmp bach yn ei bol yn amlwg erbyn hyn, a sgwrsiai'n hamddenol efo'r dyn bach (roedd hi'n sicr mai gwryw oedd o) fel petai o wedi'i eni'n barod.

'Be wna i efo Yncl Wil, dywed?' meddai hi wrth ei mab un diwrnod o dan y coed. 'Bydd yn rhaid i ni ddweud stori amdano yntau hefyd, 'mychan i.'

Roedd un o straeon Nico wedi bod yn chwarae ar ei meddwl – stori am fintai o farchogion ynghwsg mewn ogof o dan ryw fynydd yng Ngwlad Pwyl – llu o ryfelwyr a'u ceffylau mewn trwmgwsg ym mhen pellaf yr ogof. Un diwrnod, tra oedd gof ifanc wrth ei waith yn yr efail, daeth ymwelydd i'w ddrws: dyn annisgwyl, efo ffordd grand o siarad a dillad henffasiwn, coeth. Ar archiad y dyn hwnnw aeth y gof ifanc i'r ogof i ailbedoli meirch y fintai, ond er mawr syndod iddo ni thalwyd iddo yn y dull confensiynol, gydag arian; casglodd y gŵr rhyfedd hwnnw naddion y carnau o lawr yr ogof a'u rhoi i'r gof, gan ddweud mai dyna oedd ei dâl. Ar ei ffordd adre agorodd y gof ei fag a hyrddiodd y naddion i'r llawr yn ddig. Ond pan gyrhaeddodd yr efail gwelodd fod yr ychydig naddion oedd ar ôl yn ei fag wedi troi'n aur. Aeth yn ôl i chwilio am y gweddill, ond ni ddaeth o hyd iddyn nhw ; bu'n chwilota amdanyn nhw am weddill ei oes, yn crwydro'r mynydd fel ynfytyn. Collodd y creadur druan ei bwyll am byth.

Roedd y stori hon fel pe bai'n adleisio hen stori amser gwely i Mari, stori a glywsai gan ei mam flynyddoedd ynghynt. Ac yn ei barn hi roedd y stori honno'n addas, rywsut, i'w gwneud yn ffug chwedl ar gyfer ei hewyrth Wil. Byddai'n rhaid argyhoeddi'r 'pererinion' a ddeuai i Ddolfrwynog fod Wil yn ddyn arbennig dros ben, a bod ganddo hanes diddorol. Gwyddai Mari fod 'na 'ogof' ymysg yr eithin ar y bryniau – er nad ogof mohoni, ond hen dwll wedi'i gloddio yn y bryniau gan ddynion yn chwilio am blwm flynyddoedd maith yn ôl.

Dyna oedd y syniadau ym mhen Mari wrth iddi ddechrau glanhau'r tŷ'r noson honno ar ôl i wres y dydd gilio.

'Dewch o 'na, Mam,' meddai ar y landin, 'mae'n rhaid i ni neud y lle 'ma'n barod.'

'Be 'di'r iws?' atebodd Elin. 'Be 'di'r iws, Mari? Ddeith o ddim yn ôl, does dim gobaith o hynny. Weli di mohono fo byth eto.'

Aeth Mari i mewn i'w stafell, ac eistedd ar wely drewllyd ei mam. Gwelai ddagrau'n rhedeg i lawr ei bochau a golwg gythreulig arni.

'Be sy, Mam? Rhaid i ni drio, wyddoch chi.'

'Waeth i ni heb, Mari. Byddwn ni'n newynu yn y lle 'ma. Does 'na ddim siawns yn y byd y daw o'n ôl, a beth bynnag, hyd yn oed os daw o, wyt ti'n meddwl y gwnaiff y bobl 'na ddod â bwyd efo nhw, ac aur a ballu? Paid â bod yn wirion. Gwnân nhw'n lladd ni, dyna sy'n fwyaf tebygol.'

Edrychodd Mari ar ei mam, a deallodd rywbeth am y tro cyntaf. Gwelodd pa mor isel ydoedd, pa mor ddiobaith. Roedd hi wedi colli'i gŵr a thri o blant mewn cyfnod byr; doedd dim syndod ei bod hi wedi rhoi'r gorau i'w bywyd yn llwyr.

'Gwrandewch, Mam, rhaid i ni drio bod yn ddewr. Mae gen i fabi ar y ffordd a rhaid i ni wneud ymdrech, wyddoch chi. A beth bynnag, dach chi wedi addo i Nico y byddwch chi'n cadw golwg ar bethau.'

Ond doedd dim pwynt. Trodd Elin ar ei hochr, i edrych drwy'r ffenest. Roedd pethau wedi mynd yn rhy bell. Roedd hi wedi colli hanner ei theulu, ac roedd Huw yn byw fel anifail yn y caeau.

'Mam, dwi'n deall sut dach chi'n teimlo. Ond dwi'n gofyn i chi o waelod fy nghalon i'n helpu ni unwaith eto.

Jest unwaith, Mam. Neu mi fydd taith Nico'n ddiwerth, waeth i ni saethu'n hunain y funud hon ddim. Dach chi'n clywed?'

Daliodd Elin i edrych drwy'r ffenest, ar yr haul yn machlud a'r ffenest gyfan yn furlun mawr coch.

Aeth Mari i lawr y grisiau, paratoi llond sosban o datws, a'u bwyta nhw i gyd gan ddychmygu bod pentwr enfawr o siocled ar y bwrdd, ac ar y llawr, i fyny'r grisiau, yn llenwi'r parlwr i'r to, gan ddiffodd y golau a ddeuai drwy'r ffenest.

3 4

Pan ddeffrodd Mari'r bore wedyn clywodd ei mam yn glanhau ei stafell wely. Clywai hi'n symud o gwmpas, yn cadw pethau, ac yn trochi cadach llestri mewn dysgl o ddŵr. Clywai anadl herciog ei mam a'r diferion yn disgyn yn ôl i'r ddysgl. Heb glochdar Clwc, a heb sŵn ffrij na dim byd felly, roedd distawrwydd dwfn wedi syrthio dros Ddolfrwynog. Cododd Mari ar unwaith ac aeth drwodd at Elin.

'Diolch, Mam, diolch i chi,' meddai Mari gan ei chofleidio. Cafodd fraw wrth deimlo pa mor denau oedd hi. Fel sgerbwd – yn esgyrn i gyd. Mae'n rhaid bod y braw wedi dangos ar ei hwyneb, a chafodd wên wan gan ei mam.

'Paid â phoeni, Mari fach,' meddai Elin. 'Fedrwn i ddim bwyta hyd yn oed pan oedd bwyd ar gael.'

Edrychodd y ddwy allan drwy'r ffenest, ar yr haul yn codi dros y bryncyn. Roedd o'n felyngoch yn barod, yn belen fawr o dân yn tywynnu arnyn nhw o'r nefoedd ddidrugaredd. Roedd y borfa wedi crino, ac roedd y caeau'n edrych fel rhywle ym Mecsico; roedd hen lesni Cymru wedi'i losgi i ffwrdd fel côt o baent yn cael ei ddileu gan chwythlamp.

'Fasach chi'n bwyta tipyn o sŵp pe bawn i'n gwneud peth?' gofynnodd Mari.

Ysgydwodd Elin ei phen. 'Na, mae hi'n rhy hwyr rŵan,' meddai'n flinedig. Amneidiodd tuag at y gadlas. 'Fydda i efo'r lleill cyn bo hir.'

Daeth lleithder i lygaid Mari a symudodd yn nes at ei mam.

'Na, Mari, dwi isio mynd, wel'di.' Rhoddodd ei llaw ar ei brest. 'Mae'r boen wedi bod yn ormod i mi. Un ar ôl y llall, yn 'y ngadael i fel 'na.'

Pwyntiodd at fol Mari.

'Mi fyddi di'n gwybod sut deimlad ydi bod yn fam dy hun cyn bo hir. Does neb yn gwybod yn iawn tan maen nhw wedi cael plentyn eu hunain. Mae'r poen yn ofnadwy, Mari. Y poen o'u colli nhw. Y poen wrth golli gobaith. Na, dwi isio mynd atyn nhw i'r gadlas. Dyna'r lle gorau rŵan, yn enwedig gan fod y byd 'ma wedi mynd yn lle mor...'

Cymerodd Mari gam tuag ati, ond cododd ei mam ei dwylo a dweud: 'Tyrd o 'na, beth am i ni dacluso'r lle 'ma. Wnei di'n helpu fi efo'r llieinia 'ma? Maen nhw'n rhy drwm i mi.'

Aeth Mari â'r golch i lawr i'r afon a bu yno tan amser cinio yn powndio'r dillad gwely yn y dŵr. Sylwodd fod yr afon yn isel, a gwelodd ag ing yn ei chalon na fyddai hi a Nico'n gallu torheulo bellach o dan yr hen dderwen – roedd y moch yn cysgu oddi tani erbyn hyn, mewn cawdal o fwd.

Aeth adre a rhoi'r llieiniau ar y lein ddillad, yna gorffwysodd am ychydig wrth y ffynnon. Roedd can mil o broblemau yn ei phoeni: be wnaen nhw am welyau yn y llofft stabal? Byddai'n rhaid stwffio a llenwi'r hen garthenni efo gwlân, neu rywbeth felly.

A beth am stori i siwtio Yncl Wil? Roedd syniad arall wedi egino yn ei meddwl wrth olchi'r llieiniau y bore hwnnw. Yr esgyrn... mae'n siŵr fod 'na esgyrn ar ôl yn y geulan, gweddillion y pedwar hogyn ddaru Jac eu saethu wrth i'r giang ymosod ar y fferm. Ar ôl gorffwys drwy gydol y prynhawn poeth aeth Mari i lawr i'r geulan a chwilio am olion y cyrff yn y drain a'r mieri. Sut roedd Jac wedi medru eu lluchio nhw yno heb feddwl ddwywaith, meddyliodd Mari. Y fath greulondeb, y fath ddifaterwch. Roedd Jac wedi lluchio'u cyrff i'r nant fel pe na baen nhw'n ddim byd pwysicach na defaid meirwon. Roedd cydymdeimlad a charedigrwydd wedi diflannu a phawb fel anifeiliaid gwyllt bellach, yn lladd ac yn cael eu lladd heb gydwybod nac ystyriaeth: fel morgrug yn cael eu sathru dan draed.

Ymhen ychydig, gwelodd olion y cyrff ymysg y blodau gwylltion a'r drain. Roedd eu cnawd wedi diflannu, ond gwelai bedwar sgerbwd claerwyn yn disgleirio yn yr haul. Edrychodd arnyn nhw am ychydig; dychmygai sut rai oedden nhw gynt, yn ifanc ac yn hael, yn llawn ynni fel Nico, yn feibion i famau a dorrodd eu calonnau wrth eu colli ac yn gariadon i ferched anhysbys, hwythau hefyd wedi marw erbyn hyn, mae'n debyg. Roedd bywyd mor rhad rŵan. Dim ond am gyfnod byr iawn yn hanes dyn y rhoddodd dynoliaeth werth ar gyrff ac eneidiau pobl, a hynny yn un rhan o'r byd yn unig – yn y rhan gyfoethog.

Roedd pobl fel gwrachod lludw rŵan; doedd neb yn poeni pe diflannai miliynau bob dydd. Hedodd meddwl Mari at Nico; roedd hi'n ei garu. Byddai ei golli o'n annioddefol. Tynhaodd ei chorff; daeth teimlad o arswyd drosti, fel petai dŵr poeth yn dripian i lawr ei chorn gwddw ac yn llosgi ei thu mewn. Beth pe bai un o'r cyrff hyn yn gorff Nico? Llenwodd ei llygaid efo dagrau am yr eildro y diwrnod hwnnw. Roedd hi'n emosiynol. Y babi efallai. Hwyrach fod ei hofnau cynyddol yn pwyso arni. Penderfynodd y deuai yn ôl yfory i nôl yr esgyrn; roedd arni angen bag a ballu. Câi Huw ei helpu, mi fyddai'n licio hynny – mocha efo esgyrn ac ymweld â'r ogof.

Aeth Mari adre, i nôl y bwced dŵr newydd, er mai hen un oedd hi, gan y bu'n rhaid dod o hyd i un arall i gymryd lle'r un coch. Blydi niwsans oedd bod heb hwnnw, damia Nico am ei dorri. Hen beth rhydlyd, tyllog oedd yr unig un ar ôl bellach a bu'n rhaid llenwi'r tyllau efo hen folltau o'r cwt twls. Aeth Mari i'r ffynnon i nôl chwaneg o ddŵr ar gyfer Yncl Wil, a sylwodd ar rywbeth arall a gododd ofn arni: roedd y cyflenwad dŵr yn lleihau – cymerai dipyn o amser i'r ffynnon ail-lenwi ar ôl iddi gymryd llond bwced. Roedd hynny'n ei phoeni – be ddigwyddai pe bai Nico'n dod â grŵp mawr yn ôl i'r tŷ? Fyddai 'na ddigon o ddŵr?

Ar ôl cyrraedd yn ôl i'r tŷ, golchodd Mari gefn Yncl Wil efo clwtyn gwlyb, a gwnaeth iddo yfed llond gwydraid o ddŵr. Wrth weini arno teimlodd gic yn ei bol. Roedd y crwt bach yn dweud *dwi yma, Mam*! Rhoddodd ei llaw ar y chwydd a chymryd hoe am funud, yn dychmygu Nico wrth ei hochr pan ddeuai'r enedigaeth – yn dal ei llaw, yn sibrwd yng nghlust y babi newydd ac yn ei gusanu…

Yn ei gwely, gwnaeth gynllun ar gyfer yfory. Roedd hi wedi methu dod o hyd i Huw – roedd o wedi diflannu i'r gwyllt unwaith yn rhagor. Clywodd Wil yn symud o gwmpas y tŷ yn ystod y nos, yn symud o ffenest i ffenest efo stôl i eistedd arni. Pan ddeffrodd Mari ganol nos gwelai ei broffil wrth ffenest y landin, yn eistedd ar y stôl, a'i wn yn pwyntio drwy'r ffenest ac yntau fel delw o lonydd.

35

Aeth pythefnos heibio. Bob bore, pan agorai Mari ei llygaid, gwelai Yncl Wil yn eistedd ar ei stôl ar y landin, ac yn edrych allan ar y bryncyn a'i wn yn barod wrth y ffenest. Pesychai yn awr ac yn y man i mewn i'w lawes, rhag gwneud twrw. Pan agorai Mari ei llygaid, y peth cynta a wnâi oedd dechrau poeni am Nico – roedd fel cur yn ei phen, yn cyrraedd cyn gynted ag y gwelai'r pelydryn cyntaf o olau. Er mor araf yr âi pob diwrnod heibio, roedd diwedd y mis yn agosáu. Tyfai'r pryder y tu mewn iddi fel efaill i'r babi newydd. Roedd yn cnoi yn ei stumog, yn yr un modd ag roedd eisiau bwyd yn ei chnoi; mi roedd diffyg bwyd yn ei bol yn ei phoeni bron bob awr o'r dydd. Ond be wnâi?

Roedd y cig moch wrth y ffynnon wedi mynd yn ddrwg, ac wedi'i fwyta gan yr ast. Roedd honno mewn gwell cyflwr na thrigolion y tŷ erbyn hyn. Roedd Elin ac Yncl Wil fel dau sgerbwd. Mi grwydrai Huw'r wlad fel Mowgli, yn siarad efo'r anifeiliaid ac yn rhostio cwningod dros y tân byddai'n ei gynnau yn y nos, ar y cerrig wrth lan yr afon. Roedd o fel canibal bach ar draethell un o'r ynysoedd yn y *National Geographic*; erbyn hyn roedd ei hen wely'n barod ar gyfer ymwelwyr, os deuai rhai yno.

Yr un patrwm fyddai i gwrs pob diwrnod. Agorai Mari ei llygaid a gwelai Wil. Deuai pryder i'w meddwl fel hen frân ddu'n landio ar lintel y ffenest dan grawcian. Deuai poen i'w bol oherwydd diffyg bwyd a deuai'r haul dros y gorwel i'w harteithio'n araf, araf drwy'r dydd. Byddai'r tymheredd mor uchel nes gwneud iddi grio neu riddfan a byddai anadlu'n drafferthus oherwydd y diffyg ocsigen yn yr awyr. Teimlai fwyfwy fel pysgodyn ar y lan, yn disgwyl i'r pysgotwr roi clec iddi ar ei phen efo carreg. Daeth llun i'w meddwl o rywbeth a welsai dridiau yn ôl: Huw yn swatio ar lan yr afon, efo carreg fawr yn ei law dde, yn colli rheolaeth arno'i hun wrth ladd pysgodyn – yn taro'r brithyll dro ar ôl tro nes ei fod o'n ddarnau bach seimllyd, a'r cennau lliwgar dros ei ddwylo, dros ei wyneb a hyd yn oed yn ei wallt. Gwnâi sŵn erchyll gyda phob trawiad: rhoch gyntefig a godai'r blew mân ar gefn gwddw Mari. A'r olwg yn ei lygaid o… golwg farwaidd, mor farwaidd â llygaid y pysgodyn a gawsai ei falurio.

Ymlusgai pob awr heibio mor araf ag y gwnâi i glaf. Roedd pob dydd heb Nico'n ddiwrnod coll. Sgwrsiai Mari efo fo wrth y ffynnon. Breuddwydiai amdano bob nos. Cyfansoddodd ganeuon iddo yn ei phen. Bu'n ei garu, yn llygad ei meddwl, ac yn gorwedd yn ei freichiau o dan y dderwen fawr – y man lle buon nhw hapusaf erioed. Nhw oedd y ddau ifanc hapusaf yn yr holl fyd, dros oes faith y bydysawd, yn ystod yr awr fwyn honno o dan y dderwen.

Un bore, yn gynnar, daeth Mari ar draws Huw yn ei gwrcwd yn dechrau tyrchu i mewn i un o'r beddau. Bedd Dylan. Cafodd sioc wrth ei weld yn tyrchu fel anifail gwyllt yn y pridd sych.

'Be ti'n neud?'

Atebodd o ddim, heblaw am rochian, a'i ddannedd yn sgyrnygu. Huw druan. Roedd hyn i gyd wedi effeithio arno.

'Tyrd, awn ni i nôl yr esgyrn yn y nant,' meddai wrtho.

Daeth golau rhyfedd i'w lygaid pan glywodd y gair *esgyrn*. Dilynodd Mari i'r buarth, ac arhosodd amdani tra chwiliai am fag. Yn y diwedd bu'n rhaid iddi fodloni ar hen fag giwana. Aethon nhw tua'r ddôl fawr efo'i gilydd ac ymhen ychydig roedden nhw'n sefyll uwchben y sgerbydau yn y geulan. Dechreuodd Huw chwarae efo un o'r cyrff, gan godi'r esgyrn i fyny a'u rhoi nhw yn ôl i orwedd ar y llawr.

'Tria gofio'u siâp nhw, wnei di?' meddai Mari. Edrychodd i mewn i'w lygaid, i weld oedd o'n deall. Doedd hi ddim yn sicr oedd o'n gallu dirnad unrhyw gyfarwyddyd erbyn hyn. Rhyngddyn nhw, mi roddodd y ddau gymaint ag y medren nhw o'r esgyrn yn y bag a chariodd Huw'r pedwar penglog yn ei freichiau. Roedd golwg anhygoel o fampiraidd arno, fel drychiolaeth; fel mab *witch doctor* yn mynd â phennau adre i'r cwt ar ôl cyflafan ar y traeth. Llafuriodd Mari i fyny ochr y bryn, a sgwatiodd yn agoriad y mwynglawdd – yr ogof – i gael ei gwynt ati. Bu'n rhaid i'r ddau ohonyn nhw lusgo'r sach i fyny drwy'r eithin, gydag un yn llusgo a'r llall yn dal y pennau. Yng ngheg yr ogof, daliodd Huw un o'r penglogau o'i flaen a syllu i mewn i dyllau'r llygaid, gan symud yr ên esgyrnog ar yr un pryd, fel petai'n ymgomio ag ysbryd y dyn marw. Gwnâi sŵn fel mwnci, sylwodd Mari.

'Tri diwrnod arall,' meddai wrth ei brawd. 'Un, dau tri. Heddiw, fory, trennydd. Yna awn ni ar ei ôl o. Ddoi di efo fi?'

Aeth Huw ymlaen efo'i sgwrs ysbrydol.

'Huw!'

Ond chymerodd o ddim sylw. Roedd o wedi mynd i mewn i'w fyd bach ei hun erbyn hyn. Byddai'n rhaid ei adael yn Nolfrwynog... ond beth os tyrchai yn y beddau eto? Be wnâi hi?

Aethon nhw i mewn i'r ogof, a gadawodd Mari i'r esgyrn lithro'n araf o'r bag, ar y llawr. Roedd 'na ddom defaid sych dros bob man, a gweddillion hen rawiau a cheibiau rhydlyd. Ymhen chwinciad roedd Huw wedi ailosod un o'r sgerbydau, fel petai o wedi gwneud hynny'n broffesiynol ers blynyddoedd. Roedd Mari wedi'i syfrdanu.

'Wel, Huw bach, mae gen ti dalent yn fan'na, 'does?'

Ac yn wir, roedd ganddo fo dalent eithriadol; cyn bo hir roedd 'na bedwar sgerbwd reit gyflawn yn cysgu ar lawr yr ogof. Byddai Huw wedi derbyn gradd dosbarth cyntaf mewn anatomeg. Ond, wrth gwrs, doedd 'na ddim byd o'r fath erbyn hyn, na phrifysgolion chwaith. Byddai Huw wedi bod yn llawfeddyg byd-enwog, efallai, oni bai am y gyflafan.

Safodd y ddau ohonyn nhw'n edrych ar eu gwaith.

'Jobyn da iawn,' meddai Mari. 'Y cwbwl dwi isio rŵan ydi stori i fynd efo nhw.'

Roedd 'na frith gof yng nghefn ei meddwl am ryw frenin a'i filwyr yn cysgu o dan fynydd, a bod y brenin wedi deffro... be wnaeth o hefyd? Rhywbeth pwysig iawn. Yncl Wil oedd y brenin; roedd Yncl Wil wedi bod ynghwsg yn yr ogof efo'r sgerbydau ond roedd o wedi medru deffro; byddai'n rhaid i Mari orffen y stori pe bai'r ymwelwyr yn dymuno amgenach adloniant na'r pedwar bedd.

Aethon nhw adre yn ara deg, gyda Huw yn chwarae o'i chwmpas. Yna stopiodd o'n sydyn, ac edrych am yn hir ar y mynydd. Syllodd Mari hefyd, a'i chalon yn curo'n galed yn ei brest... oedd o wedi gweld rhywbeth? Nico? Giang arall o hogiau brwnt? Ond, ar ôl ychydig, aeth Huw ymlaen efo'i ddawns, gan brancio o'i chwmpas.

Mor araf y treiglai amser yn ystod y diwrnodiau nesa. Cysgai Mari wrth y ffynnon bob prynhawn; roedd Huw wedi deall rywsut ei bod hi'n newynog a deuai ag anrhegion iddi bob hyn a hyn; brithyll wedi'i goginio ar dân agored, mefus, a chnau o'r coed cyll o'u cwmpas.

Y diwrnod wedyn cwblhawyd y gwaith paratoi, a dechreuodd Mari gysgu yn y llofft stabal. Roedd y profiad yn un hollol wahanol; doedd dim cysylltiad â Nico yno, ac roedd hynny'n well mewn ffordd, ond yn waeth hefyd; roedd yr ing o fod hebddo yn creu llen mawr du o iselder ar brydiau. Os na ddeuai yfory mi âi hi ar ei ôl, waeth be fyddai oblygiadau hynny. Byddai'n creu ychydig bach o obaith, o leiaf. Gobaith: heb hwnnw doedd dim dyfodol. Byddai aros yn Nolfrwynog yn farwolaeth araf. Tyfai ei bol, ond roedd rhywbeth o'i le gan nad oedd digon o symud y tu mewn iddi. Oedd y newyn wedi effeithio ar dyfiant y babi?

Awr ar ôl awr yn y poethder, disgwyliai Mari am Nico, ac am symudiad yn ei bol; gwyliai'r bryncyn, gwyliai'r allt tua'r mynydd. Gwrandawai am weryriad ceffyl, neu drawiad carn ar yr allt. Dyheai am swyn ei lais. Byddai gweld ei gorff marw yn well na hyn. Dechreuodd baratoi ei phac gan chwilio am oriau am hen botel plastig i ddal dŵr, cyn rhoi'r gorau iddi. Daeth o hyd i hen botel dŵr poeth a llenwodd honno i weld oedd hi'n dal dŵr, ond roedd hi'n gollwng.

'Mi a' i fory,' meddai wrth Huw, a eisteddai ar stepan y llofft stabal, fel yr arferai ei wneud yn nyddiau Wil. Roedd o'n chwarae efo un o'r cŵn bach. 'Wyt ti'n deall?'

Ddywedodd o ddim gair, fel arfer.

'Dwi'n mynd ar ôl Nico fory, Huw. Dros y mynydd. Gei di ddod efo fi os leici di. Ond fydda i ddim yn dod yn ôl.'

Daeth y ci bach i mewn i'r llofft stabal a llyfu ei llaw. Anwesodd o am ychydig a bu'n chwarae efo'i flew gan deimlo'r dannedd bach miniog yn gafael yn ei bys.

Gwn… mi fyddai'n rhaid iddi gymryd gwn Yncl Wil. Byddai'n rhaid iddi gerdded hynny fedrai yn y nos a chysgu yn ystod y dydd. Roedd Nico wedi rhoi rhyw fath o syniad iddi ynghylch lleoliad y *shanty town*… tua phum niwrnod i'r gogledd, dros y mynydd, ac yna tridiau i'r gorllewin. Byddai hithau'n cymryd mwy o amser na fo, felly byddai angen addasu'r amserlen.

Hwyliai'r lloer dros y fferm y noson honno, a chlywodd Mari lwynog yn cyfarth ym mhen pella'r cwm – ynteu ai mintai o Sioux oedd yno? Clywodd dylluan yn hedfan o amgylch y gadlas gan oernadu; ai ysbryd Nico ydoedd, yn erfyn arni i beidio â mynd oddi yno'r diwrnod wedyn? Roedd y llofft stabal yn boeth drybeilig; gorfodwyd hi i gysgu'n noeth ar ei charthen wely a hithau'n ferw o chwys. Clywai lygod bach yn rhedeg o gwmpas yn y wal, a'r gwdihŵ yn swnian. Bu'n dioddef drwy'r nos, yn troi a throsi a'r lloer yn disgleirio drwy'r ffenest. Y peth diwethaf glywodd hi cyn mynd i gysgu oedd Huw yn sibrwd *y dŵr... y dŵr* yn ei gwsg. O, roedd o'n medru siarad felly. Dyna oedd ei chof diwethaf – Huw yn sibrwd *y dŵr... y dŵr*, a hithau wedi synnu ei fod o'n medru siarad wedi'r cyfan.

3 6

Y dŵr…y dŵr…

Gwaeddai Huw unwaith eto. Clywai Mari ei lais yn dod o bell. Yna deffrodd yn sydyn: roedd Huw yn ei hysgwyd, ac yn gweiddi, *y dŵr, y dŵr…*

Roedd y bore wedi cyrraedd, ac roedd Mari wedi cysgu'n hwyr. Sylwodd ar ei noethni a chipiodd ei chrys-T o'r llawr i guddio'i chorff. Roedd Huw yn pwyntio drwy'r drws ac yn hisian, *y dŵr, y dŵr…*

Roedd golwg wyllt arno fo, fel petai wedi gweld ysbryd.

'Dos allan,' meddai Mari, 'a cha'r drws ar dy ôl.'

Gwisgodd ar frys, â swp o syniadau'n pentyrru yn ei meddwl. Oedd y môr wedi codi eto? Oedd 'na forfil wedi cyrraedd y fro? Oedd 'na giang arall wedi dod i'w lladd? Rhuthrodd i lawr grisiau'r llofft stabal ac aeth heibio'r domen, i dop Cae Dan Tŷ. Pan syllodd i lawr tua'r môr aeth gwefr drwyddi – cymysgedd o arswyd a gobaith. Prin y medrai goelio'i llygaid ei hun. I lawr wrth ymyl y dŵr roedd llong hwylio wen, yn disgleirio'n llachar yn yr haul. Roedd rhywun yn gostwng yr hwyliau, ac roedd pobl ar ochr y dec yn sbio i fyny tua'r fferm. Roedd Huw wedi cyrraedd y llong yn barod; gwelai Mari o'n rhedeg ar hyd y llain o dir, yn ei drowsus bach coch, fel ci'n rhedeg ar ôl teiars car. Yna neidiodd y dyn a fu'n trin yr hwyliau oddi ar fwrdd y llong a siarad efo Huw. Roedd Mari'n nabod yr osgo: mi fyddai hi wedi nabod yr osgo hwnnw yn unrhyw le yn y byd. Nico oedd o. Roedd hi'n hollol siŵr, ac aeth ton o gynhesrwydd drwyddi. Roedd o wedi dychwelyd. Arhosodd yn ei hunfan, yn trio penderfynu be i'w wneud. Gwelai Huw yn rasio i fyny'r cae fel milgi tuag ati. Wedi iddo gyrraedd, dywedodd ddau air drosodd a throsodd: *blodau, beddau, blodau, beddau* ... roedd o fel poli parot.

Yna rhedodd tua'r clawdd i hel blodau gwyllt. Deallodd Mari'r neges, ac aeth hithau i hel blodau hefyd. Buon nhw'n casglu gymaint ag y medren nhw mor fuan â phosibl, a chan nad oedd amser i nôl dŵr i'r jariau, gwasgarwyd y blodau ar hyd y beddau fel conffeti. Crëwyd effaith reit neis, meddai Mari wrthi ei hun. Roedd y fangre yn edrych fel teml yn yr India yn ystod defod grefyddol. Erbyn iddyn nhw orffen a dychwelyd i'r buarth unwaith yn rhagor roedd chwech o bobl yn cerdded tuag atyn nhw mewn llinell hir. Gwelai Mari Nico ar y dde, yn gafael yn llaw merch arall... *yn gafael yn llaw merch arall?* Llamodd ei chalon. Teimlai'n anghrediniol, ac yn sâl. Mae'n rhaid bod 'na reswm. Rhan o'r cynllun oedd o. Pam y daeth o'n ôl i Ddolfrwynog efo merch arall? Ceisiodd Mari gadw trefn ar ei theimladau. Byddai'n rhaid iddi ymddwyn fel pe na bai dim o'i le. *Ffydd...* dywedodd y gair drosodd a throsodd. *Ffydd...* byddai'n rhaid iddi gynnal fflam ffydd yn ei chalon.

Roeddent wedi agosáu, a gallai weld eu cyrff a'u dillad yn eithaf manwl. Criw o rapsgaliwns a fyddai wedi bod yn eu helfen mewn rhyw dwll o glwb nos ym Manceinion hanner canrif yn ôl, meddyliodd Mari. Roedd golwg fel llygod mawr y dymp arnyn nhw. Y prif ddyn, hyd y gallai Mari weld, oedd stwcyn o foi a edrychai fel reslar. Roedd ganddo ben fel tarw, a hwnnw wedi'i eillio'n foel, trwyn fel petai wedi bod mewn damwain trên, a chlamp o fol cwrw. Gwisgai bantalŵns efo streips pinc a fflip-fflops glas, ond ei brif ddilledyn oedd rhyw fath o ŵn hir sidanaidd a chwyrlïai o gylch ei gorff bach tew fel côt nos hir; gwnaed hi o ddefnydd coch llachar, ac roedd draig fawr euraid ar y cefn. Doedd y boi ddim wedi siafio ers wythnos ac roedd ei ddannedd i gyd o aur.

Nesaf ato fo roedd merch ifanc bryd tywyll mewn gwisg lycra las, addas i athletwraig; ffitiai honno ei chorff fel ail groen. Roedd ei gwallt tywyll wedi'i dorri'n gwta a doedd hi ddim yn gwisgo unrhyw golur o gwbwl, na modrwy, nac unrhyw fath o addurn chwaith. Yn ei threiners gwyn – ble ar y ddaear roedd hi wedi cael gafael arnyn nhw? – edrychai'n ffit, yn athletig ac yn fachgennaidd, gan fod ei gwallt mor fyr; roedd hi'n dalach o chwe modfedd na'r reslar wrth ei hochr, yn ei ŵn coch.

Dyn fferetaidd efo corun moel a gwallt hir budr yn disgyn o'i ben fel llen yn llwydo mewn hen dŷ gwag oedd y trydydd ymwelydd. Siglai ei wallt fel ton o ddŵr budr bob tro y symudai, ond ychydig iawn o weddill ei gorff a symudai gan nad oedd fawr o ddim yno: llefnyn o ddyn oedd o, yn denau fel postyn ac yn hollol ddi-nod o ran gwisg heblaw am bâr o sgidiau cowboi enfawr am ei draed. Roedd ganddo felt ledar enfawr am ei ganol a chyllell oedd yn debyg i gleddyf bychan wedi'i stwffio i mewn iddi. Wrth ei ochr yntau roedd dynes fawr dew efo gwallt candi fflos a ffrog binc yn ymledu oddi wrthi i bob cyfeiriad fel ffrwydrad mewn ffatri chiffon. Roedd hyd yn oed ei hewinedd a'i *high heels* yn binc; ac oherwydd ei bod hi'n gorfod cerdded drwy Gae Dan Tŷ cariai ei sgidiau, wrth bigo'i ffordd drwy ddom y gwartheg a thwmpathau'r twrch daear. Roedd yn amlwg nad merch fferm oedd hi; roedd hi'n frith o fodrwyau a breichledau, ac yn cwyno bob cam o'r ffordd. Wrth ochr y grŵp hwn cerddai Nico gyda'r ferch, gan afael yn ei llaw; y peth trawiadol amdani oedd pa mor debyg ydoedd i Mari ei hun, efo gwallt brown golau a thrwyn bach pert, brychni, a chorff tenau, ysgafn.

Arhosodd Huw a Mari amdanyn nhw, ond ni ddywedodd y ddau air tan i'r parti gyrraedd y buarth, a ffurfio cylch o'u cwmpas. Teimlai Mari fel anifail mewn sw. Buon nhw'n rhythu arni am hydoedd, gan wneud iddi deimlo'n waeth byth, fel *freak*.

'Haia, Mari,' meddai Nico, gan ddatgysylltu ei law o law y ferch arall.

'Glad to see me?'

Syllodd Mari arno heb ddweud gair, yna syllodd ar y llaw a fu yn llaw'r ferch. Teimlai ei bochau'n llosgi, a dagrau'n ymwthio i'r wyneb.

'I bring you some friends to see the saints,' meddai.

Saints? Be ddiawl oedd o'n ddweud rŵan? Ai'r diafol ei hun oedd o? Oedd hi wedi mynd i Uffern yn y nos, heb yn wybod iddi?

'Here, I have present for you,' meddai, gan wthio rhywbeth i'w llaw.

Edrychodd Mari ar yr anrheg heb fedru amgyffred beth oedd o. Ceisiodd glirio'i meddwl a chanolbwyntio ar y lwmpyn bach blewog yn ei llaw. Mwnci bach brown oedd o, efo cadwyn arian a dyfais fechan ar ben y gadwyn i glymu'r mwnci wrth rywbeth. Adwaenai'r mwnci yma'n iawn. Roedd hi ei hun wedi sgwennu *Mari* efo beiro ar ei din moel ar y bws ysgol un pnawn.

'Where did you find this?' gofynnodd iddo.

Estynnodd ei fraich dde i gyfeiriad y dŵr.

'In the sea, we pick it up on the shore. You like it? Present for baby.'

A chwarddodd yn isel. Chwarddodd yr holl grŵp, gan ei efelychu. Teulu o fwncwns yn dod â mwnci bach iddi hi fel anrheg, meddyliodd Mari.

'Babi mwnci,' meddai Mari. A rhedodd y tegan ar hyd ei

boch i deimlo'r blew, fel y gwnaethai ganwaith cyn hynny.

'Babi mwnci,' meddai eto. Oherwydd roedd Nico wedi dod o hyd i'r mwnci bach a ddisgynnodd o'i bag ysgol un diwrnod, ymhell yn ôl, pan oedd hi'n rhowlio i lawr y bryncyn bach yn y pentre efo Paul Simmonds, wythnos ar ôl iddo symud i'r pentref. Ceisio'i chusanu hi roedd o.

37

Aeth pawb i mewn i'r tŷ, a daeth distawrwydd annifyr dros y lle wrth iddyn nhw chwilio am le i sefyll. Fflopiodd y ddynes binc i gadair fawr Yncl Wil wrth y lle tân a thaniodd sigarét hir ddu. Ni welsai Mari sigarét ers oes mul; anadlodd y mwg trwchus, a daeth llun i'w meddwl ohoni hi a Paul Simmonds yn smocio am y tro cyntaf dan y bont efo sigarét wedi'i dwyn. Lledodd arogl trwm, melys dros y gegin – mae'n rhaid mai o Dwrci neu rywle fel 'na roedd y baco'n dod, os oedd 'na Dwrci ar ôl. Wilma oedd enw'r ddynes binc, a phan ofynnodd hi, *anyone want a cigarette?* i bawb arall, daeth yn amlwg nad Cymraes na Saesnes mohoni: o'r Amerig y deuai efallai, neu Dde'r Affrig, neu Seland Newydd; roedd yn amhosib dweud p'run, gan fod ei hiaith mor gymysglyd. Roedd ganddi lais isel *sexy* fel actores yn un o'r hen ffilmiau. Ond er y bling a'r dillad pinc roedd ganddi lygaid llwyd, clir, deallus – byddai'n anodd iawn ei thwyllo, meddyliai Mari.

'Where's the Beast?' gofynnodd y wraig binc.

'He's still on the boat,' meddai'r reslar. Duw a ŵyr pwy neu beth oedd *the Beast*. Jaws oedd enw'r reslar, oherwydd ei ddannedd aur, mae'n siŵr. Roedd o'n llawn o firi a jôcs budr, ond o dan yr wyneb smala roedd 'na seicopath yn cysgu, tybiai Mari. Roedd ganddo fo acen Manceinion a llygaid fel maglau dur.

'Are we going to party or what?' gofynnodd Jaws i'r grŵp. Chwarddodd y lleill yn afreolus.

'Aye, why not,' meddai'r boi tal, moel efo gwallt mynach di-siswrn. Sgowsar oedd hwnnw, efo dannedd drwg a llygaid blaidd. Yn wir, roedd pob un ohonyn nhw'n stereoteip o ryw fath o ddihiryn, fel petaen nhw wedi eu castio ar gyfer ffilm gartŵnau. Weasel oedd enw'r Sgowsar, ac roedd o'n gredyd i'w enw.

Ddywedodd y ferch athletaidd fawr ddim, a hynny am mai ychydig iawn o Saesneg oedd ganddi, a dim Cymraeg. Deallodd Mari mai o Ewrop roedd hi'n dod, ac mai cariad Weasel oedd hi; fel Nico, cawsai ei dal ym Mhrydain ar ddechrau'r terfysg. Drwba oedd ei henw hi, neu rywbeth fel 'na. Eisteddai ar silff y ffenest yn hercio'i choesau yn ôl ac ymlaen, ac edrychai fel petai wedi colli amynedd efo'r byd.

'How about showing us the saints then, Nico?' meddai Weasel mewn llais fferetaidd. Roedd hanner gwên slei ar ei wyneb; doedd o ddim am gymryd y peth o ddifrif, roedd hynny'n amlwg. Rhyw fath o adloniant oedd yr ymweliad hwn iddo fo, rhywbeth yn lle'r syrcas neu glwb *lap dancing*.

Teimlai Mari ei chalon yn suddo. Roedd Dolfrwynog wedi troi'n *freak show* a hithau oedd y prif ryfeddod. A phwy oedd y ferch arall, oedd yn closio at Nico? Ei gariad? Oedd o'n gwneud hwyl am ben Mari, ei gariad bach Cymraeg?

Trodd Mari tuag at y drws, gyda'r bwriad o ddianc at y ffynnon.

'Where you going then, Mari?' gofynnodd Nico mewn llais caled.

Trodd yn ôl tuag ato, ond ddywedodd hi ddim gair. Edrychodd yn haerllug i'w lygaid.

'Are you going to be a nice polite little girl and show these good people where the saints live?'

Roedd ei gwaed yn berwi erbyn hyn.

'Yes, Nico.'

Aeth ton o firi drwy'r stafell. Roedd y diawled yn gwneud hwyl am ei phen. Y babŵns uffarn. Roedden nhw'n mwyhau gweld y sioe: merch fach ddiniwed fel hi'n wrthrych sbort a hwyl, fel llo bach yn hytrach na tharw ar faes y toreador. Ai dyna oedd Nico wedi'i wneud? Dod â nhw yma am dipyn o sbort?

Amneidiodd Mari at y drws ac aeth y cwmni ar ei hôl, dros y trothwy, ar draws y buarth, a thrwy'r giât i'r gadlas. Arweiniodd nhw i lawr y cae, i gysgod y coed eirin, a safodd pawb o gylch y beddau. Disgynnodd distawrwydd dros y cwmni; teimlai Mari fod yr olygfa bron iawn â'i hargyhoeddi hi, hyd yn oed fod 'na seintiau go iawn o dan y pridd.

'Who is who here?' gofynnodd Wilma. Roedd ei *high heels* pinc yn suddo'n araf i mewn i fedd Dylan.

Aeth Mari drwyddyn nhw fesul un.

'This is Sara who saw the Virgin Mary by the well. This is...'

Enwodd nhw i gyd.

'You start with Sara tomorrow, perhaps?' meddai Nico.

Edrychodd Mari arno gyda phob defnyn o gasineb yn ei chorff wrth ateb. 'If you say so, *master.*'

'Yes, I say so.'

Trodd Mari ar ei sawdl a dechrau cerdded i ffwrdd, ond galwodd Nico ar ei hôl unwaith eto.

'Our company not good enough for you?'

Roedd dagrau'n powlio i lawr ei bochau erbyn hyn.

'You not coming to our party, Mari?'

Safodd yno, yn plygu ei phen a'i chalon yn deilchion. Pan aeth pawb yn ôl i fyny'r gadlas, dilynodd hwy fel caethwas. I lawr â nhw drwy'r buarth, drwy'r Cae Dan Tŷ at ymyl y dŵr. Yn disgwyl amdanyn nhw, ar fwrdd y llong, safai'r dyn mwyaf a welsai Mari erioed. Corff anferthol, pen cymaint â byffalo, a chroen du a gwallt byr, oren cyrliog. Doedd dim posib dweud sut lygaid oedd ganddo fo, na beth oedd yn digwydd yn ei ben, oherwydd roedd yn gwisgo pâr o *shades* mawr. Moesymgrymodd tuag atyn nhw'n goeglyd pan gyrhaeddon nhw ochr y llong.

'Welcome to the party,' meddai mewn llais gwawdlyd.

Chwarddodd pawb. Roedden nhw'n barod am y parti.

3 8

Cyrhaeddodd y parti ar y llong ei anterth. Roedd yr ymwelwyr wedi dod â llwyth o ddiod efo nhw ar gyfer y daith: roedd cratiau o'r stwff i lawr yn yr howld, a deuai'r Beast â chwaneg i fyny ar orchymyn Jaws neu Weasel – y nhw yn unig allai archebu mwy o ddiod. Deuai'r poteli o bedwar ban yr hen fyd: roedd labeli o Ffrainc, Sbaen, a Rwsia, a sawl gwlad arall. Wedi eu dwyn roedden nhw i gyd – mi ddaeth hynny'n reit amlwg. Doedd Mari ddim wedi sylwi tan hynny fod symbol drwg-enwog y môr-ladron – y fflag ddu a'r penglog arni, i fyny ar y mast. Dyna oedden nhw felly, Jaws a Weasel a Beast: môr-ladron wedi dod â'u merched am dipyn o wyliau.

Doedd hi ddim yn debyg y bydden nhw'n coelio straeon Mari am y 'seintiau'. Ond mi fyddai'n rhaid iddi ddarparu arlwy swmpus iddyn nhw, neu mi fyddent yn siŵr o ddial arni rywsut. Os na fedrai eu hargyhoeddi ynghylch y beddau – roedd hynny bron yn amhosib – roedd yn bwysig iddi adrodd y straeon gystal ag y medrai. Ond roedd 'na wahaniaeth y tro hwn; roedd hi wedi adrodd y straeon gwreiddiol i gadw Nico yn Nolfrwynog, i wastraffu digon o amser fel y byddai'n aros yno am dipyn – ac i syrthio mewn cariad â hi, efallai. Y tro hwn roedd angen iddi adrodd y straeon mewn dull a fyddai'n gyrru'r criw i ffwrdd heb iddyn nhw wneud niwed iddi hi nac i unrhyw un arall oedd yn byw yn yr hen ffermdy.

Roedd Beast wedi dod â hen gramoffon i'r dec, ac roedd y teclyn yn blastio miwsig henffasiwn dros ddolydd Dolfrwynog. Clywai Yncl Wil y twrw o'i wely angau, a dechreuodd fwmian rhai o'r alawon, er nad oedd o'n adnabod 'run ohonyn nhw. Miwsig o ddechrau'r ugeinfed ganrif ydoedd, miwsig a aethai i ebargofiant erstalwm – yr unig fiwsig oedd ar gael i'r môr-ladron, gan iddyn nhw ddod ar draws y recordiau yng nghaban llong a orchfygwyd ar Fôr y Gogledd. Roedd y capten wedi gofyn am un ffafr olaf, am gael eistedd mewn cadair ar fwrdd ei long yn sipian siampên ac yn gwrando ar y miwsig. Weasel fu'n gyfrifol am ei dranc: gorfodwyd o i gerdded y planc, a'i wydr yn ei law, wrth i'r drydedd record chwarae. Tipiwyd ef i mewn i'r dŵr pan ddaeth y wich ar ddiwedd y gân.

Heno, roedd Weasel a Wilma'n dawnsio'n agos at ei gilydd ar y dec, ac roedd Jaws yn cysgu mewn cadair. Roedd llygaid Mari wedi'u hoelio ar y gwydryn ar osgo yn ei law dde, ac yn gollwng gwin dros ei grys sidan. Byddai o mewn tymer ddrwg pan ddeffrai. Aeth Nico a'r ferch ddienw i lawr i'r caban efo Drwba a Beast; clywai Mari eu lleisiau meddw yn dod drwy'r drws. Wnaeth neb gynnig diod na bwyd na chadair iddi hi, ac roedd ei choesau'n dechrau brifo.

Aeth y parti ymlaen drwy'r nos. Yn y diwedd sleifiodd Mari i ffwrdd i fyny'r cae pan nad oedd neb yn ei gwylio. Pan gyrhaeddodd y giât i'r buarth gwelodd olygfa ofnadwy: roedd yr ast yn llyfu corff un o'r cŵn bach yn y llwch. Roedd y llall, nid nepell i ffwrdd, yn yr un cyflwr. Pwysodd Mari yn erbyn wal y beudy a bu'n sâl dros y meini. Roedd yr olygfa mor erchyll, ond y prif reswm dros ei salwch oedd yr amheuaeth mai un o'r rapsgaliwns oedd wedi cyflawni'r anfadwaith hwn. Pwy arall fedrai wneud y fath beth? Huw?

Wedi iddi ddod ati ei hun, aeth Mari i'r ffynnon efo'r bwced yn ei llaw, i molchi a nôl dŵr ffres. Bu yno am sbelan, yn gwylio'r lloer yn codi ac yn gwrando ar anifeiliaid y nos yn symud o gwmpas yn yr anialwch. Pan ddychwelodd i'r buarth gadawodd y cŵn bach lle roedden nhw, fel atgof i bwy bynnag a wnaethai'r fath beth.

Aeth â'r dŵr i fyny'r grisiau, ar gyfer ei mam a Wil. Roedd ei hewyrth yn cysgu, ond roedd ei mam yn eistedd wrth y ffenest agored yn gwylio'r cwch gwyn ar y môr a'r goleuadau bach yn cael eu cynnau ar y dec. Deuai'r miwsig i fyny'r caeau tuag atyn nhw. Roedd pedwar yn dawnsio'n afrosgo, a chlywid ambell fytheiriad pan sathrai rhywun ar droed un arall.

Roedd Elin wedi paratoi ei hwyneb, ac roedd ganddi botel o *nail varnish* yn ei llaw.

'Mari, cariad, wnei di beintio fy ewinedd i mi?'

Roedd yn anodd coelio bod y sgerbwd o'i blaen, ei mam ei hun, yn dymuno cael peintio'i hewinedd. I be?

'Dwi am fynd i lawr 'na, wel'di,' meddai. Sylwodd Elin fod golwg anghredadwy ar wyneb ei merch, a dywedodd: 'Wel, pam lai. Un parti olaf. Go out with a bang, yntê cariad.' Gwenodd yn simsan, a rhoddodd y botel yn nwylo Mari. 'Tyrd o 'na, want to look my best.'

'Ond anifeiliaid ydyn nhw, Mam. Wnân nhw ddim ond gwneud hwyl ar eich pen chi.'

'Dim ots gen i, Mari. Glasiad o siampên ac un ddawns cyn mynd, mae hynny'n swnio'n well na marw yn fy ngwely yn fan'ma.'

Goleuodd Mari gannwyll, ac er bod ganddi boen yn ei bol, lliwiodd ewinedd ei mam yn araf ac yn ofalus.

'Dyna ni,' meddai Mari o'r diwedd.

'Job neis iawn, diolch i ti, 'nghariad i.'

Teimlai'r ddwy ryw agosatrwydd at ei gilydd am y tro cyntaf erstalwm. Eisteddodd Mari am dipyn yn siarad am hyn a'r llall. Yna cynorthwyodd ei mam i ddewis ei dillad a'i sgidiau. Roedd Elin eisiau edrych mor daclus ag y medrai, er bod ei hwyneb yn wyn, a'i llygaid yn fawr ac yn ddu.

'Wna i'r tro?'

'Dach chi'n edrych yn lyfli, Mam.'

Roedd hi'n edrych fel cachu ci, ond pa ots? Sylwodd Mari ar y funud olaf fod y pinc ar ewinedd ei mam yr un lliw yn union â'r pinc yn ffrog Wilma. Mi fyddai 'na goblyn o dwrw dros hynny.

3 9

Aeth y parti ymlaen drwy'r nos. Arhosodd Mari yn stafell ei hewyrth Wil, yn ei gysuro ac yn pwyso arno i yfed llymaid o ddŵr bob hyn a hyn. Roedd hi wedi dod o hyd i hen bot piso wythnosau'n ôl yn y beudy, a bu'n gwagio hwnnw yn ystod y nos. Yna bu'n hepian yn y gadair fawr yn y gornel, neu'n sgwrsio efo Yncl Wil pan ddeffrai – roedd yr hen ddyn naill ai'n cysgu neu'n ymweld â'r gorffennol erbyn hyn, ei feddwl wedi sigo dan bwysau'r presennol.

Ar un adeg yn hanes Wil a'i gartref bach yng Nghymru, bu gogledd, de, gorllewin a dwyrain. Bu gobaith. Bu rhywle iddo fynd, naill ai yn y byd go iawn neu yn ei ddychymyg. Ond, fel ci yn cael ei yrru'n ôl i'r cwt ar ôl diwrnod o hel defaid ar y mynydd, roedd ymwybyddiaeth Wil wedi'i dal yn dynn mewn corlan fach erbyn hyn. Roedd ei fyd wedi crebachu, gam wrth gam, a heno doedd dim byd ar ôl heblaw un stafell fach dywyll boeth, ddrewllyd. Uffern ar y ddaear. Carchar. Gwelai Wil bellach mai bwyd, diod, iechyd, rhyddid a gobaith oedd prif anghenion dyn. Adnoddau syml oedden nhw, ac eto roedd dynoliaeth wedi'u troi nhw'n bethau cymhleth. Gwelai hyn oll yn glir erbyn hyn, a hithau'n rhy hwyr bellach. Ni fedrai dynoliaeth ymdrin yn ddoeth â chyfoeth. Anifail barus oedd dyn, ac roedd hynny'n naturiol. Fel y wiwer fach, roedd dyn yn hel cymaint o gnau ag y medrai.

Rhywbryd, tua chanol yr unfed ganrif ar ugain, cyhoeddodd y gwyddonwyr fod dynoliaeth wedi ymrannu'n ddwy garfan, a'i bod yn datblygu mewn dwy ffordd hollol wahanol. Roedd hanner yr hil ddynol yn farus, yn ddideimlad a heb gydwybod, fel y rheiny ar y cwch gwyn. Roedd y gweddill yn glên, yn gydwybodol ac yn deimladwy. Cystadleuaeth oedd hi, felly, rhwng y ddwy garfan i weld pwy fyddai'n ennill. Hyd yn hyn y rhai barus oedd wedi ennill, ac oherwydd hynny roedd yr hen fyd yn dod i ben. Dyna âi drwy feddwl syml Wil tra gwrandawai ar y gramoffon yn y pellter, a'r chwerthin brwnt, a'r gweiddi afreolus. Ysai am gael dwyn y cwch oddi arnyn nhw a'i hwylio dros y môr; câi fod yn Popeye unwaith yn rhagor, cyn mynd i'w fedd; câi ail-fyw'r prynhawn byr hwnnw yng Ngwersyll yr Urdd pan brofodd baradwys; pan ddeallodd y dylai fod wedi mynd yn forwr; pan welodd y cyfle i fedru rhagori am unwaith – pan ddeallodd ei fod o, Wil Evans, yn medru trin cwch yn well na neb o'i gwmpas. Dyna oedd ei ddawn arbennig.

'Pam ddiawl 'nes i aros yma, dywed,' meddai wrth Mari, mewn hanner coma. Roedd o'n mwmian yn ei gwsg. 'Dyliwn i fod wedi mynd ar y môr, dyna oedd fy mhetha i.' Ac felly y bu hi drwy'r nos, gyda Wil yn siarad yn ei gwsg a Mari'n hepian, neu'n edrych allan drwy'r ffenest ar y parti. Clywai chwerthin uchel ei mam yn awr ac yn y man; yna, gyda'r wawr, distawodd pawb a daeth llonyddwch i'r cwm. Rywbryd yn ystod y bore bach deffrodd Mari a chlywed llwynog yn cyfarth ym mhen draw'r dyffryn; yna aeth yn ôl i gysgu, er bod y cnoi-eisiau-bwyd yn ei bol hi'n waeth nag erioed.

Y peth nesaf glywodd hi oedd drws ffrynt y tŷ yn agor, a rhywun yn dringo'r grisiau. Doedd hi ddim yn nabod y cerddwr, a daeth pwl o ofn drosti; nid Nico oedd o, beth bynnag. Daeth cysgod ar draws y drws agored, ac yna daeth Beast i mewn i'r stafell. Roedd o'n llenwi'r agoriad fel cwmwl ar noson o aeaf. Edrychodd Mari ar ei ddannedd gwyn perffaith, ac yna diflannodd y wên oddi ar ei wyneb.

'Master want you to tell story this morning.'

'Who's the master?'

'Master is Jaws.'

'What if I say no?'

'Jaws in a very bad mood today. Too much champagne. Not a good idea for you to say no. And maybe you'd like to eat?'

Chwarddodd Beast yn ddwfn, fel dyn drwg yn un o ffilmiau James Bond. Ia, cymeriad mewn ffilm oedd o, tybiai Mari. Roedd pobl wedi dynwared y selébs gymaint nes eu bod nhw eu hunain wedi troi'n gymeriadau cartŵn fel eu harwyr ar y teledu ac mewn cylchgronau, yn lle gwerthfawrogi'r cymeriadau naturiol o'u cwmpas. Roedd pob sefyllfa gymdeithasol fel stribed mewn cartŵn. Edrychodd Mari ar y babŵn a safai o'i blaen: un o'r *minders* a welid mewn cannoedd o ffilmiau eilradd o Hollywood oedd o. Roedd bywyd y werin wedi troi'n rhyw fath o nofel *pulp,* gyda'r gwahaniaethau rhwng un person a'r llall yn lleihau, gyda gwledydd a thraddodiadau gwahanol y byd yn toddi fel plastig yn ffwrn cyfalafiaeth a globaleiddio.

'Doesn't look like I've got much choice,' meddai Mari.

'No, not much choice,' meddai Beast fel carreg ateb. 'Twelve o'clock, we start.'

'There's no clock working in the house,' meddai Mari, gan geisio codi ar ei thraed. 'What time is it?'

'It's ten now,' meddai Beast, ac aeth i lawr y grisiau tua'r drws. Brysiodd Mari i weindio'r cloc yn y gegin, a symud y bysedd i ddeg o'r gloch. Meddyliodd pa mor rhyfedd oedd y ffaith fod amser wedi aros yn Nolfrwynog am gyhyd, ac eto doedd neb wedi gweld ei eisiau lawer. Ond mwynhaodd ei dic-doc pan ddechreuodd swyno'r distawrwydd unwaith eto. Dychmygai ei nain a'i thaid, yn eistedd yn y stafell hon o flaen y tân, flynyddoedd yn ôl mewn cyfnod dedwydd, yn gweu ac yn darllen heb sŵn o gwbl heblaw am ddyfal donc y cloc, ac ambell ffrwydrad bychan yn dod o'r lle tân.

Aeth Mari yn ôl i fyny'r grisiau, i chwilota drwy'r droriau. Roedd ganddi frith gof am ffrog laes, wen, a wisgodd ei mam i briodas. Daeth o hyd iddi yng ngwaelod y drôr. Roedd wedi crychu, ond mi wnâi'r tro. Gwisgodd Mari hi a mynd i edrych yn y drych mawr yn y gornel; roedd y dilledyn yn edrych yn fwy addas ar gyfer y dasg a'i hwynebai nag y byddai rhyw hen drowsus bratiog – roedd ei jîns yn rhy dynn iddi erbyn hyn. Byddai'n rhaid iddi edrych yn wylaidd ac yn fwy morwynaidd ar gyfer stori Sara; byddai'n haws iddi argyhoeddi'r ymwelwyr mewn gwisg wen, syml. Byddai'n edrych fel y Forwyn Fair ei hun, gobeithio.

Erbyn hanner dydd roedd y cwm wedi poethi gymaint nes bod y defaid a'r ceffylau wedi mynd i gysgodi o dan y cloddiau; roedd yr holl wlad yn felynfrown ar ôl cyfnod mor hir heb law, a'r afonydd bychain yma a thraw wedi dechrau sychu. Yn y gwres hwn gwelodd Mari barti straffaglyd yn crwydro i fyny Cae Dan Tŷ a llais cwynfannus, miniog Jaws yn eu chwipio tua'r buarth. Aeth ton drydanol a nerfus drwy gorff Mari, a theimlai'n wangalon ac ar fin llewygu, fel petai hi'n actores neu'n unawdydd ar fin camu ar y llwyfan am y tro cyntaf.

Cyrhaeddon nhw'r buarth, a ffurfio cylch o'i chwmpas.

Roedd wyneb Jaws yn bwfflyd a'i lygaid yn goch.

'Well, Mari or whatever your name is, let's get on with it. If you want some food, wench, you'd better come up with the goods.' Poerodd i'r llwch, a syllu arni'n wenwynllyd.

Edrychodd Mari i gyfeiriad Nico, wrth ymyl y ferch, gan sylwi ei fod yn gafael yn ei llaw. Roedd golwg ddifrifol iawn ar ei wyneb… ond oni welodd hi winc fach yn dod o'i lygad dde? Oedd, roedd o wedi rhoi rhyw hanner winc; roedd hi'n siŵr o hynny rŵan. Beth oedd yn digwydd? Oedd o ar eu hochr nhw – 'ta ar ei hochr hi?

Bu'r hanner winc yn ddigon i godi ei chalon rywfaint, ac arweiniodd y grŵp i fyny'r nant, drwy'r coed, ac at y ffynnon. Safodd wrth ymyl y dŵr, a'i breichiau ar led, fel petai hi'n angel. Edrychodd o'i chwmpas, i fyny i'r awyr ac ymhell i'r gorwel; sylwodd ar wiwer yn y coed, a gwelai Huw hefyd, yng nghanghennau uchaf onnen fawr, yn sbio i lawr arni yn ei drowsus bach coch.

Tawodd pawb, a dechreuodd Mari.

'Once, I had a sister called Sara. She was beautiful, with long black hair and dark brown eyes. Everyone looked at her, wherever she went, and one day an agent from a modelling agency stopped her in the street and offered her a contract there and then...'

Roedd ei llais yn wantan, braidd, ar y dechrau, ond cryfhaodd fel y cynhesodd i'w thema. Addasai'r stori fel y datblygai: ffuglen hollol oedd y rhagymadrodd hwn – ni fu Sara'n agos at fyd ffasiwn.

Ond pe bai Mari'n dweud ei stori mewn dull boddhaol, mi fyddai 'na fwyd ar y bwrdd iddi hithau ac i bawb arall yn Nolfrwynog. Yn bwysicach fyth roedd y posibilrwydd y byddai Mari yn ennyn cymeradwyaeth Nico, ac yn ailgynnau ei gariad tuag ati.

40

Wrth iddi sefyll ger bedd Sara, yn yr haul crasboeth, crynai Mari fel deilen – naill ai oherwydd ofn, neu ddiffyg bwyd, neu gyfuniad o'r ddau. Ac ar y funud olaf, a hithau'n rhoi diweddglo graenus i'w stori, rhoddodd ei babi aflwydd o gic iddi, nes bod ei thu mewn yn llosgi mewn poen. Yn ffodus, camddeallwyd ei chryndod, a'r o! truenus a ddaeth o'i gwefusau. Credai'r rapsgaliwns mai emosiwn a galar oedd yn gyfrifol am ei hymateb. Llwyddodd Mari i nyddu stori swmpus iddyn nhw – roedd ganddi ddawn yn y maes.

'And she was buried here on her birthday, as the snow fell all around us; a little robin redbreast landed on her folded hands in the grave, as we said our prayers for her, and it wouldn't fly away – not even when we began to put earth on her,' meddai Mari, yn crafu'i phen am ddiweddglo sentimental i'w ffuglen. 'Then a hawk fell from the sky and killed the poor little robin in a shower of feathers,' ychwanegodd. Sylwai fod 'na olwg ddwys ar wyneb Wilma – roedd y stori wedi taro deuddeg efo hi, beth bynnag.

'We screamed at the hawk and it flew away, but the poor little robin was dead; it lay in her hand, and a trickle of blood from its broken body ran slowly along her finger, onto to her snow white dress...'

Roedd y babi'n gwneud ffasiwn ffys yn ei bol, nes ei bod hi'n ymladd am ei gwynt erbyn hyn. 'We buried them both together and that night a great storm descended on the valley; there were massive peals of thunder and huge flashes of lightning; the wind howled and whistled through the trees, as if God above was raising His voice in anger at the death of poor Sara, as if the Virgin Mary herself was weeping tears for the lovely little robin redbreast which died that day in the snow.'

Clapiodd Jaws a Weasel efo'i gilydd yn araf a sardonig, ond roedd Wilma yn ei dagrau, ac roedd y genod eraill yn reit snifflyd hefyd, felly tawodd y ddau ddyn, a dywedodd Jaws mewn llais syber: 'Well done, Mari lass, you've done us proud.'

Roedd o'n trio swnio'n ddiffuant, i grafu tin y merched, ond doedd dim cuddio'r tinc gwawdlyd yn ei lais.

'Where's my mother, anyway?' gofynnodd Mari'n sydyn. Doedden nhw ddim yn disgwyl y cwestiwn, ac atebodd Jaws: 'Sleeping it off, duckie. Quite a party girl, isn't she?'

Gwenodd yn gam arni. Yna clapiodd ei ddwylo o flaen ei wyneb, fel swltan yn un o hen wledydd y dwyrain yn annog ei weision a'i forynion, a dweud: 'For this, our good friend Mari deserves our thanks and our generosity. Mari, we humbly beseech you to be our guest at the dinner table tonight. Drwba – go and command Beast to prepare the feast!'

Clapiodd pawb heblaw Mari ac aethon nhw yn ôl i'r buarth.

'Mari, you shall be our guest at seven this evening,' meddai Jaws mewn llais llawn rhwysg. Sylwai Mari ei fod mewn gwell hwyliau erbyn hyn, er efallai mai'r botel fach yn ei boced oedd yn gyfrifol am hynny.

Aeth Nico a'r dynion am dro i fyny'r allt, i ddangos y ffriddoedd a'r bryncyn iddyn nhw, ac aeth Mari a Wilma a 'chariad' newydd Nico ar hyd y dolydd i weld y moch a'r ceffylau. Gwelsai fod y moch wedi torri i mewn i'r cae ŷd, a bod hwnnw'n gorwedd ar lawr. Byddai bwyd yr ymwelwyr yn bwysicach nag erioed rŵan. Ond doedd hi ddim wedi rhag-weld gorfod erfyn arnyn nhw amdano fel hyn, fel rhyw gardotyn ar strydoedd Delhi. Roedd rhywbeth diraddiol, sarhaus ynghylch y broses o ddibynnu ar fympwy pobl eraill am lond bol o fwyd. A beth am y babi? Amheuai Mari fod y diffyg bwyd, oedd wedi bygwth ei bywyd hi ei hun, wedi amharu ar ei phlentyn bach hefyd. Roedd rhywbeth o'i le.

Am saith, eisteddodd pawb i lawr yng nghaban y *Jolly Roger* gyda Beast yn gweini arnyn nhw mewn siwt goch efo *epaulettes* aur. Roedd o wedi tynnu ei sbectol ddu, a sylwodd Mari fod ganddo lygaid clên. Fedrai hi ddim peidio â syllu arnyn nhw: doedden nhw ddim yn gweddu i'w wyneb o, rywsut, fel petai o wedi'u dwyn oddi ar wyneb rhywun arall, gan eu bod mor hoffus, mor ddeallus ac yn llawn direidi. Doedd dim deall ar bethau, meddai Mari wrthi hi ei hun. Roedd y byd yn blydi boncyrs. Dyma hi, a hithau'n ddiwedd mis Awst, fel Cairo yn y caeau; roedden nhw ar fwrdd llong efo enw cartwnaidd, yng nghwmni criw o gymeriadau a grëwyd gan Disneyworld, yn gwledda pan oedd pawb arall yn y byd yn llwgu, ac i wneud pethau'n hollol swreal roedd y cwch yn gorwedd yn dawel lle bu caeau gleision tan ychydig yn ôl. Dim rhyfedd fod Yncl Wil am roi'r gorau i fyw.

Cafiâr ar dost gawson nhw gyntaf – doedd Mari erioed wedi'i flasu cyn hyn, a doedd o ddim mor sbesial â hynny, ond mi fwytaodd o'n araf rhag iddi gyfogi. Weindiai'r Beast y gramoffon bob hyn a hyn, a bwytaodd pawb yn eithaf distaw tan i'r siampên gydio yn nhafod Jaws. Dechreuodd yntau siarad rwtsh a dweud jôcs budr, a'i ddannedd aur yn sgleinio yng ngolau'r canhwyllau.

Lobster bisque oedd i ddilyn. Doedd Mari ddim yn hoff iawn o hwn, ond bwytaodd o'n ara deg. Roedd ei flas yn aros ar y tafod fel bwyd wedi'i losgi. Ych a fi. Roedd o'n beth rhyfedd, meddyliai Mari, pa mor ych a fi ydi bwyd posh, drud. Beth oedd yn well na bara menyn ffres, ac ychydig o gaws syml? Doedd ganddi hi ddim awydd bwyta'r bwyd moethus 'ma. Darn mawr o siocled. Mmmm, fasa hynny'n lyfli.

'You all right, Mari?' gofynnodd Weasel.

'Fine, thank you, lovely food,' meddai Mari, bron â dychwelyd y *lobster bisque* yn ôl i'w bowlen ar y lliain bwrdd gwyn. Roedd ei bol hi'n dechrau brifo erbyn hyn, ond y rheswm y tro hwn oedd y ffaith fod 'na fwyd ynddo fo. *Steak* a *chips* oedd nesaf, ac roedd pawb yn ciniawa fel cŵn o'i chwmpas. Bwytaodd tua'i hanner o cyn rhoi'r gorau iddi.

'What's up luv,' gofynnodd Jaws fel petai o'n malio amdani.

'The baby,' meddai Mari, yn cyffwrdd â'i bol. 'It's had enough for now.'

Twtiodd Jaws, ond gadawodd lonydd iddi hi.

Edrychodd Mari ar Nico, ond tynnodd hwnnw ei lygaid oddi arni'n syth bìn. Roedd 'na olwg euog ar y gwalch. Damia'i galon o, meddai Mari wrthi'i hun. Dynion. Roedden nhw i gyd yn fastards yn y bôn. Ffwrdd â nhw cyn gynted ag roedden nhw wedi procio'r tân. Un peth oedd ar eu meddyliau. A fynta 'run fath yn union â nhw.

'Lovely,' meddai Mari pan welodd y pwdin siocled. Bu bron iddi â chipio'r fowlen o ddwylo Beast a rhoi'i phen yn syth i mewn ynddi. Teimlai'r awydd i dynnu ei dillad a rhwbio'r pwdin siocled drosti i gyd. Byddai hi'n edrych fel Beast wedyn. Mmmm, lyfli. Llarpiodd y pwdin a thorrodd wynt yn uchel.

'Wpsi desi,' meddai wedyn, a suddo glasiad o siampên. Waeth iddi fihafio fel mochyn ddim. Daeth darlun i'w meddwl ohoni hi a Nico'n gorwedd yn noeth o dan y goeden dderw wrth yr afon, a daeth cwlwm i'w gwddw. Awr hapusaf ei bywyd. Lliwiau natur yn arnofio ar ei groen gwyn: melyn, a glas, a gwyrdd. Ei gorff. Ei gyrls. Ei lygaid ar gau yng ngwres y dydd. Gwenyn o'u cwmpas. Haul ar eu crwyn. Hapusrwydd. Peth syml oedd hapusrwydd, yntê?

'Cheese and biscuits?' holodd Beast yn ei lais dwfn wrth ei chlust chwith.

'No, thank you very much,' meddai hithau'n foesgar, fel petai hi mewn blydi *garden party* yn Buckingham Palace. Suddodd lond gwydryn arall o siampên. Hei-ho, doedd ei bywyd ddim mor ddiawledig â hynny wedi'r cyfan. Trawodd Jaws y bwrdd efo'i lwy, a distawodd y parti. Cliriodd Jaws ei wddw.

'Ladies and gentlemen, it gives me great pleasure to thank our guest Mari for being here with us tonight.' Clapiodd pawb yn ddel. Yna, ychwanegodd: 'As a special honour tonight Mari, you may have three wishes.'

Three wishes. Argol mawr! Dyna i chi anrhydedd. Caeodd ei llygaid, ac aeth ei meddwl ar garlam drwy'r posibiliadau...

'Not those sort of wishes, you daft bint,' meddai Weasel. 'Real wishes, things we can give you tonight.' Ac yna, dan ei wynt, 'Silly bitch...'

Agorodd Mari ei llygaid. Roedd ei dymuniad cyntaf yn amlwg.

'Plenty of food for the people in the house,' meddai. 'Loads of it, to be taken up for my mum and Wil and Huw...'

'OK, OK,' meddai Jaws. 'You can have some food. What else?'

'Have you got any medicine?' holodd Mari.

Edrychodd Jaws ar Beast. 'Well?'

'Yes, we have some medicine, master.'

'Morphine?' gofynnodd Mari.

'Yes, we have some morphine, not much though,' meddai yntau.

'Go on then, you can have some of that, too,' meddai Jaws. Roedd mewn hwyliau drwg unwaith eto. Roedd o wedi disgwyl rhywbeth mwy difyr na hyn.

'And the third wish? Make it snappy.'

Caeodd Mari ei llygaid am funud, yna agorodd nhw unwaith yn rhagor. Edrychodd i mewn i lygaid Nico, ac roedd yntau'n edrych arni hithau.

'I would like,' meddai'n araf, 'I would like…'

Ond torrodd Jaws ar ei thraws yn syth bìn.

'That's your lot, girl,' meddai. 'Now bugger off home.'

41

Roedd Mari'n dal ei bol ac yn griddfan. Ai'r bwyd oedd y rheswm, 'ta'r babi, neu'r siampên, efallai? Roedd hi'n dioddef heddiw, yn y nant, o dan y coed cyll; y fangre honno oedd ei thoiled ers iddyn nhw orffen defnyddio'r lle chwech yn y tŷ oherwydd bod y tanc septig yn llawn. Byddai'n sychu ei phen ôl efo rhedyn neu laswellt, ac yn rhoi carreg dros y cwbl. Erbyn hyn roedd hi wedi gweithio'i ffordd i lawr y nant yn ara deg, ac mi fyddai'n rhaid iddi ddechrau ar yr ochr arall i'r afonig cyn bo hir. Gwyddai fod Huw yn ei gwylio, fel arfer; gwelai gip o'i drowsus bach coch weithiau yn y coed uwch ei phen. Sylwodd fod rhai coed yn marw; roedd y tywydd poeth wedi para am fisoedd rŵan ac roedd y coed i gyd yn dioddef, yn arbennig y rhai fel y wernen, a hoffai dir gwlyb. Gorffennodd Mari ei thoiled, heb ei gwblhau ychwaith, ac aeth i lawr i'r dŵr i olchi ei dwylo. Roedd y poen yn symud o'r naill ochr i'r llall; beth os mai pendics oedd o?

Beth ddigwyddai mewn argyfwng felly? Doedd dim syniad ganddi; marw fyddai ei thynged, mae'n siŵr. Beth fyddai'n digwydd i'r Cymry cyntefig, wrth iddyn nhw fyw mewn ogofeydd, neu mewn cytiau mwd? Marw o'r anhwylder lleiaf?

Doedd hi ddim eisiau marw. Roedd hi'n mynd i fod yn fam. Byddai'n rhaid iddi edrych ar ôl y plentyn bach a dyfai yn ei bol. Os oedd o'n tyfu, hefyd. Doedd hi ddim wedi bwyta'n iawn yn ystod y misoedd diwethaf 'ma. Efallai y byddai'r crwt yn fychan, fel Dylan. Hwyrach y byddai Mari yn cychwyn llinach o bigmis Cymreig a fyddai'n byw yn swil yn y nentydd ac yn cysgu mewn hamocs bach yn y coed.

Aeth i lawr tua'r buarth, i baratoi. Byddai'n rhaid gwagio pot piso Yncl Wil a gwneud iddo yfed ychydig o ddŵr; doedd o ddim wedi bwyta ers tro bellach ac roedd yn byw ar ddim byd mwy nac awyr iach. Sut roedd ei gorff yn medru rhygnu byw, ddydd ar ôl ddydd, heb ymborth? Gwyddai ganeuon y môr-ladron erbyn hyn, a gallai eu canu nhw air am air.

Gwenodd pan aeth Mari i mewn i'r stafell. Ffysiodd hithau o gwmpas ei wely, yna rhoddodd lwyaid o morffin iddo, i leddfu'r boen. Gadawodd y botel wrth erchwyn ei wely.

'Hei, Mari fach, mae gen i ddawn arall heblaw morio. Dwi'n medru cofio caneuon yn hawdd. Gwranda.' Ac aeth ati i ganu tiwn, air am air, mewn llais tenor ysgafn:

I think that I shall never see
A poem lovely as a tree...

Roedd Yncl Wil yn canu grwndi fel cath.

'Hei, Mari,' meddai wedyn, 'mae'r bobl newydd 'ma wedi dod â thipyn o fywyd yn ôl i Ddolfrwynog. Elin yn mwynhau mynd i barti unwaith eto ac rydw inna wedi ffindio dawn newydd. Wyddost ti be, hwyrach mai môr-leidr oeddwn inna mewn bywyd arall. Barti Ddu. Roeddwn i wastad yn handi efo cryman a ballu.'

'Cryman, Yncl Wil?'

'Ia, mae cryman fel cleddyf, yn tydi? Ac roeddwn i wastad yn *snazzy dresser,* fel Barti, pan o'n i'n mynd i ddisgo'r Ffermwyr Ifanc.'

Dechreuodd rwnan unwaith yn rhagor:

A tree that looks at God all day,
And lifts her leafy arms to pray;
A tree that may in Summer wear
A nest of robins in her hair;
Upon whose bosom snow has lain;
Who intimately lives with rain.
Poems are made by fools like me,
But only God can make a tree.

Diawcs, roedd o'n cael hwyl arni. Ond torrodd Mari ar ei draws:

'Yncl Wil, mae gynnon ni fwyd yn y tŷ. Dach chi isio rhywbeth i'w fwyta?'

Syfrdanwyd o gan y cwestiwn.

'Bwyd? Sut fath o fwyd?'

'Wnewch chi ddim coelio hyn, Yncl Wil, ond mae gynnon ni cafiâr a siampên os dach chi isio llymed.'

Edrychodd Wil arni'n gegrwth. Cafiâr? Doedd o erioed wedi blasu cafiâr, doedd o ddim yn gwybod sut beth oedd o hyd yn oed. Cig, falla? Llysieuyn? Rhyw fath o gacen? Na, rhywbeth i'w neud efo pysgod oedd o.

'Go on 'ta, gymera i lond ceg a glasiad o siampên i weld sut flas sy arnyn nhw,' meddai yntau. Roedd o wedi yfed siampên ym mhriodas ei chwaer ac wedi'i gymharu, mewn llais uchel, i biso dryw bach. Nid ei fod o wedi yfed piso dryw bach erioed.

A dyma fo, yn ei wely yn Nolfrwynog, yn paratoi i yfed y siampên gorau o Rwsia, os oedd 'na'r fath le ar ôl – siampên y bobl fawr. Popeye yn yfed siampên. Ha! Dechreuodd chwerthin, ac yna dechreuodd wylo'n dawel. Popeye bach Cymraeg yn yfed siampên ar ei wely angau.

Trodd Mari i ffwrdd ac aeth allan, i arbed ei deimladau. Roedd o'n ddyn balch, ac wedi bod yn ddewr hyd yn hyn. Ond daeth dagrau iddi hithau hefyd ar ei ffordd i lawr y grisiau i'r gegin. Roedd 'na rywbeth trawiadol ynghylch mab fferm yn yfed siampên wrth ganu, wrth herio'i dynged mewn stafell fach ddi-nod yng nghefn gwlad Cymru.

Roedd Mari wedi cytuno i fynd i'r gadlas yn y prynhawn i drafod yr ail stori: hanes ei thad yn yr ysbyty; y gangiau'n ymosod arno, yn ei anafu gan arwain at ei farwolaeth. Wedyn, dianc o'r dref. Jac yn gyrru.

'Pwy oedd Jac?' gofynnodd Jaws.

Esboniodd Mari.

'Lle roedd o rŵan?'

Doedd neb yn gwybod.

Edrychodd Jaws a Weasel o'u cwmpas, fel petai o'n cuddio yno yn rhywle.

'Na,' meddai Mari, 'roedd o wedi diflannu ers misoedd.'

Ond doedd Jaws a Weasel ddim yn gyfforddus efo'r stori hon. Ac mi ddaeth yn amlwg pam.

'Were you there at the hospital, Weasel?' holodd Jaws.

'Yes, where do you think I got the morphine?' atebodd yntau.

'Which hospital was that?'

'Don't know – the big one in town.'

Trawodd Mari ei phig i mewn.

'This was a hospital miles away, in the south,' meddai.

Ond roedd y stori wedi anesmwytho'r dynion. Roedden nhw wedi ymosod ar ysbytai yn ystod dyddiau cynnar y gyflafan i ddwyn cyffuriau ac ati, ac roedd eu cydwybod yn poeni'r ddau ohonyn nhw.

'Don't think much of your story today, Mari,' meddai Weasel yn swta, ac i ffwrdd â fo i lawr i'r Cae Dan Tŷ gyda'r merched yn ei ddilyn. Roedd golwg bathetig ar Wilma, yn rhowlio dros rychau'r tractor fel hen hwch wedi rhedeg yn bendramwnwgl i mewn i'r lein ddillad ac wedi cael ei dal yn un o'r dillad.

Toc ar ôl iddyn nhw gyrraedd y cwch, daeth teulu o ddolffiniaid i fyny'r cwm i chwarae yn y dŵr; ymhen dau funud roedd Huw yn eu mysg, yn reidio ar eu cefnau ac yn neidio fel acrobat o'r naill i'r llall. Roedd pawb yn gwenu ac yn chwerthin gan annog Huw i wneud pob math o giamocs. Yna, yn sydyn, daeth clec ofnadwy, ac un arall yn syth ar ei hôl. Sŵn gwn yn cael ei danio oedd o. Aeth pawb yn ddistaw, a throi i weld pwy oedd wedi tanio'r gwn. Ar y dec, efo'i wn yn estyn o'i flaen, safai Weasel, ac roedd o wrthi'n ail-lwytho'i arf. Daeth sgrech erchyll o'r dŵr: sgrech plentyn. Erbyn hyn roedd cwmwl mawr coch yn lledu drwy'r dŵr, a Huw yn ei ganol. Rhedodd Mari i lawr y cae tuag at y dŵr gan alw ei enw ar dop ei llais. *Huw... Huw...*

Ond erbyn iddi gyrraedd ymyl y dŵr roedd Huw wedi nofio i'r lan ac wedi ffoi i fyny'r cae. Yn ei dymer ddrwg, roedd Weasel wedi tanio at y dolffiniaid – ac roedd dau ohonynt yn arnofio ar yr wyneb, yn farw. Roedd y lleill wedi nofio yn ôl i'r môr. Edrychodd pawb mewn distawrwydd ar yr olygfa: y ddau bysgodyn ar wyneb y dŵr, a'u boliau llachar yn disgleirio yn yr haul; y dŵr gwaedlyd, ac arogl y saethu yn troelli'n araf o'u cwmpas.

'That'll teach you,' meddai Weasel drwy ei ddannedd. 'Nobody makes a fool out of me. Let that be a lesson to the lot of you.'

Trodd ar ei sawdl, ac aeth i lawr i'r caban, lle'r yfodd ei

hun yn wirion yn ystod y ddwy awr nesaf. Erbyn hanner nos safai ar y dec unwaith eto, yn tanio'i wn i'r tywyllwch.

4 2

Pan wawriodd y diwrnod canlynol, gwelwyd y cwmwl cyntaf ers misoedd yn yr awyr. Daeth cwmwl bach llwyd i stelcian yn y gorllewin, yna un arall, fel negeseuon mwg yr Indiaid Cochion.

'Sôn am beth ofnadwy i'w wneud,' meddai Yncl Wil wrth Mari yn ystod eu sgwrs foreol. Roedd o wedi clywed sŵn y tanio ac yn daer eisiau'r stori lawn.

Clywodd Mari ei llais ei hun yn dechrau brodio'r stori, fel y gwnâi efo pob stori y dyddiau hyn, ond ffrwynodd ei hawch naturiol i orliwio, ac aeth ymlaen efo fersiwn cymharol gywir. Disgrifiodd sut y bu Weasel yn paldaruo ar ddec y *Jolly Roger* efo'i wn yn mygu. Y ddau ddolffin ar eu hochrau yn y dŵr. Cwmwl o waed yn cochi'r môr. Arogl y cetris. Y sgrech.

Oedd, roedd Wil wedi clywed y sgrech annaearol honno. Teimlai'n ddwys ynglŷn â'r dolffiniaid – pysgod hynaws, gwybodus, yn agosach at ddyn nag unrhyw anifail arall heblaw am fwncïod, efallai. Byddai pawb a fu'n nofio'n glòs gyda'r dolffiniaid yn y dŵr yn sôn am eu hagosatrwydd arbennig. Onid oedd damcaniaeth bod dolffiniaid wedi dod i fyw ar y tir fel dyn ei hun un tro, ond eu bod wedi dychwelyd i'r moroedd?

'Tybed pam?' gofynnodd Wil. Am fod rhaid iddyn nhw, ynte'n wirfoddol? Hwyrach i'r dolffiniaid gael eu digalonni gan anifeiliaid y tir sych; efallai fod ymddygiad y tirgerddwyr wedi bod yn fwrn arnyn nhw. Roedd pob math o syniadau'n llifo'n doreth drwy ddychymyg Yncl Wil y bore hwnnw; bu'r môr a'i drigolion yn destun sgwrs am awr neu fwy. Teimlai'n well oherwydd y morffin ac roedd o wedi cael noson dda o gwsg, wedi i'r hen Weasel gwirion 'na orffen saethu'r sêr. Y diawl hurt. O ystyried pa mor gyfrwys oedden nhw, roedd yr ymwelwyr yn hollol ddiglem ar brydiau hefyd.

'Ydi'r tywydd yn newid, dywed?'

'Dydw i ddim yn gwybod, Yncl Wil, ond mae'r ddaear isio glaw yn ofnadwy.'

Chwarddodd y ddau. 'Dyma ni'n sôn am y tywydd unwaith eto,' meddai Wil. 'Dydi rhai petha byth yn newid.'

Cawson nhw hanner awr reit ddigri efo'i gilydd.

'Dwi'n meddwl g'na i godi heddiw, wel 'di,' meddai Wil. Roedd o am drio cerdded i ganol y buarth unwaith yn rhagor. I ganol y bydysawd. Am y tro olaf? Doedd 'na ddim ieir ar ôl, wrth gwrs. Biti am hynny. Roedd o'n colli clochdar Clwc. Un o hen synau Cymru ydoedd.

Wrth i Mari ei folchi a sychu'i wyneb gofynnodd: 'Lle mae Elin, dywed?'

'Mae hi'n dal ar y *Jolly Roger.*'

'Mae'n rhaid eu bod nhw'n cael uffarn o barti,' meddai Wil.

'Posib ei bod hi'n cysgu – mae 'na welyau ar y cwch,' meddai Mari, gan feddwl am Nico a'i gariad newydd. Tybed oedden nhw'n…?

Neidiodd ei meddwl i gyfeiriad arall. Gwell peidio â meddwl am bethau fel 'na. Aeth drwy stori Rhiannon heddiw. Byddai'n rhaid addasu a newid yr hanes i siwtio Weasel a Jaws. Byddai'n rhaid iddi fod yn ofalus, neu mi fyddai Weasel yn saethu rhywbeth – neu rywun – arall.

Câi ddechrau o'r newydd efo stori Rhiannon, wrth ochr ei bedd, efo criw'r *Jolly Roger* yn sefyll o dan y coed eirin.

Pan gyfarfu pawb wrth y bedd yn hwyrach yn y dydd

doedd Beast ddim efo nhw; roedd o'n edrych ar ôl Elin. Dechreuodd Mari wau stori wahanol yn ymwneud â bedd Rhiannon, i siwtio Jaws a Weasel. Roedden nhw ill dau yn ddistaw heddiw, ac roedd Weasel yn arbennig o swil. Roedd Mari'n gobeithio'i fod o'n llawn cywilydd.

Trawodd smotyn o law ei thrwyn ar ddechrau'r stori. Diolch i Dduw am hynny, meddai wrthi ei hun, efallai y doi'r glaw i'w hachub. Peintiodd lun emosiynol o'r Rhiannon yn ei dychymyg: merch dal, groen golau, brydferth, efo gwallt du at ei chanol a gwefusau coch, coch. Gwyddai Mari fod rhaid creu tipyn o argraff heddiw.

Edrychodd i fyny i gyfeiriad Nico, a gwelodd ei lygaid yn nodi'r newidiadau yn y stori. Roedd hyn yn dipyn o brawf: os tynnai Nico sylw at y ffaith iddi newid y chwedl, mi fyddai Mari'n gwybod ar unwaith fod y cachgi wedi mynd drosodd i'r ochr arall. Ond pe bai o'n aros yn dawel gallai hynny awgrymu ei fod o'n dal ar ei hochr hi, er gwaetha'r holl arwyddion i'r gwrthwyneb. A do, mi ddaru Nico dderbyn y stori heb ei bradychu. Llamodd ei chalon. Roedd o ar ei hochr hi wedi'r cyfan. Ymdawelodd am funud, gan fod ei chorn gwddw yn gwrthod ufuddhau. Unwaith eto, camddeallwyd y chwa o emosiwn a ddaeth i'w hwyneb; closiodd Wilma ati, a rhoi ei braich fawr binc o amgylch ei chanol.

Edrychodd Mari o un wyneb i'r llall, yn gobeithio bod pawb wedi'u bodloni.

'Lovely story, Mari,' meddai Wilma. Sylwodd Mari fod y strap ar un o'i sgidiau wedi torri, a bod rhwyg hir yn ei ffrog binc – yr un ffrog binc ag y cyrhaeddodd ynddi. Oedd, roedd hi'n ogleuo. Gwelodd Mari fod y wraig hon wrth ei hochr yn dioddef hefyd; roedd 'na gylchoedd du o dan ei llygaid, ei chroen bellach yn llawn smotiau a'i gwallt yn flêr. Druan ohoni, roedd y byd newydd hwn wedi'i gyrru hithau i lawr i'r dyfnderoedd hefyd.

Edrychodd Mari wedyn ar Drwba; fel arfer, roedd 'na olwg ochelgar arni – roedd hi bron yn amhosib dweud beth roedd yn mynd drwy'i meddwl. Ddywedodd Drwba ddim gair, ond daliai i syllu ar fedd Rhiannon, gan bigo'i ddannedd efo gwelltyn. Roedd y gweddill ohonyn nhw wedi cychwyn oddi yno, yn rhibidirês ar hyd y gadlas, gyda Weasel ar y blaen. Roedd o ar frys i fynd yn ôl i'r cwch, gan fod yfed neithiwr wedi creu diawl o syched yn ei gorn gwddw. Clywai Mari o'n siarad efo cariad newydd Nico, yn dweud wrthi y byddai'n rhaid iddyn nhw fynd yn ôl cyn bo hir neu mi fyddai 'na lygod mawr eraill wedi cymryd eu lle. Roedd Nico wedi aros ar ôl, fel petai o'n trio agosáu ati… teimlodd Mari ei law yn cyffwrdd â'i chlun ar un adeg.

Roedd Mari yn ei byd bach ei hun, pan stopiodd y grŵp o'i blaen. Bu bron iddi daro yn erbyn cefn Drwba, ac ni allai weld beth oedd yn digwydd. Clywai lais Weasel yn dweud: 'Now don't be a silly boy, put it down. Go on, put it down.'

Camodd Mari i'r naill ochr er mwyn cael gweld beth oedd yn bod. Roedd Weasel wedi cyrraedd y giât i Gae Dan Tŷ, ac wedi'i hagor – ond cyn iddo fedru camu drwodd roedd Huw wedi neidio o'i flaen, yn amlwg wedi bod yn cuddio y tu ôl i'r wal, wrth y postyn giât. Dyna lle roedd o rŵan, yn ei drowsus bach Man U, efo gwn Yncl Wil o'i flaen yn pwyntio at frest Weasel.

Gwnaeth yntau ymdrech arall i dawelu'r bachgen.

'There there, give it to me. I won't hurt you. Just a bit of a joke, I know.'

Roedd Huw yn crynu, ac roedd 'na olwg ofnadwy yn ei lygaid. Roedd y cythraul o'i flaen wedi lladd dau o'i deulu newydd – wedi llofruddio dau o'r dolffiniaid yn y dŵr.

Cododd y gwn, er bod hynny'n dipyn o gamp am fod y teclyn mor drwm iddo.

Cymerodd Weasel gam ymlaen. Ond camgymeriad oedd hynny. Ei gamgymeriad olaf. Ar ôl y glec daeth distawrwydd, cyn i'r garreg ateb ar y bryncyn ei hateb. Ogleuodd pawb arogl y gwn. Yn araf, syrthiodd Weasel i'r llawr, ar ei liniau i ddechrau, yn dal ei frest â'i ddwylo, ac yna'n cwympo ar ei hyd yn y llwch. Symudodd neb; edrychodd Huw i lawr ar y corff, cyn rhedeg fel milgi ar hyd Cae Dan Tŷ i gyfeiriad y dolydd. Ymhen dim roedd o wedi diflannu'n llwyr. Yna aeth Nico a Jaws ati i wneud be fedren nhw. Ond doedd dim diben, roedd Weasel wedi marw ar unwaith. Chlywodd y buarth ddim sgrech na gwaedd; dyna oedd y peth rhyfeddaf, tybiai Mari.

Roedden nhw oll mewn sioc, efallai. Safai pawb o gwmpas yn siarad yn ddistaw. Ymhen ychydig daeth 'cariad' newydd Nico ar ras i fyny'r cae – roedd hi wedi bod yn edrych ar ôl Elin efo Beast drwy'r prynhawn. Pan welodd hi Weasel rhoddodd waedd ddychrynllyd, a lluchio'i hun dros y corff. Diwedd y gân oedd mai Weasel oedd ei thad. Syfrdanwyd Mari gan y newyddion; doedd hi erioed wedi credu am eiliad fod 'na berthynas rhyngddyn nhw. Ymhen tipyn, ar ôl i'r ferch ddod ati ei hun, aed â'r corff i'r hen friws a rhoddwyd o i orwedd ar un o'r llechi, gyda blanced o'r tŷ drosto. Caewyd y drws arno, ac aeth pawb naill ai i'r tŷ neu i'r cwch am y noson.

Lledaenodd distawrwydd dros Ddolfrwynog y noson honno, tan tua hanner nos, pan gododd y gwynt a daeth glaw o'r diwedd, a dod ag awyr ffres i ystafelloedd yr hen dŷ. Y noson honno, yn ddistaw ac yn gyfrwys fel llwynog, aeth Huw i'r llofft stabal a marciodd groes fawr goch ar fap Yncl Wil. Lle bu croesau i ddangos hynt yr ieir gynt, roedd croes rŵan i ddangos rhywbeth gwahanol iawn. Roedd rhyfel cartref wedi dechrau yn Nolfrwynog, ac erbyn diwedd y mis byddai croesau eraill ar yr hen siart yn y llofft stabal. Mari oedd y gyntaf i sylwi ar y marc mawr coch pan aeth i nôl rhai o bethau Yncl Wil, i'w gysuro yn ystod ei ddyddiau olaf ar y ddaear hon.

4 3

Doedd 'na ddim deall ar bobl, tybiai Mari. Y ferch fach hon yn galaru'n ddwfn ac yn ddiffuant ar ei ôl: sut roedd Weasel wedi haeddu'r fath gariad? Sut ar y ddaear roedd creadur mor ddideimlad, mor ddialgar, mor ddichellgar ac mor ddiolwg â Weasel wedi haeddu merch mor annwyl ac mor deimladwy â hon? Roedd 'na urddas yn ei hymddygiad wrth iddi gerdded yn ôl ac ymlaen rhwng y briws a'r cwch. Roedd yn amlwg nad oedd hi'n coelio bod ei thad wedi marw. Âi i eistedd wrth ei ochr yn y briws i edrych ar ei wyneb a dal ei law. Roedd corff ei thad mor oer erbyn hynny, yn wir roedd hi'n anodd coelio bod cnawd yn medru bod mor oer. Wylai weithiau, ond ni wnâi hynny ym mhresenoldeb unrhyw un arall; yr unig arwyddion amlwg o'i phoen oedd ei llygaid coch a'i hymarweddiad gosgeiddig.

Doedd Mari ddim yn gwybod ei henw hyd yn oed. Aeth â jygiaid o ddŵr a chwpan fach iddi yn y briws, a diolchwyd iddi'n gynnes. Amber oedd ei henw, datgelodd yn ddistaw. Roedd Mari eisiau gofyn llu o gwestiynau iddi am ei pherthynas â Nico, ond gwelodd nad oedd yn amser priodol i wneud y fath beth. Roedd y ferch yn torri'i chalon. Roedd hi'n rhyfedd bod Amber a hithau'n edrych mor debyg i'w gilydd, meddyliai Mari. Roedden nhw yr un ffunud, yr un taldra a'r un siâp; roedd hyd yn oed eu brychni wedi ymgasglu yn yr un mannau ar eu hwynebau.

Diawl drwg oedd y tad; angel oedd y ferch, ac roedd Mari wedi maddau iddi'n barod am ddwyn ei chariad. Nid arni hi roedd y bai. Blydi Nico oedd i'w feio. Dynion, fel arfer.

Ond erbyn drennydd roedd y rhyfel cartref yn Nolfrwynog wedi dwysáu. Cyfarfu pawb yn y gegin i drafod beth i'w wneud â chorff Weasel. Dylien nhw fynd â fo allan i'r môr, meddai Jaws, oherwydd dyna wnaen nhw yn y *shanty towns*. Doedd dim amser i gladdu yno, felly aent â'r cyrff mewn cwch a'u gollwng i'r dŵr efo pwysau wedi'u clymu wrthynt. Na, meddai Amber, doedd hi ddim eisiau hynny. Roedd y syniad o bysgod a chrancod yn bwyta'i thad yn wrthun iddi, a dyfriodd ei llygaid yn fawr ac yn ddisglair yng ngolau'r gannwyll.

Beth am fynd â fo i ogof y dewrion, meddai Mari. Roedd hi wedi cadw'r cerdyn hwnnw i fyny'i llawes o'r dechrau; doedd neb o'r cwch yn gwybod am yr ogof. Bu'n rhaid iddi esbonio lle roedd yr ogof, heb ddweud y stori'n llawn. Ond doedd Amber ddim eisiau hynny chwaith; byddai cŵn gwyllt a llwynogod yn ymosod ar ei gorff.

'So what can we do?' holodd Jaws. 'We've got to put the sod somewhere or he'll stink like a skunk by... '

Rhoddodd Amber ei phen yn ei dwylo, a thawelodd Jaws.

Cytunodd pawb mai claddedigaeth oedd yr ateb. Ond ymhle?

Yn y gadlas efo'r lleill, wrth gwrs, meddai Wilma, oedd yn ogleuo bron iawn cyn waethed â'r corff erbyn hyn.

Na, meddai Mari. Roedd hynny'n amhosib. Beddau'r teulu yn unig oedd fan honno. Aeth i waelod y grisiau, a gweiddi ar Yncl Wil: 'Maen nhw eisiau claddu Weasel yn y gadlas efo'n teulu ni, Yncl Wil. Be dach chi'n feddwl?'

'Dim diawl o beryg,' meddai yntau'n ddig. 'Teulu Dolfrwynog sy yn fan'na a neb arall o gwbwl, neu mi fydda i'n...'

Doedd o ddim yn siŵr be wnâi. Sylwodd Wil, am y tro

cyntaf, fod rhywbeth wedi diflannu o'i stafell; chwiliodd ei lygaid am ei wn pan soniwyd am Weasel. Ond roedd Huw wedi'i ddwyn, mae'n rhaid. Wel, dyna fo. Cymeradwyodd o'n dawel.

Roedd Mari hefyd wedi digio ynglŷn â'r peth. Doedd arni ddim eisiau cythraul drwg fel 'na'n agos at ei theulu hi.

Yn y diwedd, cytunwyd â dymuniad Amber i gladdu ei thad yn y gadlas ond yn y pen uchaf, o dan y coed drain. Dyna fu'r drefn, felly, ac aeth Amber a Drwba yno yn y bore i agor y bedd, gyda Jaws yn gofalu amdanyn nhw efo gwn yn ei law, rhag ofn i Huw ymweld unwaith eto. Bu Jaws yn gwneud cynlluniau ynglŷn â dyfodol Huw, a doedden nhw ddim yn cynnwys cardiau pen-blwydd.

Dechreuodd Jaws ar ei yrfa fel prif *fixer* y lladron yn y *shanty town*, ac roedd o wedi lladd degau o ddynion mewn dyled o ryw fath i'r prif ddynion, cyn iddo yntau ladd y prif ddynion; roedd y cytiau a'r llwybrau bach dirgel yn y *shanty town* yn debyg iawn i'r slymiau mawrion yn Ne Amerig gynt, llefydd brwnt efo neb yn malio dim am bobl eraill, a chyfle i'r dynion mwya creulon wneud pres mawr. Y fo, Jaws, oedd brenin y *shanty town* erbyn hyn, ond roedd o'n dechrau poeni ynglŷn â'i gartref; beth oedd yn digwydd yno, ac yntau wedi bod i ffwrdd gyhyd? Gwnaed y penderfyniad i ddod yma un noson pan oedd o'n chwil, ac roedd o'n dechrau difaru braidd. Roedd y 'gwyliau' wedi gwneud daioni iddyn nhw i gyd, ond tybed beth oedd yn digwydd gartref? Oedd yr *henchmen a* adawodd o ar ôl yno'n gwneud eu gwaith, neu oedden nhw wedi cymryd drosodd erbyn hyn? Ar y llaw arall, ysai Jaws am y cyfle i ddial ar yr hogyn bach a laddodd Weasel; byddai lot o hwyl i'w gael, er y byddai'n rhaid bod yn ofalus gan nad oedd Jaws wedi hela mewn gwlad agored cyn hyn, ac roedd gan Huw fantais

– roedd o'n nabod y lle'n well na neb. Mi fyddai'r helfa'n hwyl, fel hela llwynog.

'Come on, hurry up,' meddai'n flin wrth y merched. Er bod Drwba'n gryf ac yn heini roedd y tir yn galed ac yn garegog, ac roedd y merched yn gweithio'n rhy araf i blesio Jaws. Ymhen dwy awr roedden nhw wedi tyllu'n ddigon dyfn, ac aeth Jaws a Drwba i nôl y corff. Daethon nhw ag ef i'r bedd ar hen glwyd o'r cwt ieir, a'r cachu ieir drosto i gyd; rhwng corff Weasel a'r cachu ieir roedd y drewdod yn ofnadwy. Rhoddwyd y corff yn y bedd, ond cyn i Amber fedru dweud gair roedd Jaws wedi dweud: 'Come on Drwba, let's go and get that little shit before it gets dark,' ac i ffwrdd â nhw heb roi gair o gydymdeimlad i Amber na chynnig cymorth iddi. Bu'n rhaid iddi hi a Mari daflu'r pridd dros y corff, a llunio rhyw fath o wasanaeth syml i ffarwelio â Weasel.

'I know he was a sod to other people, but he was really lovely to me, and I loved him,' meddai Amber with Mari. 'It's hard to believe, but he was a brilliant father. Best in all the world.'

Syrthiai'r dagrau'n gyflymach na'r glaw; roedd y cymylau duon uwchben wedi cynyddu yn ystod y dydd, ac erbyn hyn roedden nhw'n diosg eu cargo. Safai'r ddwy ferch gerllaw'r bedd â blodau yn eu dwylo a glaw oer yn rhedeg i lawr eu cefnau. Wrth sefyll yno mi welson nhw Nico'n dilyn y lleill ar hyd y caeau, efo gwn dros ei ysgwydd. Gwisgai het felen, wirion ar ei ben, het *sou'-wester* morwr.

'There goes lover boy,' meddai Mari. 'You two getting married?'

Edrychodd Amber arni'n hurt. 'What, me and Nico? You've got to be joking. Whatever gave you that idea?'

'Well, you were holding hands, and that sort of thing…'

'No, he never wanted me like that. I think he was using me, to be honest with you. Trying to get into the gang. And I was flattered, he's so nice looking.'

'You mean there's nothing going on between you two?'

'No, Mari, nothing like that. He was just kidding me along. Haven't you seen the way he looks at you? He's only interested in one woman around here, Mari.' Edrychodd Amber i lawr at fol Mari. 'Or maybe that could be two... is that baby his?'

'Yes, of course it is.'

'You love him?'

'Yes, I love him... too much for my own good.'

Yn y pellter, clywson nhw ergydion. Yna daeth y garreg ateb o'r bryniau.

'I hope no-one else has copped it,' meddai Amber.

Gwelodd wyneb Mari'n tynhau.

'Your brother... is he your brother?'

'Yes.'

'Don't worry, I've got a feeling it's not him. I saw his eyes when he was standing in the gateway yesterday. Sort of wild, and a bit crazy. Like a wild animal.'

Gadawson nhw y gadlas efo'i gilydd, ar ôl gwasgaru'r blodau gwyllt ar y bedd.

Roedd y glaw yn dwysáu pan aethon nhw i mewn i'r tŷ. Yno, cuddiodd Mari'r bwyd sbâr ac aeth ati i gynnau'r tân, gan ei bod hi'n oeri'n gyflym, ac mi fyddai'n rhaid cadw'r lle yn gynnes ar gyfer Yncl Wil.

44

Er nad oedd corff Weasel wedi bod yn y ddaear ers diwrnod cyfan eto, a bod Drwba'n gorwedd yn gelain ar y llethrau ymysg y rhedyn, roedd helbul gwaeth fyth ar fin dod i boeni trigolion Dolfrwynog. Gwawriodd diwrnod arall dros y bryniau, ond doedd dim haul i'w weld y tro hwn; roedd rhyw fath o fonsŵn wedi disgyn dros y wlad, gyda glaw trwm cynnes yn trochi'r tir a niwl dros y môr. Pan gododd Mari'n araf – roedd ei bol yn fawr ac yn drwm erbyn hyn – welai hi fawr ddim drwy'r ffenest ar y landin. Roedd yr olygfa fel llun o rywle yn India neu Malaysia yn ystod eu tymor gwlyb, â rhaeadr o law yn disgyn ar y ddaear. Ond rhywle, draw yn y smwclaw, gwelodd Mari rith du, a daeth ofn i'w chalon. Cwch arall – na, llong oedd hon, roedd hi'n fwy na'r *Jolly Roger* ac roedd hi'n ddu, neu'n llwyd; roedd yn anodd gweld yn y golau hwn. Roedd tri mast arni, yn hytrach nag un fel y *Jolly Roger*, ac roedd hi'n eistedd ar y dŵr fel malwen fawr dew yn disgwyl...

Symudai Mari o gwmpas y tŷ yn gyflym ac yn ofalus; rhaid oedd paratoi cyn i'r ymwelwyr newydd lanio. Deffrodd Yncl Wil a rhoddodd y newyddion iddo; yna paciodd Mari be fedrai mewn dau hen gês. Wedi i Wil wisgo aethon nhw ill dau drwy ddrws y tŷ, gyda Mari'n arwain y ffordd. Arhosodd Wil ar ganol y buarth, am y tro olaf, i edrych ar ei deyrnas fach tra cariai Mari un o'r bagiau i fyny i gysgod y goeden gelyn fawr yng ngwaelod yr allt i'r mynydd. Yna daeth Mari yn ôl am y llall.

'Dewch o 'na, Yncl Wil, neu mi fyddan nhw wedi cyrraedd cyn i ni gychwyn,' meddai Mari. Roedd hi'n tuchan ac yn chwysu; teimlai'r babi'n cwyno yn ei bol.

'Dos di o 'mlaen i, wel 'di,' meddai Wil. 'Dwi am edrych ar yr hen fuarth 'ma unwaith eto cyn mynd... bydda i'n barod erbyn i ti orffen efo'r ail gês 'na.'

Yna sylweddolodd Wil nad oedd o'n gwybod be aflwydd oedd yn digwydd. Gofynnodd i ble roedden nhw'n mynd.

Amneidiodd Mari y tu ôl i'w chefn efo'i bawd a dweud: 'I'r ogof, Yncl Wil. Dyna'r unig le saff sy ar ôl.' Aeth i fyny'r allt yn ara deg, yn symud y cês o'i blaen ac yna'n ei osod ar y llawr cyn cymryd cam arall eto. O dop yr allt mi welai Yncl Wil yn edrych i'r dwyrain, tuag at ei hen gartref yn y llofft stabal. Roedd Wil druan yn sgwrsio efo drychiolaeth o'i flaen – yr hen Glwc; gwelai Wil ei hen gyfaill yn cerdded ar flaen ei draed o gwmpas y buarth, ei deyrnas fach, yn clochdar yn falch ac yn hebrwng ei harem o un domen fach i'r llall. Gwelai Wil wynebau deallus y cŵn unwaith eto'n edrych drwy ddrws weiars y cwt cŵn, yn nodi pob digwyddiad, ac yn cyfarth pan ddeuai unrhyw beth estron i'w milltir sgwâr.

Edrychodd i'r de, ar y domen, a'r giât yn agor ar Gae Dan Tŷ; gwelai'r môr yn y cefndir, a'r ddau gwch yn ymddangos drwy'r niwl, cyn diflannu unwaith yn rhagor. O gyfeiriad y de y daethai'r trybini mwya iddyn nhw... y môr gyrhaeddodd gyntaf, i gnoi a bwyta'r tir, ac yna daeth y môr-ladron i dresmasu ar eu byd bach syml. Trodd i'r gorllewin a gwelodd yr hen ffermdy yn ei gwrcwd, yn pydru; ar un adeg, yn y gorffennol, bu'n wyngalchog ac yn hardd ond erbyn heddiw roedd yn dadfeilio. Clywai lais ei fam yn galw arno i swper; clywai lais ei dad hefyd yn galw ar y cŵn i'w ddilyn tua'r bryniau i fugeilio'r defaid. Ac i'r gogledd gwelai'r hen gwt ieir, a'i ddrws wedi disgyn oddi ar ei fachau, a distawrwydd mawr lle bu miri ymysg y da pluog. Ffarwél i hyn oll, meddai Wil. Ffarwél i'r hen Gymru.

Erbyn hyn roedd Mari wedi dychwelyd i nôl yr ail gês, ac aethon nhw i fyny'r allt fel dau hen groc yn cripian i fyny grisiau Cartref Henoed. Ar dop yr allt bu'n rhaid iddyn nhw gymryd hoe gan fod Yncl Wil wedi ffagio'n llwyr, ac eisteddodd yn swp, fel sach o datws, ar fonyn coeden.

'Mi fydd yn rhaid i ni guddio'r ddau gês yma yn rhywle,' meddai Mari. 'Fedra i byth eu cario nhw i'r ogof heddiw.' Aeth ati i chwilio am le dirgel yn y rhedyn, ond dywedodd Wil wrthi y byddai anifeiliaid gwyllt yn medru torri i mewn iddyn nhw. Yna aeth Mari â nhw at goeden gyfagos a'u crogi ar ei changhennau. Ar ôl hoe fach dechreuodd y ddau gerdded i gyfeiriad yr ogof, yn ara deg; pwysai Wil ar ysgwydd Mari'r holl ffordd, a bu'n rhaid i'r ddau ohonynt gael hoe yn aml. Buont yn ymlafnio felly drwy'r bore cyn cyrraedd yr ogof ar y bryn. Yna eisteddodd y ddau yng ngheg y siafft gan edrych ar y fferm oddi tanynt. Roedd eu cotiau'n socian a rhoddwyd hwy i sychu y tu mewn i'r ogof. Daliai'r sgerbydau i fod yno, yn cysgu yn y llwch a'r llaid.

Gellid gweld yn well o'r fan hon sut long oedd un yr ymwelwyr newydd, os mai nhw oedd ei piau hi hefyd: roedd yn fwy o lawer na'r *Jolly Roger*, ac yn frownddu drwyddi draw, heblaw am yr hwyliau coch tywyll. Gwelson nhw ddynion yn cerdded o amgylch y dec, a chlywed ci'n cyfarth arni hefyd.

Yna, aeth Mari yn ôl i'r fferm i nôl dillad gwelyau iddyn nhw hwy. Cerddodd yn araf iawn i lawr yr allt – roedd hi wedi blino'n drybeilig erbyn hyn.

Wrth eistedd yng ngheg yr ogof sylwodd Wil fod Jaws a'i griw wedi esgyn i ddec y *Jolly Roger*, gwelai ffigyrau bach yn ymadael â'r llong, ac yn cerdded i fyny Cae Dan Tŷ, i gyfeiriad y buarth. Cerddent yn araf ac er bod llygaid Wil

yn pallu, gwelai eu bod nhw'n cario pob math o geriach
efo nhw.

Caeodd ei lygaid, a bu'n hepian am ychydig. Felly y bu hi
drwy'r prynhawn – hepian, deffro, hepian, deffro. Roedd y
siwrne o'r fferm bron iawn wedi gwneud amdano. Teimlai
nad oedd llawer o amser ar ôl iddo bellach. Byddai wedi
aros yn ei wely ac wedi disgwyl am y môr-ladron oni bai am
un peth: mi wyddai y câi weld y fferm unwaith eto o'r fan
hon. Cafodd ei ddychryn gan gyflwr y tir; roedd y coed yn
marw ym mhobman ac roedd y tir yn frown ac yn farwaidd.
Teimlai don o hiraeth am yr hen Ddolfrwynog las, iraidd.
Ble'r aeth yr anifeiliaid a'r adar? Roedd y caeau'n ddistaw a'r
awyr yn wag. Bu'n pensynnu am dipyn, cyn pendwmpian
unwaith yn rhagor. Wrth i fywyd Yncl Wil ddirwyn i ben,
roedd yr hen fyd yn darfod efo fo. Pan âi i gysgu am y tro
olaf byddai'r hen Gymru yn cysgu hefyd. Roedd pennod yn
hanes y wlad ar fin dod i ben.

Daeth cysgod i geg yr ogof. Cysgod Huw, yn ei drowsus
coch Man U. Roedd 'na faw drewllyd ac ôl mwsogl gwyrdd
ar y dilledyn. Edrychodd Huw ar ei ewyrth yn cysgu, yna
aeth i mewn i'r ogof ac eistedd gyda'i wn ymysg y dewrion.
Yr ogof oedd ei gartref ers wythnosau bellach. Ond mi
fyddai'n rhaid iddo ymochel yn rhywle arall rŵan, gan na
fynnai niweidio'i deulu ei hun.

Tra oedd Wil yn cysgu, a thra bu Mari'n pacio blancedi
a hen sachau cysgu, yn barod i'w gludo i'r ogof, daeth sŵn
cadwyn fawr y cwch du'n symud, a lleisiau dynion yn rhoi
cyfarwyddiadau, tra bod eraill wrthi o gylch gwaelod y
mastiau. Roeddent yn codi un o'r hwyliau cochion.

45

Safai Mari ar ben y grisiau yn Nolfrwynog, ei chorff yn llonydd ond ei meddwl yn symud ar ras o gwmpas y tŷ. Oedd 'na rywbeth a fyddai'n angenrheidiol yn ystod y diwrnodiau nesaf? Y benbleth fwyaf oedd a ddylai hi fynd â'r canhwyllau? Yna cofiodd am y morffin yn stafell Yncl Wil ac aeth i'w nôl. Teimlai fel ci defaid mewn treialon, yn trio corlannu hanner dwsin o ddefaid penstiff yng nghanol storm o daranau. Roedd un o hen fagiau Elin ar ei hysgwydd, yr un gwyrdd efo M&S arno, a lluchiai Mari rywbeth i'w grombil bob hyn a hyn.

Tra oedd hi wrthi'n symud drwy'r tŷ, clywodd leisiau yn y buarth, a sleifiodd yn ddistaw i'w hen stafell i edrych pwy oedd yno. Os oedd yr ymwelwyr newydd wedi cyrraedd yn barod, yna roedd hi mewn potes go fawr. Be wnâi'r lladron newydd – ei lladd hi yn y fan a'r lle? Efo babi yn ei bol? Dyna sut bobl oedden nhw, yntê? Dechreuodd grynu, a bu'n rhaid iddi eistedd ar y gwely. Ei gwely serch hi a Nico. Dychmygodd Mari'r ddau ohonynt yn gorwedd ynddo, yn dal ei gilydd yn dynn ar ôl caru a hithau'n teimlo'r tamprwydd ysgafn ar ei groen ac yn ei wallt; yn teimlo'i galon yn arafu, ei anadl yn esmwytho. Gyda chariad deuai ing a phryder, heb sôn am fabi. Rhoddodd ei llaw ar y lwmp i deimlo'r bychan. Hogyn oedd o, yntê? Efallai y byddai ganddo gyrls neis a llygaid fel ei dad. Ond beth am y brychni? Fyddai ganddo fo frychau a thrwyn bach smwt fel hi? Teimlodd bŵer ffyrnig yn cyffroi drwy ei chorff: yr ymdeimlad y byddai'n amddiffyn ei phlentyn beth bynnag a ddeuai i fyny'r grisiau. Cododd, a dechrau symud y gwely yn erbyn y drws. Yna clywodd lais Nico ar waelod y grisiau.

'Mari, you there? Hey, is that you, Mari?'

Ymlaciodd, ac agor y drws.

'Yes, it's me.'

Carlamodd Nico ati, gan neidio i fyny'r grisiau dri ar y tro. Roedd o wedi gafael ynddi cyn iddi fedru symud. Gwnaeth hithau ymdrech i'w wthio i ffwrdd. Ond roedd ei freichiau fel feis o'i chwmpas.

'Let me go, Nico,' meddai'n grynedig. 'Let me go, will you?'

'Mari, what's wrong?'

'Don't give me that shit,' meddai hithau'n chwyrn. 'After what you've done to me.'

Symudodd oddi wrthi, ond gan ddal i gydio yn ei hysgwyddau.

'What do you mean, Mari?'

'You know what I mean. Bastard. Coming here with that girl. Holding her hand like that, and me having to look at you both every day. You bloody sod,' a thrawodd Mari ef mor galed ag y medrai efo'i dwrn. Cododd ei fraich, ond ni cheisiodd ei hatal.

'Mari, you've got it all wrong… '

'Don't give me any of that shit. What were you doing on the boat together, then? Playing hide and seek? Think I was born yesterday?'

Ailgydiodd Nico yn ei hysgwyddau.

'No, Mari, nothing like that. I promise you. Nothing happen.'

Stopiodd Mari, a sefyll yn llonydd. Edrychodd i mewn i'w lygaid. Edrychodd yntau yn ôl i mewn i'w llygaid hithau.

'I have to play game.'

Ddywedodd hi ddim byd; daliodd i sbio i fyw ei lygaid.

'Only way to get Jaws here and Weasel. Pretend I am boyfriend of Amber. I talk to her, chat her up in the street. That is only way. I try to make her fall for me, yes? Then I get to know her father, tell him about this place. Tell him about you, about the saints in the field… '

Daliodd hithau i edrych arno heb ddweud gair.

'Listen, Mari, I tell you truth. Only way to get food here was with these men, only way to save you and baby. But they clever bastards, they see what I do, so I have to play game, pretend I am boyfriend of Amber. Understand?'

'No.'

'Mari, I tell you truth. These clever men, they see what I'm doing. So I can't show them that I'm… '

'Go on, say it… admit that you're the father of this little bastard in here.'

'No, I mean that I can't show that I am your boyfriend. Understand? Ask Amber, she will tell you. I am saying truth. Honest, Mari.'

Ymlaciodd Mari. Doedd fersiwn Nico ddim yn bwysig erbyn hyn. Pa ots oedd o'n dweud y gwir ai peidio, oherwydd roedd Mari wedi cael ei brifo beth bynnag. Am iddi gael ei brifo i hanfod ei bod doedd cariad yn cyfrif dim. Byw neu farw oedd yr unig ddewis, yr unig beth o unrhyw bwys erbyn hyn. Roeddent i gyd yn yr un cwch. Ha! Yn yr un cwch…

Gwenodd Mari.

'Why you smile, Mari?'

Cododd ei llygaid yn ôl i'w wynebu.

'Doesn't make much difference now, Nico. We're all in the same boat. I don't care if you love her. What are you going to do about them?'

Gwnaeth Mari arwydd tua'r môr, tua'r môr-ladron newydd. Pa obaith oedd 'na rŵan, beth bynnag?

Dywedodd wrtho am Wil a'r ogof. Byddai'n well pe baen nhw i gyd yn cuddio yn fan'no hyd nes y byddai'r llong ddu wedi gadael – oedd o'n cytuno?

Oedd.

Aethon nhw ati i hel be fedrent ac aeth Nico at y drws i alw ar Amber. Pan ddaeth honno i mewn i'r tŷ aeth yn syth at Mari a dweud: 'You have to believe us, Mari, nothing went on. He was just playing a game, but my father was too clever for him and there was no way out of it. He's all yours now.'

'Don't know if I want him,' atebodd Mari. Yna gofynnodd: 'Where's my mother?

Edrychodd y ddau arall ar ei gilydd, ond ni chafodd Mari ateb.

Cychwynnodd am y drws.

'Where's my mother?' gofynnodd unwaith eto, mewn llais cryfach y tro hwn.

Cyn iddi gyrraedd y drws, camodd Nico o'i blaen.

Safodd Mari gan edrych yn syth i'w frest, tua thair modfedd o wyneb Che Guevara ar ei grys. Sylwodd fod 'na dwll lle roedd ei drwyn ar un adeg.

Rhoddodd Nico'i law ar ei hysgwydd chwith, a dywedodd mewn llais distaw:

'It's no use, Mari, she was too weak to come with us. She could not walk, so we had to leave her.'

Gwthiodd Mari yn erbyn ei law.

'Out of my way, Nico. I have to go to her.'

Daeth Amber atyn nhw, ac ymuno yn y sgwrs.

'There's another thing, Mari. She didn't want to come back up here.'

'How do you mean?'

'Mari, she says goodbye to you. We were going to tell you tonight. Here's a letter from her. You read it.'

'Later,' medddai Nico. 'We have to go now.'

Ar y gair, aethon nhw i gyd oddi yno, yn cario rhyw bac neu'i gilydd, ac roedd hi'n lwcus eu bod nhw wedi symud, gan fod y môr-ladron wedi cyrraedd y lan agosaf erbyn hyn ac wedi meddiannu'r *Jolly Roger*. Wrth hen ddrws derw Dolfrwynog, yn aros amdanyn nhw, safai Jaws a Beast. Roedd golwg ar eu hwynebau fel petaen nhw wedi cael eu dal yn dwyn fferins mewn siop, oherwydd roedden nhw wedi ffoi o'r *Jolly Roger* heb smic o brotest. Môr-ladron digon llugoer oedden nhw yn y diwedd, a chilwenodd Mari arnyn nhw wrth basio heibio.

'So, the rats have left the sinking ship,' meddai'n haerllug.

'Come on, quick,' meddai Nico, gan arwain y ffordd i fyny tua'r mynydd. Ymlwybrodd y tri i dop yr allt, cyn troi i edrych i lawr ar y môr. Clywson nhw sŵn gweiddi, a thanio gwn, a *whoop* yn dod oddi wrth un o'r dynion ar y llong bob hyn a hyn. Erbyn amser noswylio roedden nhw wedi ymuno â Wil yng ngheg yr ogof, ac yn edrych i lawr ar y fferm. Roedden nhw'n wlyb gan fod y glaw wedi bod yn disgyn yn ddi-dor drwy'r dydd a doedd dim posib gwneud tân, rhag denu sylw'r lladron. Gwnaed rhyw fath o wely i bawb yn yr ogof, a chyda'r nos yn agosáu cafwyd picnic cyntefig yn yr ogof. Manteisiodd Mari ar y cyfle i ddarllen llythyr ei mam, a ysgrifennwyd yn y Saesneg, yn ôl ei harfer:

Mari love,

The party's over. It was the best way to go – you know

me! I've had a great time down here on the boat but it's all over now, baby blue. Time to say goodbye. I can't come up to the farm, it's too much for me. Whatever happens, you know how much I love you. Get on with your life now, tell Huw how much I love him too, and the baby when it comes. If it's a girl can you call her Elin? You can trust Nico, he's a good man. He loves you, stick with him. Say tata to Wil for me.

Lots of love and kisses. Mam XXX

Erbyn iddi orffen y llythyr roedd Mari bron yn ddall, ac nid oherwydd y nos roedd hynny.

4 6

Eisteddai pawb efo'i gilydd yng ngheg yr ogof y bore wedyn i wylio'r môr-ladron. Deuai'r atgofion yn ôl i Mari, atgofion o'r dyddiau gynt pan eisteddai pawb o flaen y teledu yn gwylio rhaglen efo'i gilydd: ei theulu yn y ddinas yn hel o gwmpas y TV i wylio rhywbeth arbennig, rhywbeth o ddiddordeb iddyn nhw oll. Fyddai hynny ddim yn digwydd yn aml, wrth gwrs – dim ond pan ddigwyddai rhywbeth mawr yn y byd, neu er mwyn gwylio rhaglen yn ystod y Dolig. Daeth teimlad braf, cynnes dros Mari wrth iddi hel atgofion: y cylch o gwmpas y sgrin, y lluniau byw, breichiau ei rhieni o amgylch ysgwyddau eu plant, y bocs fferins yn mynd o law i law. Amser dedwydd, amser cynnes, amser clòs. Ond roedd hynny wedi peidio ers blynyddoedd; roedd system ddarlledu Prydain a'r byd wedi diflannu ar ôl blynyddoedd o anhrefn. Do, bu darllediadau argyfwng ar y radio am rai misoedd, ond diflannodd y rheiny ar ôl ychydig. Ac yna distawodd y radio hefyd.

Roedd y môr-ladron fel morgrug yn symud dros y tir: i fyny i'r fferm â nhw, yna ar draws y dolydd, i mewn i'r sgubor, y stabal, y beudy, a'r llofft stabal; yn ôl i'r llong fawr newydd efo'i hwyliau coch. Roedd honno'n gysgod mawr du dros y cwch bach gwyn, y *Jolly Roger*. Bu'r lladron wrthi drwy'r dydd yn ysbeilio'r fferm ac yn hela'r anifeiliaid. Aethon nhw i mewn ac allan o'r tŷ gan gludo dodrefn – y bwrdd gwyn, hir o'r gegin ymysg y pethau cyntaf i wneud eu siwrne i lawr Cae Dan Tŷ. Buon nhw wrthi am oriau. Yna daeth criw bychan – pedwar dyn a gadwai'n agos at ei gilydd – i fyny i'r ffriddoedd. Aethant at giât y mynydd, ond ar ôl edrych o gwmpas am dipyn, mynd yn ôl i'r ffermdy fu eu hanes gan hel gymaint ag y medren nhw o ddefaid. Yn ffodus, welson nhw mo'r ogof na'i thrigolion. Aeth giang arall ar hyd y dolydd i hela'r moch ond roedd y ceffylau'n ormod o sialens iddyn nhw, a gadawyd y rheiny. Ond clywyd gwichian y moch o'r ogof.

Yn hwyr yn y prynhawn seiniodd corn o ryw fath o'r llong ddu ac aeth y dynion yn ôl ati. Codwyd un o'r hwyliau dugoch a hwyliodd y llong yn araf ar draws y bae i ben draw'r cwm, gyda'r *Jolly Roger* yn ei dilyn dan ofal dau o'r dynion. Roedd Elin a Wilma yn dal arni, mae'n rhaid – yn fyw neu'n farw.

'They'll probably strip the farmhouse over there at Tŷ Draw,' meddai Mari wrth y criw. Pan oedd gyda'r nos yn agosáu, paratowyd am noson arall yn yr ogof. Roedd Wil wedi gwanhau ymhellach, a symudai o'r naill fyd i'r llall drwy gydol y nos; dywedai ychydig o eiriau wrth Mari, yna âi i fyd y gorffennol, a chlywid ef yn siarad â Chlwc, â Megan a'r cŵn, ac â Elin ei chwaer hefyd.

Roedd gwylio'r lladron o'r ogof uwchben y fferm wedi atgoffa Mari am wylio'r teledu erstalwm. Roedd dynoliaeth wedi byw mewn byd o *virtual reality* drwy gydol ei bywyd, meddyliodd Mari. Roedd pawb yn byw fwyfwy yn y byd afreal y tu mewn i'r sgrin, nes mai hwnnw *oedd* y byd real yn y diwedd. Ni fedrai canran helaeth o'r boblogaeth ymdopi â bywyd go iawn ac aeth y byd o'u cwmpas yn fwy afreal na'r byd bach clyd y tu mewn i'r sgrin. A phan ddiffoddwyd y sgriniau aeth miliynau yn wirion, gan fod y byd o flaen eu llygaid yn rhy greulon ac yn rhy frwnt i ddygymod ag o.

Cysgodd Mari wrth geg yr ogof, yn agos at Yncl Wil, efo Nico wrth ei hochr, er na adawodd iddo'i chyffwrdd. Doedd hi ddim yn barod i faddau iddo eto. Roedd anadl Wil yn herciog erbyn hynny; bu'n mwmian yn ei gwsg ac yn griddfan yn isel. Roedd y diwedd yn agos. Yn ystod awr ola'r nos, pan ddechreuodd golau bach gwan ymddangos yn y dwyrain, gofynnodd am ddŵr a thywalltodd Mari rywfaint i'w geg, yn araf. Roedd ei lais yn floesg ac yn wan pan siaradodd â Mari am y tro olaf: 'Mari, dwi'n mynd rŵan, cariad bach. Edrycha ar ôl dy hun, a'r babi 'na. Gad fi yn fan'ma, lle rydw i, yn pwyso yn erbyn y graig, i mi gael gweld y fferm am byth. Dydw i ddim isio bod o dan y pridd, wel 'di, wna i byth weld yr hen le 'ma o fan'no. Wnei di 'ngadael i lle ydw i, Mari?'

Daliodd hithau ei ben yn ei breichiau.

'Gwnaf, Yncl Wil, wrth gwrs y gwna i. Peidiwch chi â phoeni, gewch chi sbio ar y caeau, y buarth a'r tŷ am byth bythoedd.'

Siaradodd yn dawel efo'r hen ddyn am ychydig, yna teimlodd y wefr olaf yn mynd drwy'i gorff. Arhosodd yn llonydd, gan ei ddal felly, tan i'r golau gymryd gafael, a sibrydodd wrth Nico: 'Come and help me, Nico. He's gone. Uncle Wil is dead.'

Daeth Nico ato'i hun mewn eiliad, a helpodd Mari i roi'r hen ddyn ar ei eistedd yn pwyso yn erbyn ochr yr ogof, yn edrych allan ar ei deyrnas. Un o'r hen frid oedd Yncl Wil, a choeliai y byddai'n mynd i'r deyrnas newydd yn y nefoedd. Roedd Mari'n gobeithio'i fod o yno'n barod, yn cyfarfod â Clwc a Megan unwaith yn rhagor, ac Elin hefyd, mae'n debyg.

Erbyn i bawb ddeffro roedd Mari a Nico wedi medru trafod y ffordd orau ymlaen. Byddai'n rhaid mynd yn ôl i'r fferm i nôl y ceffylau ac i baratoi; byddai'n rhaid iddyn nhw ymadael â Dolfrwynog – doedd 'na ddim bwyd ar ôl ar gyfer y gaeaf, a doedd 'na ddim byd chwaith ar gyfer y babi newydd.

'Hey, man,' meddai Nico wrth Beast. 'Want to do this old man a favour?' Amneidiodd tuag at Wil.

'That old man's dead,' atebodd Beast.

'Listen, Beast, if we leave him like that the crows will get his eyes,' meddai Nico.

'You ain't going to bury him?' meddai Beast.

'No,' meddai Mari, 'he wanted us to leave him like that, so that he can see the farm for ever.'

'Haw, ain't that sweet,' meddai Beast. 'So what's this favour you're asking me, man?'

Edrychodd Nico arno efo gwên fawr dros ei wyneb. 'Give us your shades, Beast. Let the old man have your shades. That way the crows won't get his eyes and he can see for ever. What do you think?'

Wnaeth y Beast ddim petruso am eiliad.

'Sure thing, man,' meddai, a thynnodd y sbectol a'i rhoi ar drwyn Yncl Wil.

'He looks kinda cool now,' meddai Beast, ac mi drawyd Mari eto gan ei lygaid: roedden nhw'n glên, yn gynnes ac yn wybodus. Efallai nad dyn drwg oedd o wedi'r cyfan, ond dyn da wedi'i ddal mewn byd drwg.

Gwenodd Beast.

'I know what you're thinking, missie,' meddai. 'And you're right, I ain't a bad man at all. This was the only way I could survive in that town, being the gorilla in the shades. They says *here boy do this, here boy do that, yes massa no massa…* but I'm still here to tell the tale. That's the way I survive, Miss Mari – by playing a part. By being a black slave again. Back home I was a professor, but nobody ever asks me about that. All they wanted was a big black bum with a gun, so I played along… '

'What's your real name, Beast?' gofynnodd Mari.

'Miss Mari, I'm still Beast if you don't mind. The real me passed away a few years ago in a shitty little shanty town, and I won't be that person ever again in this life, I don't think. '

'OK, Beast, if that's what you want.'

'I'll sure miss those shades though,' atebodd Beast.

Heliodd pawb eu pethau at ei gilydd: y bwyd, y dillad gwely, a'r geriach personol sy'n rhan annatod o fywyd. Safodd pawb o amgylch Yncl Wil am y tro olaf i ffarwelio ag o.

'Chwi yw brenin y dewrion rŵan, Yncl Wil,' meddai Mari, a symudodd y sbectol ar ei drwyn oer i wneud yn siŵr y byddent yn aros yno.

Yna, cerddon nhw yn ôl i lawr i'r fferm, i weld sut siâp oedd ar y lle. Roedd y ffermdy mewn uffarn o stad, efo dillad ac eiddo wedi'u taflu ar hyd a lled y tŷ, a phethau eraill fel gwydrau a phlatiau wedi'u malu ym mhobman. Roedd rhywun wedi trio cynnau tân yng nghornel y parlwr, wrth y piano, ond doedd o ddim wedi gafael, er bod cysgod mawr ar y wal lle roedd yr huddygl wedi duo'r papur.

Roedd rhai o'r lladron wedi peintio'u henwau a graffiti ar y waliau: *Oz woz ere* ar wal y gegin a *Black Bess Rulz the Wavz* ar y grisiau. Dyna oedd enw'r llong, mae'n rhaid. Roedden nhw wedi gwneud diawl o fês yn y lle, a daeth cwmwl mawr du dros Mari druan; roedd Dolfrwynog wedi bod yn gartref iddi ers rhai blynyddoedd erbyn hyn, ac roedd ei weld fel hyn yn ddigon i dorri calon unrhyw un.

'I'm going to sleep in the llofft stabal,' meddai wrth Nico. 'Can't stay here, it's too depressing.'

Ar y ffordd allan sylwodd ar rywbeth ymysg y sbwriel ar y llawr: Babi mwnci. Roedd ei chyfaill bach blewog wedi aros amdani yn Nolfrwynog.

'Get that for me will you, Nico,' meddai. 'I can't bend down.'

Plygodd Nico i godi'r mwnci o'r llawr budr.

'What you call him?'

'Babi mwnci – he used to be on my schoolbag. You found him in the water when you came back on the boat, don't you remember?'

Amneidiodd ei fod o'n cofio.

'Come on, this place is getting on my nerves,' meddai Mari. 'Hopefully they haven't messed up the llofft stabal.'

Buont yn ffodus, roedd y llofft stabal fel roedd hi pan gysgodd Mari yno ddiwethaf. Aeth i orwedd ar ei charthen wlân, i orffwys. Eisteddodd Nico wrth ei phen, a dechrau ei hanwesu.

'Leave it, Nico,' meddai Mari. 'I just want to rest.'

Gadawodd Nico efo'i gynffon rhwng ei goesau. Pan ddychwelodd, yn hwyrach, roedd Mari'n cysgu fel babi, a rhoddodd yntau hen gôt ddu Yncl Wil drosti i'w chadw'n gynnes.

47

Cysgodd Mari'n dawel drwy'r nos. Roedd hi wedi blino'n llwyr erbyn hyn; gyda babi yn ei bol, a chymaint o fynd a dod, roedd y cwbl wedi bod yn ormod iddi. Cysgodd Nico'n agos ati, ond noson wael gafodd o, yn troi a throsi, ac yn breuddwydio...

Deffrodd cyn y wawr, a bu'n dyfalu be i'w wneud nesaf. Byddai'n rhaid dal y ceffylau, ond mi fyddai hynny'n dipyn o orchwyl gan eu bod nhw wedi byw'n wyllt cyhyd. Byddai'n rhaid eu twyllo rywsut eto. Ond beth am Mari? Oni fyddai'r daith dros y mynydd, i'r *shanty town*, yn ormod iddi? Roedd genedigaeth y plentyn yn agos iawn erbyn hyn. A be wnaen nhw yn y dref wedi iddyn nhw gyrraedd yno? Oni fyddai Jaws a'i griw yn dial arnyn nhw am farwolaeth Weasel? Bu Nico'n pendroni am oriau, tan i Mari ddeffro ac agor ei llygaid, a'i weld o'n syllu arni. Er bod y glaw wedi peidio roedd y tywydd wedi oeri'n enbyd. Roedd yr anadl a ddeuai o'u cegau'n wyn, a'r golau drwy'r ffenest lychlyd yn feinach nag y bu.

'Haia.'

Edrychodd Mari yn ôl i'w wyneb. Pwy oedd y dyn 'ma oedd yn dweud *haia* wrthi'r bore 'ma? Ei chariad hi, tad ei phlentyn, 'ta *two-timer* milain, yn barod i sathru arni hi a phawb arall er mwyn cael ei ffordd ei hun?

'Haia,' meddai hi'n ôl.

Gwyddai yntau fod y Mari fach a gyfarfu gyntaf ar fuarth Dolfrwynog wedi diflannu am byth. Roedd ei hwyneb yn denau, yn galed ac yn ddisymud. Gwelai Mari newydd, hŷn – dynes ifanc wyliadwrus, ofnus.

'I want this baby, Mari. I want you to be safe. I want you

to trust me again, please Mari.'

Edrychodd Mari ar ei wyneb am yn hir. Yr un dyfodol oedd yn wynebu'r ddau ohonyn nhw rŵan. Y tri ohonyn nhw. Doedd Nico ddim yn mynd i'w gadael, roedd hynny'n amlwg. Mi fuasai wedi dengid cyn hyn. Roedd hynny'n rhywbeth positif o leiaf.

'What are we going to do, Nico? This baby's had a bad time so far and I don't know if it's going to be OK.'

'How do you mean?'

'Nico, I've not had enough to eat these last few months, and stress isn't good for babies... it could be deformed, or too small to live, I don't know.'

'Is it still alive, can you feel it in there?'

'Yes, of course it's still alive, I can feel it moving now.'

'Can I touch it?'

Ni ddywedodd Mari dim, ond cododd yn araf a mynd i eistedd ar un o'r cadeiriau.

'Not now, Nico, there's too much to do.'

Cododd ei bys i bwyntio at y ddwy groes fawr goch ar siart Yncl Wil – y croesau a ddynodai dranc Weasel a Drwba.

'We'll be lucky if Huw leaves it at two – he's on a mission. We've got to be careful. He's only killed strangers so far, but he could kill you too.'

'Don't worry, I can look after myself.'

'Yes, I can see that,' atebodd hithau mewn llais blinedig.

Cododd Nico ac aeth ati. Gafaelodd yn ei hysgwyddau.

'Mari, I could have gone to the town and never come back. I could have left you here. But I came back for you, don't you see that? It wasn't my fault they were too clever for me. But I will take you out of here, we'll be OK. You understand? Mari, I love you. Understand?'

Eisteddodd hithau heb symud am funud neu ddwy. Yna atebodd: 'Yes, I know you came back for me. I understand that. But this has been a really bad time for me and I can't... I can't be normal about it now. I just need to have my baby, to see it alive... to see if it's OK, to be safe again. I want to feel safe again. That's all I can think of now. I don't care about love any more, Nico, not right now. Do you understand me?'

Doedd o ddim, ond nodiodd, a dweud: 'Yes, I understand you Mari, I do.'

Eisteddodd y ddau ar y cadeiriau a ddefnyddid gan Yncl Wil a Huw pan oeddan nhw'n byw yn y llofft stabal efo'i gilydd.

'Nico, I have to tell the story of Dylan today. I have to finish. Do you understand?'

Edrychodd yntau arni'n llawn syndod.

'Finish? How you mean?'

Cymerodd ei hamser cyn ateb; doedd hi ei hun ddim yn sicr pam roedd yn rhaid cwblhau straeon y beddau.

'I don't really know, Nico. I started the stories to keep you here, and then I had to tell them again to keep the others here... but I haven't finished. I need to tell Dylan's story again, because they haven't heard it.'

'You will have to tell the story then. Today?'

'Yes, today. Then we'll go soon. OK?'

Cododd Nico ar ei draed. 'You want me to get the others ready?'

'Not yet. I must be ready myself. Can you do me a favour?'

'Yes of course, Mari.'

'Go to the house, see if you can find my white dress and the ring. You know, the story ring. Just in case those men missed them. I hid them under my bed... our bed. Can you see if they're still there?'

Aeth Nico i edrych ar unwaith. Ac roedden nhw yno. Daeth â nhw yn ôl ar frys, er bod crychau yn y ffrog, a gwe pry cop drosti.

'Now help me to get ready,' meddai Mari. 'Go to the well, get me some fresh water. I want to look my best, OK?'

'Yes, Mari, I understand,' meddai yntau, ac mi oedd o'n deall, am unwaith.

Ymhen dwy awr roedd Mari wedi 'molchi ac wedi newid; roedd y ffrog wen braidd yn dynn o amgylch ei bol, ond mi fyddai'n iawn; dyma'r tro dwytha y byddai Mari'n ei gwisgo, beth bynnag. Trefnodd Nico iddyn nhw i gyd fod wrth y bedd yn y prynhawn; roedd Jaws yn gyndyn o ddod ar y dechrau, nes i Nico ddweud: 'Listen, Jaws, I'm the boss around here now. You haven't got a chance of getting back to your town if you don't do what I tell you. Understand?'

Beth fyddai ymateb Jaws i hynny? Roedd Nico'n dweud y gwir. Yma byddai o am byth, yn y twll diderfyn hwn, oni fyddai Nico'n ei arwain oddi yma.

'OK, OK,' meddai Jaws.

Yn y prynhawn, cyfarfu pawb yn y gadlas, o dan y coed eirin. Deuai cwmwl bach gwyn o geg pob un ohonyn nhw, a bu llawer o gwyno am yr oerni, o gyfeiriad Beast yn arbennig. Daeth o hyd i hen gôt yn rhywle ond roedd hi'n rhy fach iddo – roedd ei freichiau'n sticio allan fel priciau bwgan brain.

Safodd Mari wrth fedd Dylan yn urddasol ac yn

amyneddgar hyd nes y distawodd pawb. Yna aeth ymlaen â'r stori.

Dechreuodd efo disgrifiad manwl o'i brawd ieuengaf – y gwallt golau, y llygaid glas, a'r modd y chwythai ei wallt o'i lygaid gan wneud sŵn tyner efo'i wefusau. Soniodd hefyd sut y gwnâi bopeth i'w hendaid – ei wisgo yn y bore, a mynd ag o am dro o amgylch y buarth. Daliodd sylw'r criw wrth ddarlunio sut y gwrthododd yr hendaid â bwyta, ond bod Dylan wedi gorfodi'r henwr i gymryd bwyd.

Yna pan ddeuai'r nos eid â'r hen ddyn i'w stafell wely a gwrandawai'r ddau ar yr un pwt o gân yn tincian o'r bocs miwsig dro ar ôl tro hyd nes yr âi'r hen ddyn i gysgu.

Dyna sut ddechreuodd Mari'r stori am ei brawd Dylan.

48

Safai Mari wrth fedd Dylan, yn edrych drwy'r hen goed eirin i gyfeiriad y dŵr. Roedd y môr yn codi unwaith eto; roedd bonion y coed bedw wedi diflannu o dan y dŵr. Yn y distawrwydd oer gwibiodd ei meddwl i'r gorffennol pell, pan foddwyd Cantre'r Gwaelod. Clywsai sawl stori yn yr ysgol am y berthynas glòs rhwng Cymru a'r dŵr o'i hamgylch. Bendigeidfran yn tywys y llongau ar draws y lli i Iwerddon pan nad oedd fawr mwy nag afon rhwng y ddwy wlad. Môr yr Iwerydd... priffordd yr oesoedd a fu cyn hanes, gyda'r lluoedd duon yn dod i ysbeilio, a'r seintiau yn dod i sancteiddio. Mynyddoedd y Preseli cyn uched â'r Alpau un tro, cyn suddo o dan y dŵr am gyfnod, wedi'u dileu gan y môr, ac yna wedi codi uwchben y tonnau unwaith eto, er iddyn nhw gael eu treulio fel hen ddannedd.

Yna Tryweryn. Boddi cwm ac anesmwytho enaid cenedl. *Cofiwch Dryweryn.* Y digwyddiad hwnnw yn y cof am byth. Fel petai ar y Cymry ofn boddi. Yr hen forwyr Cymreig gyda'u llongau bach o goed, yn enwog am eu dewrder – dim ond ychydig iawn ohonyn nhw fedrai nofio. Dyna natur y berthynas rhwng Cymru a'r môr: cariad ac ofn ar yr un pryd. Fel agwedd Mari tuag at Nico; roedd hi'n ei garu o ac yn ei ofni ar yr un pryd, fel y dŵr. Rhaid oedd yfed dŵr i fyw; ond medrai ladd rhywun yr un mor hawdd. Fel cariad.

Daeth Mari yn ôl i'r presennol, i Ddolfrwynog. Ni wyddai hynny, ond roedd Cymru'n ynys erbyn hyn. Boddwyd y darn bach diwethaf o dir rhwng Cymru a Lloegr. Roedd yr hyn a ragwelodd y gwyddonwyr wedi'i wireddu. Roedd dynion barus wedi lladd y byd, fel y proffwydodd y meibion darogan ganrif ynghynt. Ond ni wrandawyd arnyn nhw, os bu gwrando ar y rhai fu'n darogan erioed. Nid darogan diwedd ei amser ei hun yn unig wnaeth Myrddin, ond darogan diwedd y cyfanfyd. Nid galaru am aelwyd oer Pengwern yr oedd Heledd ond galaru am bob aelwyd oer yng Nghymru tan ddiwedd amser: tan y diwrnod hwn, pan oerodd aelwyd Dolfrwynog am y tro olaf.

Trodd Mari i'r presennol unwaith eto; trodd at y cwmni o'i chwmpas, a gorffennodd stori Dylan. Disgrifiodd sut aeth Dylan at ymyl y llyn, a gweld yr hen ddyn ar ben y to, yn eistedd yno ac yn herio natur. Heb boeni am ei fywyd ei hun, neidiodd Dylan i mewn i'r môr byrlymus a nofio at ei hendaid. Rhoddodd yr hen ddyn waedd ofnadwy pan welodd fod y bachgen wedi ymuno ag ef ar y to. Ymbiliodd arno i nofio'n ôl i'r lan. Ond gwrthodai Dylan â mynd oddi yno; ni fynnai adael yr hen ŵr i farw ar ei ben ei hun. A dyna'r diwrnod dwytha y gwelwyd nhw'n fyw. Ni ddawnsiai Dylan wedyn ar hyd y dolydd a'i ddwylo'n hedfan o amgylch ei ben fel dwy golomen wen yn dychwelyd drwy'r awyr i arch Noa.

Gorffennodd Mari'r stori, ac arhosodd pawb yn hollol llonydd, gan edrych ar y bedd, nes i glec ofnadwy rwygo'r awyr. A bron iawn cyn iddi ddistewi, daeth un arall. Ac wedyn, y garreg ateb. Syrthiodd Jaws yn glep ar fedd Dylan. Ni ddywedodd 'run gair, na rhoi yr un ochenaid chwaith. Yna rhedodd ffigwr bach i ffwrdd ar hyd hen rychau'r tractor y tu draw i'r coed eirin; gwibiodd y ffigwr bach oddi wrthyn nhw, gan ddal gwn o'i flaen, ar hyd y caeau i gyfeiriad y dolydd. Bachgen efo trowsus bach, budr a drewllyd. Huw y bachgen gwyllt, yn byw efo'i foch bach gwyllt yn y coed. Rhedodd am ei fywyd, ond roedd pawb arall wedi'u syfrdanu ormod i symud. O ble daeth o? Lle roedd o pan adroddai Mari ei stori? Mae'n rhaid ei fod o wedi stelcian yno, fel heliwr yn dilyn carw yn y gwyllt. Oedd Mari wedi'i weld o? Oedd hi wedi gweld strimyn bach o ddefnydd coch yn symud yn ei llygad dde, pan oedd hi wrthi'n disgrifio Dylan yn mynd o dan y don? Tybed?

Pwy a ŵyr… dydi o ddim o bwys. Fel bywyd Jaws. Doedd bywyd neb o fawr bwys yn y byd newydd hwn.

Aeth pawb oddi yno heb ddweud gair. Daeth ton o ryfeddod ac ofn drostyn nhw i orchuddio'u hemosiynau. Aeth Nico a Beast efo'u gynnau ar hyd y ffriddoedd er mwyn chwilio am gorff Drwba yn y rhedyn. Mi gludon nhw hi yn ôl i'r fferm ar hen glwyd ieir, rhyngddyn nhw, a'i chladdu hi efo Jaws mewn bedd newydd yn ymyl Weasel ym mhen ucha'r gadlas.

49

Cysgodd pawb yn y llofft stabal y noson honno, efo un ohonyn nhw'n effro drwy'r nos i wardio rhag i Huw ladd rhywun arall. Erbyn hyn doedd ond pedwar ohonyn nhw ar ôl: Mari a Nico, Amber a Beast. Nico fu'n wardio hiraf, gan iddo fethu cysgu, am fod cymaint ar ei feddwl. Sut daliai o'r ceffylau? Byddai'n rhaid eu hel nhw i'r gadlas efo llawer o stŵr a byddai'n rhaid iddo ddyfeisio cynllun i'w dal. Byddai'n rhaid paratoi ar gyfer y siwrne: oedd 'na ddigon o fwyd ar ôl, a be wnaen nhw am ddŵr?

Trodd meddwl Nico at y problemau hyn fel maen melin yn malu ceirch drwy'r nos. Syrthiodd i gysgu o'r diwedd, ar ei eistedd, pan ddaeth y wawr; cysgai pob un ohonyn nhw'n dawel tra hwyliai'r haul yn araf dros y gorwel. Roedd y tywydd wedi oeri unwaith eto a'r topiau'n wyn gan fod blanced o eira wedi disgyn ar y bryniau yn ystod y nos.

Roedd Huw wedi symud yn ôl i'r ogof i fyw efo corff Yncl Wil; roedd o wedi dwyn y *shades* ac wedi'u rhoi nhw ar ei drwyn ei hun; yn ogystal, roedd o wedi dod o hyd i grys-T a jympar yn y tŷ i'w gwisgo efo'i drowsus coch Man U, ond doedd ganddo fo ddim byd am ei draed. Gadawodd Mari sach gysgu yn yr ogof – rhag ofn, meddai hi – a chysgai Huw yn honno bellach. Pan ddeffrodd yntau roedd yr haul yn uchel yn y ffurfafen ac yntau'n dilyn patrwm cwsg plentyn. Edrychodd i lawr ar y fferm a gwylio'r oedolion yn mynd ac yn dŵad; Nico a'r dyn du yn rhedeg ar ôl y ceffylau fel dau ynfytyn, gan chwibanu a chwifio'u breichiau. Corlannwyd hwy yn y gadlas, cyn eu twyllo i fynd drwy'r drws mawr du i'r sied gneifio – yr hen sgubor gynt. Gwelodd Nico a'r dyn du yn cael hoe wrth y drws wedyn, yn eistedd ar eu sodlau wrth gymryd pum munud i gael eu gwynt atyn nhw.

Dilynodd ei lygaid bach cyfrwys, tu ôl i'r *shades*, drywydd Nico a'r dyn du wrth iddyn nhw fynd ar hyd y dolydd, a gwrandawodd arnyn nhw'n galw arno.

'Huw!' gwaeddodd Nico ar dop ei lais. Ac eto: 'Huw, we won't hurt you. We're leaving... we're going away, Huw. You want to come with us?'

Distawrwydd. Yna'r dyn du: 'Huwie, come on, little fellah. Come on, man!'

I fyny â nhw drwy'r ffriddoedd, a'u gynnau'n barod gan gadw cyn belled ag y medren nhw oddi wrth y cloddiau a'r coedydd. I fyny â nhw at giât y mynydd, yn galw a galw; i lawr y bryniau wedyn ac i mewn â nhw i'r ogof am y tro olaf. Mi welson nhw fod y sbectol ddu wedi diflannu, a rhoddodd Beast falaclafa dros ben Wil, efo'i lygaid llonydd yn syllu drwy'r tyllau; roedd Beast wedi dod o hyd i'r balaclafa yn sticio allan o fedd Dylan pan syrthiodd Jaws ar y pridd. Roedd o'n gobeithio y buasai'r mwgwd du yn codi ofn ar y brain a'r piod, fel eu bod yn gadael llonydd i weddillion yr henwr.

Aethon nhw adre wedyn i orffen paratoi. Rhaid oedd hel hynny a fedren nhw o fwyd, er nad oedd llawer ar ôl – roedd tua dwsin o hen duniau heb labeli yno, felly wyddai neb beth oedd ynddyn nhw.

Yn y prynhawn, tra oedd Amber a Beast yn cwblhau'r paratoadau, aeth Nico a Mari am dro ar hyd y dolydd, i ffarwelio â'r hen fro am y tro olaf. Roedd Mari'n awyddus i ymweld â'r pwll ymdrochi yn yr afon unwaith eto, i eistedd o dan y goeden dderw fawr, ffarwelio â'r lle pwysig hwnnw yn ei bywyd. Câi funud i gofio'r ddau ohonyn nhw'n nofio yn y dŵr oer, yn caru, yn cysgu'n noeth o dan y goeden, a lliwiau'r amryfal flodau'n nofio ar groen Nico. Aethon nhw draw yno'n ara deg, a gadawodd Mari iddo gymryd ei llaw; unwaith eto gwelwyd dau gariad yn cerdded yn hamddenol ar hyd yr hen lwybrau, yn dweud *wyt ti'n cofio hwn*, neu *wyt ti'n cofio'r llall*, ac yn chwilio am bysgod yn nŵr clir yr afon, yn gwrando ar sisial y dŵr dros y cerrig.

Pan gyrhaeddon nhw, roedd dau fochyn bach yn cysgodi o dan y dderwen, ond rhedon nhw i ffwrdd gan wichian a chwyno pan eisteddodd y ddau wrth fôn y goeden. Roedd hi'n rhy oer i ymdrochi a chydgysgu yn y glaswellt. Chaen nhw byth gyfle eto i esgus cysgu yn y prynhawn poeth a dwyn cipolwg bach ar gyrff ei gilydd yn y tes, neu ymhyfrydu yn yr wybodaeth eu bod nhw mewn cariad, a bod eu cyrff hyblyg, ifanc yn cyflawni gwyrthiau heb iddyn nhw wybod hynny, a heb iddyn nhw wneud fawr o ymdrech. Yn y fan hon, o dan y goeden wrth yr afon, cawson nhw'r profiad o fyw ym mharadwys am un funud fwyn. Ac yna, roedd y paradwys hwnnw wedi crino o flaen eu llygaid, ac wedi diflannu o dan yr haul tanbaid. Ni ddywedodd y naill yr un gair wrth y llall drwy gydol eu hymweliad â'r paradwys gynt. Wedi iddyn nhw godi aethon nhw yn ôl i Ddolfrwynog, law yn llaw, yn gwybod ill dau na fydden nhw'n dychwelyd byth eto i ddolydd hardd Dolfrwynog a bod eu hieuenctid drosodd.

Pan gyrhaeddon nhw'r ffermdy roedd eira mân yn llenwi'r awyr o'u cwmpas. Roedd y Dolig yn agosáu, ac mi fyddai'n rhaid iddyn nhw ffoi o'u cartref â'r wlad yn wyn o'u cwmpas. I fyny ar ochr y fron gwelson nhw geg yr ogof yn ddu yng nghanol y gwynder. Collodd y buarth ei siâp, diflannodd yr hen adeiladau o dan gwrlid o eira, a diflannodd Dolfrwynog am byth, fel petai dewin wedi cyflawni gwyrth ledrithiol. Yng ngolau un gannwyll isel, rhannodd y pedwar dipyn o fwyd rhyngddyn nhw yn y llofft stabal cyn gorwedd o dan yr hen gotiau a'r hen sachau cysgu budr, gan aros am y wawr, yn hepian, ac yn gwrando ar y gwynt yn cwyno yn y to.

'Christmas is coming,' meddai Mari wrth Nico o dan y sachau a'r hen flancedi gwlân.

'Yes, I know.'

'Can we go tomorrow?'

'Yes, let's go as soon as it's light.'

Closiodd Nico ati, a'i dal yn ei freichiau.

'Have we got any bread left?' gofynnodd Mari.

'No, but we have biscuits and some tins left. Not much. Just enough to get us to the town, I think.'

'What about Huw?'

'Mari, we have to leave him here. No chance of catching him, too much danger.'

'But he'll starve to death.'

'Maybe he live wild, who knows? If we try to get him maybe he shoot us.'

'Poor Huw. I don't think we did enough to help him, somehow… '

'Mari, we have been trying to stay alive, all of us. That's all there is now. Trying to stay alive, you and me and baby.'

Daeth distawrwydd rhyngddyn nhw; credai Nico fod Mari wedi mynd i gysgu pan glywodd hi'n mwmian: 'Do you love me, Nico?'

Gwasgodd hi'n dynn.

'I love you Mari, for always. You and baby, I love you both.'

Distawrwydd eto. Ymhen ychydig roedd anadl Mari wedi esmwytho, a'i chorff wedi ymlacio. Aeth i gysgu.

Deffrodd y pedwar ohonyn nhw i weld byd newydd

gwyn yn y bore. Wedi gwisgo be fedren nhw, dysgodd Mari 'iddyn nhw sut i lapio sachau o amgylch eu fferau fel legins, ac addaswyd rhai o'r hen sachau tatws i wneud ponsios iddyn nhw. Yn gynnes yn ei phoced, teimlai Mari ffurf bach blewog: ei thalismon erbyn hyn – Babi mwnci. Roedd o'n fudr ac yn sgraglyd, ond roedd o wedi bod efo hi'n fwy na neb arall, ac wedi ymddangos yn y llefydd mwyaf annisgwyl.

Daliwyd y ceffylau ar ôl hanner awr o waith amyneddgar gan Beast – roedd ganddo ddawn efo nhw. Ffrwynwyd hwy, a gosod y cyfrwy ar y cob, cyn mynd â nhw i'r ffynnon i yfed ychydig o ddŵr.

'Not too much or they die,' meddai Beast. Diolch i Dduw fod rhywun yn gwybod rhywbeth am geffylau, meddai Mari. Llwythwyd y merlod efo dillad gwely, a gynnau, a'r ychydig fwyd oedd ar ôl.

Yna gadawon nhw Ddolfrwynog, gyda Mari yn y cyfrwy a Nico'n arwain y ceffyl. Yn nhop yr allt, troeson nhw i edrych ar y ffermdy am y tro olaf. Roedd y buarth wedi diflannu, heblaw am y domen; edrychai honno fel Wyddfa fach o dan ei chôt o eira.

'Ta-ra Dolfrwynog,' meddai Mari ar gefn y march.

Troesant, a dringo i fyny'r allt. Aethon nhw drwy giât y mynydd, ond edrychodd neb yn ôl wedyn. Yn yr ogof, safai Huw o flaen Yncl Wil yn ei *shades* yn ailadrodd y gair, *damia… damia… damia*, drosodd a throsodd iddo fo'i hun yn ddistaw bach. Roedd o newydd ychwanegu croes fawr goch ar y siart yn y llofft stabal.

50

Gobaith. Dyna'r cyfan oedd yn eu gyrru ymlaen, dim byd heblaw gobaith. Byddai pererinion hŷn na nhw wedi troi yn ôl ganwaith. Roedd yr eira wedi peidio erbyn iddyn nhw gyrraedd pen y mynydd, a dechreuon nhw ar eu siwrne hir drwy'r grug a'r brwyn dan yr wybren las. Roedd Nico wedi troedio'r ffordd hon o'r blaen, ac mi wyddai am ambell guddfan: hen gwt bugail yma, a hen gorlan draw. Gwyddai hefyd am fferm, dridiau i ffwrdd – fferm a fu'n enwog am ei moch ar un adeg. Byddai'r cyrff yno hyd heddiw, yn gorwedd ar y buarth lle gadawodd Nico nhw. Neu sgerbydau – byddai'r gigfran a'r barcud yn siŵr o fod wedi bwyta'r cnawd. Dyn canol oed a merch yr un oed â Mari; cofiai eu hwynebau'n edrych i fyny arno pan gerddodd tuag atyn nhw ar draws y buarth efo'i wn wedi'i godi. Dyna pryd y caledodd ei galon. Carreg fach gron a orweddai yn ddisymud yn ei frest wedi hynny, nid calon.

Ar ôl y diwrnod hwnnw doedd dim llawer o bwrpas i'w fywyd, heblaw am anadlu, yfed, bwyta a thrio cysgu bob hyn a hyn. Roedd o wedi teimlo rhywbeth tuag at Mari ar un adeg, oedd, ond pa bwrpas oedd i gariad mewn byd mor frwnt? Gadawodd rhywbeth o, fel aderyn anweledig, ar y buarth hwnnw pan laddodd y rhain – y tro cyntaf iddo ladd. Dau gorff cynnes yn gorwedd ar fuarth oer, mewn lle anial ar gyrion y mynydd. Gwaed yn llifo o geg y ferch fel marc cwestiwn ar y llawr. A beth oedd ar ôl, wedyn, ar ôl ymadawiad yr aderyn anweledig? Dim byd heblaw gwynt oer yn chwythu drwy'i wallt, a'r bydysawd tragwyddol yn ymestyn o flaen ei lygaid hyd at ben draw'r gofod du.

Y noson gyntaf, mi gysgon nhw i gyd mewn cwt bugail.

Roedd Mari'n dioddef, oherwydd doedd hi erioed wedi reidio ceffyl cyn hynny, a chan ei bod hithau mor feichiog roedd marchogaeth yn boenus. Gwnaeth Nico wely iddi yn y cwt, gan gynnwys ei ddillad gwely ei hun yn ogystal, ond ni chysgodd Mari a bu'n wylo'n dawel o dan y flanced; roedd y poen yn ei bol yn annioddefol. Gweryrodd y ceffylau yn y nos, fel petai perygl yn agosáu; bu Beast yn gweddïo yn ei gwsg, yn dweud paderau ac yn ymbil ar Dduw am faddeuant...

Ddydd ar ôl dydd aethon nhw'n araf drwy'r eira, hyd nes iddyn nhw weld y mynydd mawr du roedd Nico wedi sôn amdano a throi i gyfeiriad y dref. Araf iawn yr âi'r diwrnodiau heibio, a hwythau'n blino, yn cweryla, yn colli ffydd, yn wylo dagrau yn yr eira mawr. Dim ond gobaith – a'r reddf ddynol i aros yn fyw, a'u galluogodd nhw i ddal ati'n ystod y tridiau dwytha. Ac yna, un prynhawn, mi welson nhw'r ddinas ddisglair wrth y dŵr.

Ond nid disglair mohoni: *shanty town* go iawn ydoedd, efo cytiau moch yn lle tai a throchfa o fwd yn lle strydoedd. Rhyw hen gytiau annifyr o bob lliw a siâp, wedi'u gwneud o hen sinc rhydlyd, a darnau o froc môr, a phob math o geriach. Codai mwg drewllyd o'r Gomora hyll hwn o'u blaenau; udai ugeiniau o gŵn fel bleiddiaid yn y nos, a deuai lleisiau croch dynoliaeth o'r anheddau anniddig. Uffern oedd hwn, nid tref, tybiai Mari. Uffern ar y ddaear. A hithau ar fin cael babi; teimlai'r bychan yn paratoi i'w gadael. Chwarddodd yn sardonig. Preseb. Dyna'r cyfan roedd hi ei angen. Edrychodd i fyny i'r wybren ond doedd dim seren glir yn disgleirio drostyn nhw.

'Why you laugh?' gofynnodd Nico.

'Just look at this place!' meddai Mari. 'All we need now is a manger and three wise men... because I can't see any five star hotels, can you?'

Ddywedodd o ddim gair. Gwelsai'r lle eisoes. Mi wyddai fod pethau'n waeth fyth i lawr ymysg y gwe o strydoedd bach wrth ymyl y dŵr. Yno y trigai'r *king rats*. Ac mi fyddai rhai'n gofyn iddo be ddigwyddodd i Weasel a Jaws…

'Got a story ready?' meddai wrth Mari.

'Story?'

Gwenodd arni. 'We'll need a story to explain Weasel and Jaws.'

'Not bloody likely,' meddai hithau. 'The stories have ended. Finished. You can do all the talking this time.'

Aethon nhw i lawr yn araf tua'r dref, a buon nhw'n hir yn dod o hyd i rywle i aros; ac yn wir, rhyw fath o stabal ydoedd, ac roedd preseb ynddo hefyd. Cartref ydoedd i ddyn mawr estron a hwnnw'n siarad iaith ddiystyr; roedd y preseb yno ar gyfer ei ddwy afr ddrewllyd. Ond doedd dim seren uwchben, na thri gŵr doeth wrth y drws, na myrr, nac aur, nac unrhyw drugareddau. Rhoddodd Nico un o'r ceffylau i'r tenant, fel y caen nhw aros yno am wythnos. Yn y cwt hwnnw, felly, y cysgai'r cwbl ohonyn nhw, blith draphlith: dyn cawraidd heb air o Gymraeg na Saesneg; dwy afr; pedwar ymwelydd, a babi ar fin ymweld â'r byd. Erbyn y diwrnod wedyn roedd y ceffylau wedi'u cyfnewid am fwyd, ac roedd Nico a Beast yn dal gynnau yn eu dwylo; ymadawodd y cawr yn sydyn ac ni welwyd mohono byth wedyn. Roedd ei enw yntau hefyd wedi'i sgwennu erbyn hyn ar y garreg fach gron ym mrest Nico.

Rywbryd yn ystod y nos – dim ond dydd a nos oedd ar ôl, doedd dim amser yn y *shanty town* – ganed mab i Mari a Nico. Collodd Mari gryn dipyn o waed ac roedd y babi'n fychan iawn, ac yn felyn. Ond mi roedd yn fyw. 'Molchwyd o mewn dŵr oer a'i roi mewn clytiau a olchwyd y diwrnod cynt gan Nico, yn yr afon gerllaw. Rhoddwyd yr enw Wil i'r baban. Yn hytrach na dathlu, cwyno wnaeth nifer o'u cymdogion am fod crio'r baban yn amharu arnyn nhw.

Yn ystod y diwrnodiau wedyn bu cythrwfwl yn y *shanty town* a lladdwyd nifer o ddynion mewn ffrwgwd ar un o'r llongau wrth ymyl y dŵr. Roedd dynion Jaws a Weasel wedi dod o hyd i Nico yn eu mysg ac yn awyddus i wybod tynged eu cyfeillion. Doedd Nico ddim yn medru adrodd stori fel Mari, ond medrai anelu gwn. Diwedd y gân fu i Nico anelu ei wn, ac i lawer o ddynion eraill anelu eu gynnau hwythau ato yntau cyn gwahanu. Cyneuwyd tân yn y nos yn y cytiau, a bu trigolion y dref yn ymgecru â'i gilydd, yn ymladd, yn saethu, ac yn gosod cytiau ei gilydd ar dân.

Erbyn i'r wawr dorri ar y pumed diwrnod roedd anarchiaeth llwyr yn y dref, y frwydr yn symud o stryd i stryd, a chyrff yn leinio'r llwybrau. Doedd ond un gobaith ar ôl i Nico a Mari a Wil bach. Dim ond un dewis. Roedd Nico wedi sylwi bod y *Jolly Roger* wedi dychwelyd i'r *shanty town*, er bod y cwch mawr du wedi ymadael; efallai fod y môr-ladron wedi'i werthu i'r *king rats* ar y morfa. Y noson honno, paratowyd i ymadael â'r dref: bu Nico wrthi'n dwyn hynny fedrai o fwyd a diod, a llenwodd ei ddau wn a'i bocedi efo cetris.

Pan ddeuai'r wawr bydden nhw'n ffoi o'r cwt ac yn dianc ar y *Jolly Roger*. Doedd dim dewis heblaw hwylio o'r dref, a cheisio dod o hyd i dref arall ar hyd yr arfordir. Os oedd 'na un. Cysgodd Mari ychydig yn ystod y nos, ond arhosodd Nico ar ei eistedd yn cynllunio ac yn paratoi. Daeth y wawr o'r diwedd. Daeth yr amser iddyn nhw ffoi, cyn i neb arall ddeffro.

51

'Hurry,' meddai Nico. 'Come on, run!'

Ceisiai Nico redeg i gyfeiriad y *Jolly Roger* efo'r babi yn ei freichiau. Ond fedrai Mari ddim rhedeg, ymlwybrai mewn rhyw hanner trot, fel merlen mynydd fach glwyfedig. Roedd y poen yn ei thu mewn yn ofnadwy. Daeth niwl llwyd dros ei llygaid a gwelai ffurf Nico'n nofio o'i blaen yn y pellter. Roedd o wedi cyrraedd y lan, ac yna diflannodd. Teimlai Mari iddi gymryd oriau i gyrraedd y cwch. Roedd Nico wedi rhoi'r baban ar y dec, ac wrthi'n datglymu'r rhaffau a gydiai'r cwch wrth y lan.

Cerddodd Mari i fyny'r gangwe a gorweddodd ar ei hyd ar y dec; arhosodd yn llonydd, yn ymladd i adennill ei gwynt. Teimlai fel cyfogi erbyn hyn, a churai ei chalon yn erbyn ei hasennau. Gorweddai'n ddisymud er bod y babi wedi dechrau crio; estynnodd ei braich yn araf i gyffwrdd â'r bwndel bach. Fedrai hi ddim hyd yn oed ei gysuro; doedd ganddi hi ddim digon o ynni i sibrwd ychydig o eiriau. Teimlai'r cwch yn siglo oddi tani cyn iddo symud yn araf drwy'r dŵr.

Rhedai Nico o'r naill ochr i'r llall yn tynnu rhaffau ac yn gollwng yr hwyliau i lawr. Cyn rhoi ei sylw i lywio, gosododd y babi wrth ochr Mari, fel y medrai hi gysuro tipyn arno. Âi meddwl Mari i mewn ac allan drwy'r niwl trwchus; roedd y poen yn annioddefol un funud, ac yna'n diflannu'r funud nesaf. Efallai iddi gysgu am sbelan, neu hwyrach iddi ddisgyn i goma. Weithiau clywai'r babi'n crio, a gwnâi ymdrech uwch-naturiol i symud, ond methai dro ar ôl tro. Clywodd sŵn saethu'n dod o'r lan, ac yna'n peidio. Clywodd lais Nico'n ei chysuro.

Cliriodd y niwl yn ei phen am ychydig, a gwelodd fod y babi yn ei freichiau. Byddai'n rhaid dod o hyd i lefrith yn fuan iawn. Sibrydai Mari'r enw, *Dolfrwynog*, ac yna, wedyn, *Dolfrwynog*... oedd o'n ei chlywed hi? Llwyddodd Mari i godi ei llaw a denu ei sylw. Rhoddodd ei glust yn agos at ei cheg. *Dolfrwynog*, meddai hi unwaith eto.

'What you saying, Mari?'

'Dolfrwynog... the farm... cows... '

Aeth Nico'n ôl at y llyw. Tybed oedd o wedi'i chlywed hi? Dyna oedd ei hunig obaith, yntê? Mynd yn ôl i'r fferm i nôl llefrith, neu mi fase'r bychan yn marw.

Llywiodd Nico'r cwch tua'r môr agored. Roedden nhw wedi llwyddo i ddianc, ond be wnâi o rŵan? Nid llongwr mohono. Doedd o ddim wedi dweud hynny wrth Mari, rhag ofn iddi boeni. Roedd o wedi dysgu'r ychydig a wyddai am forio wrth wylio Beast yn hwylio'r cwch i Ddolfrwynog. Efallai mai dyna oedd yr ateb: mynd i Ddolfrwynog unwaith eto. Neu hwyrach y dylai anelu'r llong ar hyd yr arfordir, gan obeithio gweld *shanty town* arall. Roedd o bron â drysu; yn y cyfamser, oherwydd iddo ymgolli yn ei fyd bach ei hun, roedd wedi llywio'r cwch ymhell o'r lan. Smotyn bach ar y gorwel oedd y dref erbyn hyn. Gwelai golofn o fwg uwchben y cytiau sinc; roedd rhywle arall ar dân.

Tawelodd yr awel a llaciodd yr hwyliau. Bu'r llong yn siglo yn y môr felly am awr neu fwy, a rhoddodd y gorau i lywio; aeth i orwedd wrth ymyl Mari, efo'r babi rhyngddyn nhw. Cysgodd am dipyn, yna cododd ar ei ochr i edrych ar ei hwyneb. Roedd hi cyn wynned â'r galchen, ac yn anadlu'n ysgafn iawn.

'Mari.'

Dim ateb.

'Mari,' dywedodd wedyn, ychydig yn uwch y tro hwn.

Trodd ei hwyneb tuag ato'n araf, a syllodd arno. Roedd ei llygaid wedi cymylu. Oedd hi'n ei glywed?

'Mari, I want to tell you... '

Petrusodd am eiliad yn ei swildod, yna gwelodd pa mor ffôl oedd hynny, a dywedodd: 'Mari, I love you.'

Unwaith eto, dim ateb. Efallai... a welodd o ymateb yn ei llygaid, am eiliad?

Arhosodd am dipyn, yna dywedodd unwaith eto: 'Mari, I love you. I always love you, Mari. Sorry it end this way. I want to say sorry to you... for the way things happen and you have no way to stop them. But Mari, I love you... '

Edrychodd ar ei hwyneb disymud, yna gwelodd ei llygaid yn agor eto. Roedd hi'n ei nabod y tro hwn. Gwnaeth ymdrech aruthrol i ddweud rhywbeth, a symudodd ei gwefusau.

'What you say, Mari?'

Symudodd ei gwefusau, ond doedd 'na ddim llais ar ôl.

Gorweddodd ar ei gefn eto, gan bensynnu ynglŷn â'u dyfodol. Be wnaen nhw? Caeodd ei lygaid, ac aeth i baradwys bychan yn ei feddwl, gydag yntau a Mari a'r babi y tu allan i dŷ bach del, dedwydd, efo digon o fwyd yn eu boliau a heddwch yn y wlad...

Clywodd sŵn, a chododd ar ei eistedd yn sydyn. Beth oedd y sŵn 'na? Cododd ar ei liniau ac edrych dros yr ochr. Ar y môr llonydd gwelai long yn dod tuag atyn nhw; llong ddengwaith mwy na'r *Jolly Roger*; roedd y dec yn fwrlwm o forgrug... na, dynion oedden nhw. Edrychodd Nico ar y faner goch yn yr awel uwchben y llong ddiarth. Roedden nhw'n well morwyr na fo; ac wedi dod o hyd i ychydig bach o wynt yn yr hwyliau.

Roedd y llong yn agosáu, a chlywai leisiau'r dynion ac ambell chwerthiniad. Aeth Nico i lawr i'r caban i nôl ei wn. Llwythodd y ddwy faril efo cetris, yna rhoddodd lond llaw ohonyn nhw yn ei boced. Aeth i fyny ar y dec eto'n hamddenol ac yn dawel. Penliniodd wrth ochor Mari a rhoddodd gusan iddi ar ei boch. Gwnaeth yr un peth i'r babi, gyda'i law dde yn dal ynghlwm yng ngwallt brown ei gariad.

Prin digon o amser i wynebu'r llong oedd ganddo, a'i wn wedi'i godi tuag atyn nhw o'i flaen, cyn i'r fwled gyntaf gyrraedd ei gorff.

5 2

在西欧海域进行船只巡逻的"荷花3号",其《航海日志（或报告）》 1/1/11
写道：我们在韦尔士古国——现为逃犯（人数不详）之家的1个岛屿——海面的 1 条小船上发
现3名西欧人。我们假定原居民已遭灭绝或根除。船上 2
具尸体，是1名纹身男子和 1 名妙龄少女的。还有 1 名男婴，仍然活着，被带到了"荷花 3
号"上，并（照他胳膊上玩具的名称）取名为猴子。他的大脚趾上一直戴着 1 枚戒指。这孩
子被送往上海孤儿院
6B（科），以评定可否作为司空见惯的灭门案或军事间谍职业生涯方面的案例。2 具尸体则留
在水中。

Adroddiad Bad Patrol *Blodyn Lotws III* ym môr Gorllewin
Ewrop 1/1/11: daethpwyd ar draws tri o'r gorllewin mewn
cwch yn y môr ger hen wlad Cymru (?) – heddiw ynys a
ffoaduriaid arni (nifer anhysbys). Cymerwn fod y brodorion
cynhenid wedi'u difa. Dau gorff yn y cwch, dyn efo tatŵ
a merch ifanc. Baban gwryw yn fyw, aethpwyd ag ef ar
Blodyn Lotws III ac enwyd ef yn Mwnci (oherwydd bod
tegan ynghlwm wrth ei arddwrn). Modrwy ar un o fysedd
ei draed. Rhoddwyd y plentyn i Gartref Plant Amddifad 6B
yn Shanghai i'w asesu yn ôl y drefn arferol parthed ei ladd/
hyfforddi ar gyfer y fyddin. Gadawyd y cyrff yn y dŵr.